주문형 출판(POD)으로 무료 출판 따라하기

- 한글, 파워포인트, Canva(캔바), 부크크를 활용한 1인 출판 -

주문형 출판(POD)으로 무료 출판 따라하기 – 한글 파워포인트 Canva(캔바) 부크크를 활용한 1인 출판

발 행 | 2024년 2월 5일
저 자 | 이운우
펴낸이 | 이운우
펴낸곳 | 공간나다움
출판사등록 | 2015.09.22.(제337-2015-000012호)
주 소 | 부산시 연제구 여고로 52번길 25, 301호
전 화 | 070-8028-3307
팩 스 | 0504-470-4282
이메일 | cloudrain95@naver.com
가 격 | 25,500원

ISBN | 979-11-981476-3-9

주문형 출판(POD)으로 무료 출판 따라하기

- 한글, 파워포인트, Canva(캔바), 부크크를 활용한 1인 출판 -

원고만 있다면
개인이든 출판사 사업자든
재고비용 없이, 주문과 동시에
바로 만들어 유통, 판매할 수 있는
출판 작가 프로젝트!

이운우

공간 나다움
SPACE NADAUM

차례

못마땅한 원고라도 가지고만 있다면

처음 완성한 원고가 마음에 드는 작가는 한명도 없다. 밤에 연애편지를 쓰지 말라는 말처럼 밤새 쓴 원고를 낮에 읽다가 얼굴이 화끈거리는 경우도 있다. 어떤 글도 처음엔 다 못마땅하다. 이 사실을 받아들이지 못하면 책을 출판하겠다는 마음은 접어야 한다. 일단 써내려가는 것이 먼저고, 이후 고치고 추가하고 들어내고 다듬어야 한다. 과거 "덮어놓고 낳다보면 거지꼴을 못 면한다." 했다만 글쓰기와 관련해서는 "덮어놓고 쓰다보면 다음 문장 떠오른다."로 바꿔 봄이 어떨까. 첫 문장부터 쓰기 시작해야 다음 문장이 나오고, 그렇게 일단 완성된 못마땅한 원고라도 가지고 있다면 출판을 위한 첫걸음은 가능하다. 거창한 책을 만들어 보려고 끝내 마무리하지 못한 글은 아예 퇴고조차 시작할 수 없다.

나는 지금까지 두 권의 책을 썼고, 그 중 한권은 직접 책을 만들어 출판했다. 그리고 다른 이의 의뢰를 받아 팔순기념회고록도 출판했다. 처음부터 책을 출판하겠다는 계획을 했던 것은 아니다. 10여년이 넘는 상담 경험을 남기고 싶은 마음에 시작한 글쓰기가 두 딸들에게 들려주고 싶은 진로 이야기로 확장되었다. 그러나 판매율이 별로 나오지 않는 주제의 책이 출판사들의 눈에 들어갈리 없었다. 수 십군데 출판사에 퇴짜를 맞고 결국 내가 만든 출판사로 책을 출판하기로 결심했다. 책을 많이 팔겠다는 목표가 아니라 나의 이야기, 나의 글을 세상에 내어 놓겠다는 생각이 우선이었다.

그때 만난 게 주문형 출판이다. 기존 출판사를 통해 수 백, 수 천권 재고를 쌓아두고 책을 만들어 판매하는 방법이 아니라 주문이 들어오면 바로 바로 책을 만들어 판매할 수 있는 '부크크'(https://www.bookk.co.kr)라는 플랫폼을 만났다. 다 쓴 원고를 부크크가 제공하는 원고 양식에 따라 다듬고(물론 기본적인 양식만 제공하기에 많이 수정했다.), 책 표지는 숱한 시행착오 끝에 Canva(캔바)라는 디자인 플랫폼을 통해 완성했다. Canva를 만나기 전 포토샵과 미리캔버스라는 프로그램을 거쳤지만 가장 마음에 드는 도구는 Canva였다. 이런 경험을 토대로 다른 이의 의뢰를 받아 팔순기념회고록을 출판했고, '주문형 출판 따라하기'라는 제목의 강의와 프로그램도 만들었다. 이 책은 바로 이 강의와 프로그램의 교재에서 시작되었다.

1부는 다 쓴 원고를 어떻게 다듬을 것인가 확인하는 장이다. 이미 다 쓴 원고라 하더라도 대상 독자층을 분명히 해야 한다. 내 책을 누가 읽을 것인지 상상하며 글을 다듬어야 한다. 불특정 다수를 위해 글을 적겠다는 생각은 이 책을 그냥 아무나 읽으라고 던져두는 것과 다를 바 없다. 그리고 목차와 머리말의 중요성과 단문과 장문을 적절하게 사용해야 하는 이유를 짧게 살펴볼 것이다. 이미 완성된 원고를 토대로 시작하기에 어떻게 원고를 쓸 것인가에 대한 부분은 많이 다루지 않을 것이다. 1장의 마지막은 실제 예시와 함께 문장 다듬기 방법을 볼 것인데 이오덕 선생님의 『우리글 바로쓰기』(한길사)와 김정선의 『내 문장이 그렇게 이상한가요』(유유)의 덕을 많이 봐야 한다. 실제 책 만드는 부분만 보고 싶다면 1부를 건너 띄어 2부부터 읽어도 된다.

2부는 내지 편집 장으로 한글 프로그램을 활용해 내지 편집을 어떻게 하는지 다룬다. 먼저 책의 구성요소와 판형에 대한 이해가 있어야 내지 편집도 가능하다. 출판을 위해 많이 사용하는 인디자인 프로그램이 있지만 프로그램을 구입해야 하며, 사용 방법도 배워야 한다. 그러나 내지 편집이 꼭 인디자인이나 전문적인 프로그램에서만 가능한 것은 아니다. 한글 프로그램으로도 내지 편집이 가능하다. 2부는 한글 프로그램을 활용한 내지 편집, PDF 변환과 더불어 파워포인트를 활용해 내지에 사용할 수 있는 해상도 높은 이미지들을 설정하고 저장하는 방법을 다룬다.

3부는 Canva(캔바) 디자인 플랫폼으로 책 표지 디자인하는 방법을 다룬다. 우리나라에서 만든 디자인 플랫폼인 미리캔버스, 망고보드도 있지만 Canva를 중심으로 표지 디자인 하는 방법을 살펴볼 것이다. Canva를 활용해 표지뿐만 아니라 내지에 사용할 수 있는 다양한 이미지들도 구성할 수 있다. 3부는 Canva 활용법뿐만 아니라 직접 표지를 만드는 과정을 보여주며 따라올 수 있도록 구성하였다.

4부는 '부크크'라는 주문형 출판 플랫폼을 소개한다. 우리나라의 대표적 주문형 출판 플랫폼으로 부크크와 교보문고 POD 주문형 출판 서비스가 있다. 그 중 부크크를 중심으로 주문형 출판을 어떻게 진행할 수 있는지 살펴볼 것이다. 2부와 3부를 잘 따라와 내지와 표지 편집을 마무리 한 상태라면 4부는 완전한 책을 출판하는 시작이라 볼 수 있다. 또한 4부에는 출판의 종류와 저작권에 대한 부분도 다룬다. 사실 이 부분은 책의 앞부분에 두어야 순서가 맞지만 너무 딱딱할 수 있어 가장 마지막 장에 두었다. 출판의 종류를 기획출판, 자비출판, 반기획출판, 독립출판, 주문형 출판으로 구분했는데 이 책에서 다루는 주문형 출판이 다른 출판 방법과 어떻게 다른지 설명하였다. **이 책의 제목이기도 한 '주문형 출판'이 도대체 어떤 출판인지 먼저 알고 책을 읽고 싶다면, 4부의 1.1 출판 종류부터 읽으면 도움 받을 수 있다.**

책 제목처럼 이 책에서는 한글, 파워포인트, Canva(캔바), 부크크를 활용해 무료 출판할 수 있는 주문형 출판에 대해 다룬다. 주문형 출판은 좀 더 넓은 의미로 1인 출판이기도 하고, 독립 출판 형태이기도 하다. 다만 미리 몇 백부, 몇 천부를 만들어 창고에 재고로 쌓아두고 판매하는 것이 아닌 주문을 받은 후 책을 만들어 판매하는 방법이기에 '돈 안들이고' 출판할 수 있다. 원고만 있다면 내지 편집, 책 표지 디자인, 출판, 유통까지 한번에 마무리할 수 있도록 구성한 책이다. 이 책을 읽으며 제대로 따라해 본다면, 대단해 보이던 출판(대단한 건 사실이다.)이 낯설지 않은 단어로 다가올 것이다.

제1부

원고 다듬기

1. 누가 읽을 것인가?

    내가 쓴 글을 누가 읽기 원하는가? 출판을 위해 글을 쓰는 이들은 가능하면 남녀노소 가리지 않고 많은 독자들이 자신의 책을 보길 원하겠지만 그런 책은 잘 없다. 내가 무슨 주제의 책을 어떤 독자들을 향해 쓰고 싶은지 미리 분명하게 정해야 한다. 주제를 정하는 것은 크게 어렵지 않다. 그러나 그 주제를 누구에게 말하고 싶은지 가상의 독자를 상상하며 내내 글을 쓴다는 건 쉽지 않다. 알고 있다하더라도 글을 쓰다보면 자주 잊는다. 그게 그렇게 중요한가? 라며 반문할 수 있지만 아주 중요하다. 명확한 대상 없이 쓰는 글은 마치 여기저기 투망을 던지는 것과 같다. 어떤 물고기를 잡고 싶다는 생각도 없고, 어느 위치에 물고기가 많은지 고려하지도 않고 아무 곳에나 투망을 던지는 행위 말이다. 그런 투망질의 결과는 돌멩이 밖에 걸려 나오는 게 없다. 독자를 마치 물고기에 비유해 좀 그렇지만 명확한 대상 독자를 떠올리며 글을 써야 글의 내용뿐만 아니라 글의 분위기와 어조, 전달방식이 달라진다.

    나의 경우 『진로도 나답게』라는 책의 원고를 쓸 때 딸을 늘 가상의 독자로 상상했다. 현재는 중학생이지만 나중에 청년이 된 딸에게 진로와 관련해 해 주고 싶은 이야기를 적었다. 미래의 딸과 같은 청년들에게 해주고 싶은 이야기들을 딸을 가상의 독자로 상상하며 글을 쓴 것이다. 진로상담을 하고, 프로그램과 강연을 하면서 쌓인 나의 지식과 경험을 글로 쓰고 싶은데 그냥 아무나 읽었으면 좋겠다는 심정이 아니라 마치 내 딸에게 해주고 싶은 이야기를 글로 적었다.

내 글을 읽을 대상 독자는 명확해야 한다. 가장 먼저는 연령대를 정해야 한다. 글을 쓸 때마다 수시로 가상의 독자를 떠올리며 그들을 대상으로 글을 쓰고 있다고 상상하면 좋다. 연령 구분에 더해 주 독자층의 성별, 직업군, 관심 영역이 더해져 글의 전문성과 어조가 달라진다. 내 책을 가능하면 많은 사람이 보면 좋겠다는 마음에 누구나 읽어도 도움이 된다고 생각하고 원고를 쓰기 시작한다면 방향을 읽기 쉽다. 글을 쓰면서 내가 누구를 대상으로 글을 쓰고 있는지 가상의 독자를 자주 떠올리며 글을 써보자. 글이 산만하게 흩어지지 않는다. 내 글을 누가 읽기를 원하는가? 어떤 독자들을 위해서 글을 쓰고 있는가? 그들이 내 글을 통해 어떤 유익을 얻기 원하는가? 정보제공인가, 마음의 여유인가. 아니면 내면의 성찰인가. 문제해결인가. 그저 내 삶의 이야기를 들려주고 싶은 것인가.

하고 싶은 이야기가 아무리 많아도 내 글을 읽을 대상 독자와 상관이 없다면, 과감히 내용을 들어내야 한다. 그건 나의 관심이지 글을 읽는 독자의 관심이 아닐 수 있다. 공연히 글은 길어지고, 아무리 좋은 내용이라도 지루해지기 십상이다.

2. 목차가 중요하다

목차는 작가나 독자에게 책의 큰 그림을 그리게 해 주기 때문에 아주 중요하다. 어떤 주제의 글이든 짧은 글을 써야 할 때도 서론 - 본론 - 결론이 필요하다. 짧은 글도 이러할진대 책을 만들기 위해 원고를 쓰면서 전체적인 윤곽없이 시작한다는 건 있을 수 없는 일이다. 물론 여기 저기 쓴 짧은 글들을 모아 한권의 책을 만들기도 한다. 처음부터 목차나 개요를 짜고 쓴 글이 아니라 소소한 일상이나 주제를 정해 짧은 글을 쓰고, 그 글들을 모아 나중에 목차를 짤 수도 있다. 일단 써내려가라고 하니 방향 없이 쓴 모든 글이 책이 될 수 있다고 생각하면 안된다. 모든 글쓰기의 출발은 일단 써내려가는 게 맞다. 처음부터 목차짜느라, 개요짜느라 애쓰며, 결국 글쓰기를 포기하는 일이 벌어지지 않으려면 일단 써내려가는 게 맞다. 그러나 글쓰기를 한다는 것과 그 글을 책으로 출판한다는 건 다른 이야기다. 적어도 책으로 만들려면 내가 무슨 말을 하고 싶은지 방향이 있어야 한다. 짧은 글을 모아 책으로 만들더라도 결국 그 글들을 모으고 가를 기준이 필요하다. 목차가 중요한 이유다.

이 글을 읽는 사람들은 이미 원고를 들고 있는 사람들이라고 가정하면서 이 책을 쓰고 있다고 앞서 밝혔다. 그럼 이미 정한 목차대로 원고를 썼는데 지금 목차 이야기를 하면 어떻게 하나? 할 수 있다. 그럼에도 목차의 흐름과 목차의 문구는 다듬어야 한다. 같은 내용도 배치에 따라 독자의 집중도와 흥미가 달라진다. 책을 고르는 독자가 목차의 그 문구에 꽂혀 책을 읽을 수도 있다. 이미 완성한 원고와 목차라 하더라도 글의 내용만 손 볼 게 아니라 책의 윤곽과 흐름, 방향이 목차에 잘 드러나고 있는지 살펴야 한다.

『대통령의 글쓰기』라는 책으로 잘 알려진 저자 강원국은 글을 쓰기 위해서는 먼저 목차가 떠올라야 한다고 말한다.

> 목차를 보면 얻는 게 많다. 목차는 호기심을 유발한다. 책의 흐름을 읽을 수 있다. 목차 안에 배경지식도 있다. 목차 한 줄이 영감을 불러일으키기도 한다. 그 한 줄이 내가 써야 할 글의 주제가 된다. 무엇보다 목차는 책 전체를 한 눈에 보게 한다. 내용 구성이 어떻게 돼 있는지 일목요연하게 정리해준다. 독자를 끌어당기기 위해서는 구성이 어뗘해야 하는지도 알 수 있다. 목차야말로 독자의 마음을 움직이게 하고 책에서 떠나지 못하도록 붙들어두는, 치밀하게 짜인 각본 같은 것이다.[1]

내가 말하고 싶은 내용을 남에게 전달하기 위해선 순서가 필요하다. 글의 논리와 순서가 엉망이면 아무리 좋은 내용도 독자의 눈을 사로잡지 못한다. 또한 목차는 원고를 쓸 때 어떤 자료를 찾아서 도움을 받아야 할지 알려준다. 책을 쓰겠다고 관련 주제 책을 정신없이 모을게 아니라면 목차가 있어야 어떤 자료를 찾을지, 그리고 그 자료 중에 어떤 내용을 참고할지 결정할 수 있다. 모든 책에 줄을 긋고, 줄 그은 내용 중에 도대체 어떤 내용을 인용하거나 참고해야 할지 모르는 희한한 일이 벌어지지 않으려면 말이다.

강원국은 기본 구성요소를 알아야 글쓰기가 수월해진다고 했다.[2] 회사의 보고서 기본 구성요소는 '현황 → 문제점 → 해법 → 기대 효과' 순이며, 두 안의 선택 여부를 놓고 의사 결정하는 글일 때는 '두 안의 비교기준 제시 → 비교 기준에 입각한 장단점 분석 → 보고자의 의견 제안 → 제안대로 했을 때 예상결과' 가 들어가야 한다고 했다. 축사의 경우 '축하 → 행사의 의미 부여 → 기대 표명 → 거듭 축하 → 건승을 비는 덕담' 순이며, 칼럼은 '현상 → 진단 → 해법', 논증하는 글은 '주장 → 이유 → 근거와 예시 → 재주장'이 기본이라고 하였다. 글의 주제에 따라 구성요소들이 달라진다는 말이다.

그러나 이런 기본적인 구성요소 이야기는 원론적인 이야기며, 오히려 나는 간단한 방법을 추천해 본다. 바로 내가 쓰려는 주제의 책과 비슷한 책들의 목차를 확인하는 방법이다. 보통 책을 읽을 때 목차와 소제목을 유심히 살피며 읽는 사람들이 많지 않다. 내용을 먼저 파악하기 원하기 때문이다. 그러나 내가 쓴 원고로 책을 만들기 원하는 이들이라면 이미 출간된 비슷한 주제의 책 목차를 꼭 확인해 보기 바란다. 목차 구성의 참신함을 보라는 말이 아니라 어떤 흐름으로 목차를 짜고 있는지 확인하라는 말이다. 목차를 통해 책의 윤곽을 어떻게 드러내고 있는지, 글을 연결해가는 방법은 어떠한지를 보라는 말이다. 그 후에 목차에 쓴 단어나 문장의 참신함, 글의 배치, 색과 배경의 선택과 같은 디자인 요소들을 참고한다면 다른 책의 목차는 아주 좋은 도구가 될 수 있다. 하나만 더 보탠다면 분량 때문에 책의 목차에는 담지 못한 하위 소제목들이 책 내용 중에 들어 있을 수 있는데, 목차에서 생략된 소제목들까지 찾아내 모두 기록해보는 방법도 있다. 이 방법을 통해 저자가 글의 전체 윤곽과 흐름을 어떻게 세밀하게 표현하고자 하는지 도움을 얻을 수 있다.

3. 서두는 인상적으로

프롤로그, 들어가며, 책을 펴내며, 들어가는 말, 이 책을 읽는 이들에게, 머리말, 서문 등 책의 서두를 이르는 말은 다양하다. 저런 소제목 뒤에 다른 제목을 붙이거나 아예 독립적인 제목을 붙이기도 한다. 예를 들어본다면 '이야기가 힘이다', '‘글쓰기 책의 범람’에도 불구하고', '글쓰기가 두려운 그대에게', '문장을 다듬는 시간', '수업을 시작하며' 라는 제목들이 있다. 목차가 책 전체의 윤곽과 흐름을 독자들에게 알려준다면, 서두는 독자들이 본격적으로 책의 내용을 접하는 대문이다.

책의 서두가 인상적이어야 한다. 유튜브가 대세인 요즘 너도나도 자신의 콘텐츠를 알리려 애쓴다. 유튜브 영상을 끝까지 볼지 말지는 영상 도입부 몇 초가 얼마나 인상적인가에 달렸다. 오죽하면 60초짜리 영상 공유사이트인 '틱톡'을 따라잡으려고 유튜브에서 15초짜리 '쇼츠'라는 공유사이트를 만들었겠는가. 나를 봐달라, 나를 읽어달라는 영상과 책들이 쏟아지고 있다. 아무리 잘 쓴 책이라도 결국 독자의 관심을 받지 못하면 의미 없다. 바로 이러한 호기심을 유발하도록 하는 게 책 서두의 역할이다. 내 글은 뒤로 갈수록 재미있고, 집중도 높은 내용들이기에 독자들이 읽다보면 결국 빠져 들것이라는 생각은 착각이다. 이미 인터넷이나 영상에 익숙해져 있는 독자들에게 인내심을 요구하기는 어렵다.

어떤 독자들은 표지 디자인에 끌려, 혹은 제목에 끌려 책을 읽기 시작하기도 하지만 독서에 익숙한 독자들은 대부분 서두를 통해 그 글을 읽을지 말지를 결정한다. 서두가 재미없거나 호기심을 끌만큼의 매력이 없다면 그 글은 외면당한다. 독자들이 아무리 관심을 가지는 주제라 하더라도 서두가 밋밋하면 첫인상에서 이미 흥미가 꺾인다.

서두는 글을 쓰는 목적과 배경을 알리는 기능을 한다. 그렇기 때문에 본문과 관련 없는 서두는 아무런 의미 없다. 정희모와 이재성은 『글쓰기의 전략』3에서 서두에 들어갈 내용으로 '화제', '과제', '개념'을 제시한다. 화제는 "글을 시작하기 앞서 독자의 관심과 흥미를 끌기 위해 독자에게 제공되는 다양한 관심거리"를 뜻한다. 과제는 "글을 통해 풀고자 하는 문제"를, 개념은 "대상에 대한 정의나 개념, 원리, 적용 등을 풀이하는 것"으로 설명한다. 어떤 주장을 하거나 다른 이들을 설득하고자 하는 글이 아니라면 서두에서 가장 많이 사용하는 방법은 '화제'를 이용한 방법이다.(주문형 출판을 하려는 작가들 중에 주장과 근거제시를 통해 다른 이들을 설득하려는 책을 쓰려는 이들이 적다고 보고 화제 중심으로 적을 생각이다.) 내가 쓰고자 하는 주제를 잘 드러내는 어떤 사건이나 시사적 상황을 언급할 수도 있다. 또 저자가 고민하는 바나 관심사 따위의 저자 주변에서 일어난 일이나 경험으로 시작할 수도 있다. 아니면 책, 영화에서 얻은 예화나 인용구를 활용할 수도 있다. 어떤 이들은 일어나지 않은 미래를 상상해서 시작할 수도 있다.

　내가 가장 선호하는 방식은 나의 경험과 고민을 함께 아우르며 글 쓰는 배경을 설명하는 방식이다. 책의 주제와 관련된 나의 경험을 스토리(이야기) 방식으로 풀면서 누구나 보편적으로 고민하고 있는 부분이지 않느냐고 묻는다. 나만 고민하고, 나만 해결책을 찾으려는 주제가 아니라 가만히 들여다보면 누구나 하고 있는 고민 아니냐고 흥미를 가지게끔 한다. 개인의 스토리(이야기)만큼 사람들의 흥미를 끄는 것도 없다. 한 개인의 이야기는 읽는 이들을 무장해제시킨다. 그 이야기에는 어떤 주장이나 의견, 지식이 들어가 있지 않기에 굳이 방어막을 치고 읽을 필요가 없기 때문이다. 인용도 좋고, 시사적 상황에 대한 언급도 좋지만 자신의 경험과 이야기로 시작하는 서두쓰기는 누구나 쉽게 시도해볼만한 방법이다. 그러나 아무리 좋은 방법이라도 개인의 스토리만으로 서두를 채우면 안 된다.

　개인의 경험과 고민을 이야기하듯 시작하는 것은 좋지만 독자들은 그래서 이 책이 무슨 이야기를 하고 싶은 것인지 윤곽을 잡고 싶어한다. 이 책이 어떤 내용을 전체적으로 다루고 있는지, 비슷한 주제의 다른 책들과 어떤 차별성이 있는지, 이 책을 다 읽고 나면 어떤 변화와 지식을 얻을 수 있는지 설명하는 것도 머리말의 몫이다.

---

4. 단문과 장문을 리듬감 있게

유시민은 단문 예찬론자다.

> 글은 단문이 좋다. 문학작품도 그렇지만 논리 글도 마찬가지다. 단문은 그냥 짧은 문장을 가리키는 게 아니다. 길어도 주어와 술어가 하나씩만 있으면 단문이다. 문장 하나에 뜻을 하나만 담으면 저절로 단문이 된다. 주어와 술어가 둘이 넘는 문장을 복문이라고 한다. 복문은 무엇인가 강조하고 싶을 때, 단문으로는 뜻을 정확하게 표현하기 어려울 때 쓰는게 좋다.[4]

유시민뿐 아니라 소설가 김훈도 한 문장에 주어 하나, 술어 하나를 사용하며 평론가들도 극찬하는 독보적인 문체를 개발했다. 그러면 무조건 단문 위주로 쓰는 것이 좋은가? 이러한 주장에 반대하는 이들도 있다. 강준만 교수는

> 김훈의 단문이 화제가 되면서 실제로 김훈식 문체를 흉내내는 사람들이 제법 늘었는데, 칼럼 등과 같은 시사적 글쓰기에 도입된 김훈식 문체는 나의 호흡을 매우 힘들게 만들었기 때문이다. 나는 호흡장애가 있는 사람이 아니라는 걸 밝혀둔다. 언제 끝날지 모르는 긴 문장만 호흡을 어렵게 만드는 게 아니다. 너무 짧은 글도 정상적인 호흡에 지장을 준다.[5]

고 하였다. 문장을 무조건 단문으로만 쓰다 보면 글이 마치 초등학교 저학년들의 일기처럼 호흡이 뚝뚝 끊어진다는 말이다. 강준만은 호흡에 지장을 준다는 말로 설명하고 있지만 어떤 이들은 문장에 리듬감이 사라진다는 표현도 한다. 이남훈은 단문과 복문의 조화로운 사용을 이렇게 주장한다.

> 복문과 단문이 조화롭게 어우러질 때 리듬감이 꽃핀다. 더구나 인간의 사고 자체도 단문이 아니다. 나 자신이 생각을 어떻게 하는지 떠올려보면 바로 이해가 갈 것이다. 누구도 '배가 고프다, 밥 먹어야 한다, 짜장면 먹자, 단무지가 많아야 할 텐데'라고 사고하지 않는다. 글쓰기하는 것이 결국 생각을 옮기는 과정이라면, 과한 단문은 종합적인

사고력을 담아내지 못할 뿐만 아니라 부자연스럽기까지 하다.6

단문이 단단하고, 힘이 있지만 항상 좋은 것은 아니다. 오히려 단문끼리 연결하기 위해 복문에서는 볼 수 없는 접속사들의 남발이 이어질 수 있다. 물론 글을 잘 쓰는 작가들은 단문을 많이 쓰더라도 접속사 없이 부드럽게 문장과 문장을 연결시키지만, 일반적으로 접속사가 많아지면 글의 흐름이 끊어진다. 단문과 복문(장문)의 비율이 어느 정도여야 글에서 리듬감이 꽃필 수 있을까? 강원국은 단문 예찬론을 펴면서도 "짧게 치면 숨 가쁘다. 유려한 멋도 없다. 단문과 장문을 섞어 쓰는 게 좋다. 7대 3이나 8대 2로 어우러져 리듬감 있는 글이 바람직하다."7고 하였다.

단문과 장문 사용에 정답은 없다. 무조건 단문 위주로 글을 쓸 것도 아니고 7대 3이나 8대 2라는 수치를 맞추어 쓸 일도 아니다. 장문보다는 단문이 전달력이 좋고, 독자들이 이해하기도 쉽다는 사실을 머리 속에 넣어두면 된다. 그리고 이제 글을 쓰기 시작하는 초보자라면 리듬감까지 고려하며 글을 쓴다는 건 사치다. 다만 장문보다 단문을 조금 더 사용하겠다는 생각으로 글을 쓰면 좋다. 유시민은 "복문을 어느 정도 쓸 줄 아는 사람은 마음만 먹으면 단문을 잘 쓸 수 있다."8고 하였다. 나의 경우도 『진로도 나답게』9 원고를 쓸 때 먼저 마음가는대로 복문이든 단문이든 신경쓰지 않고 써 내려갔다. 이후 퇴고 작업을 할 때 복문보다 단문이 더 정확하게 전달할 수 있겠다는 부분은 복문을 단문으로 잘라 다시 쓰는 작업을 했다. 글을 쓰면서 단문 몇 퍼센트, 장문 몇 퍼센트 생각하다간 글쓰기가 진행되지 못한다. 퇴고할 때 다듬는다고 생각하고 글을 써내려가야 한다.

단문과 복문 사용과 더불어 글쓰기와 관련해 꼭 하고 싶은 말이 있다. 글쓰기를 할 때 어떻게 해야 한다는 규칙과 법칙을 말하는 책들이 많다. 처음부터 이 규칙과 법칙에 신경쓰며 글쓰기를 하다간 글이 산으로 간다. 나는 예전부터 글을 쓸 때 "~인 것 같다."나 "~인 듯하다."라는 표현을 많이 사용했다. 내가 모든 영역에 전문가도 아니고, 확정적인 글쓰기가 자신감은 있어 보이겠지만 나의 글을 읽는 독자들에게 부드럽게 다가가고 싶기도 했다. 일반적인 글쓰기 규칙을 따르자면 이런 문장을 다 고쳐야 한다. 그런데 그게 맞을까? 글쓰기의 규칙은 누가 정하는가? 글 잘 쓰는 대학교수?, 베스트셀러 작가?, 평론가? 글쓰기란 결국 나의 생각과 경험을 글로 표현하는 것이 아닌가. 그렇다면 그 글에는 일상에서 사용하는 나의 표현, 나의 대화 방식이 묻어나야 하는 건 아닌가? "~인 것 같다."라는 표현을 남발하는 것은 지양해야겠지만 '절대로' 안 되는 건 없다. 물론 비속어, 신조어 등을 남발해 글을 가볍게 만들자는 이야기는 아니다. 적어도 자신을 드러내는 글쓰기를 하고자 한다면 이 정도의 상식은 있을 것이다.

글쓰기 규칙 따지고, 법칙 생각하다 글쓰기를 주저하는 일이 벌어지지 않아야 한다. 이런 규칙과 법칙은 글쓰기 마무리 후 퇴고할 때 얼마든지 고쳐 쓸 수 있다. 일본말, 한자, 영어로 오염된 문장들이 나타날 수 있다. 심지어 한 문장에 반복적인 의미의 단어들이 자주 출현하기도 한다. 그럼에도 일단 써내려가자. 글쓰기 규칙이 먼저가 아니라 나의 생각과 마음을 글로 표현하는 것이 우선이다. 후에 고치면 된다. 다음 장은 바로 이렇게 쓴 문장들을 어떻게 고칠 것인가를 다룬다.

5. 다듬기

5.1 전체 구조부터 다듬기

강원국은 글을 다듬을 때도 하수와 고수의 차이가 있다고 했다.[10] 하수는 단어와 문장부터 고치지만 고수는 전체 구조부터 본다고 했다. 정말 맞는 말이다. 원고를 다듬을 땐 문장 첫줄부터 고칠게 아니라 글의 전체 구조부터 보아야 한다. 이때도 목차는 중요한 역할을 한다. 목차가 처음 계획된 글의 방향과 맞는가? 목차의 제목들이 적절한가? 목차의 순서를 바꾸거나 2장 일부 내용이 1장 마지막에 자리하는 게 더 나을 수도 있다. 글을 다듬는다고 하니 대뜸 원고 첫줄부터 시작해야한다고 생각할 수 있는데 먼저 글 전체의 흐름을 다듬어야 한다. 열심히 문장을 다듬어도 있어야 할 자리에 있지 않으면 전체 글이 산만해진다. 모니터로 읽어보고, 출력해서도 읽어보고, 입으로도 읽어보는 과정을 거치며 글의 전체 흐름이 어색하지 않은지 확인해야 한다.

  글 전체의 흐름을 다듬었다면 다음은 아주 중요한 단락 나누기다. 단락이 무엇인가? 단락은 긴 글을 독자들이 이해하기 쉽도록 나눈 글 토막으로 문단이라고 하기도 한다. 보통 글쓰기를 할 때 문장을 이어 쓰지 않고 다음 줄로 줄바꾸기를 해 문장을 쓰는 것을 의미한다. 단락을 어떻게 나누는가는 글의 가독성에 영향을 끼친다. 보통 단락 하나에 하나의 이야기를 써야 하는데 그렇지 않고 계속 글을 이어가면 가독성과 몰입도는 떨어진다. 한 단락의 길이가 정해져 있는 것은 아니지만 어떤 책들은 한 단락 분량이 한 페이지를 넘어 두 페이지에 걸쳐 있기도 하다. 나름 글 잘 쓴다는 작가들이 한 단락을 아주 길게 쓰지 않는 이유는 자신의 의견과 이야기가 더 잘 전달할 수 있는 형식이라고 보기 때문이지 않을까.

  단락 나누기도 줄 바꿈을 하는 방법이 있고, 아예 한 줄을 건너 띈 후 그 다음 줄에서 시작하는 방법이 있다. 어떤 책은 모든 단락을 한 줄을 건너 띈 후 그 다음 줄에서 다음 단락을 시작하기도 한다. 이런 단락 나누기는 충분한 여백을 둬 가독성을 높일 수 있지만 단락이 매끄럽게 이어지지 못하고 모든 단락이 끊어진 느낌이 들기도 한다.

  반대의 경우도 있는데 모든 단락이 이어져 붙어있어 단락 나누기를 했음에도 읽기 답답한 느낌을 주는 책도 있다. 언제 단락끼리 붙이고, 언제 단락 사이에 한 줄을 띄우는지 정답은 없다. 그러나 명확하게 한 이야기가 끝나고 전혀 다른 이야기가 전개된다고 독자들에게 알리고 싶다면 한 줄을 띄우고 단락을 나누는 방법도 좋다.

  글의 전체 구조 다듬기 후 세부적인 문장 다듬기에 들어가는데 강원국은 '나의 퇴고 체크리스트'[11]라는 이름으로 소개하고 있다. 우리도 책상에 붙여 두고 내내 참고할만 하다.

    1. 문장을 더 자를 순 없는가(저자 주-복문을 단문으로 만들기)
    2. 뺄 것은 없는가.
    3. 더 맞는 단어는 없는가.

4. 반복되는 단어는 없는가.

5. 이해 안 되는 부분은 없는가.

6. 인명, 지명, 외래어 오류는 없는가.

7. 문장과 문단이 자연스럽게 연결되는가.

8. 주어 - 술어, 목적어 - 술어 호응은 맞는가.

9. 와/과, 하고/하며 전후의 문구는 대등한가.

10. 수식어와 피수식어 관계는 적절한가.

11. 주어와 목적어 누락은 없는가.

12. 서술어는 간략하고 다양한가.

13. 불필요한 피동형은 없는가.

14. 어색한 조사와 어미 사용은 없는가.

15. 문장과 문단 순서를 바꿀 곳은 없는가.

16. 상투적 표현은 없는가.

17. 부연 설명이 필요한 곳은 없는가.

18. 각 문단은 그 자체로 완결한가.

19. 하고자 하는 말이 드러나는가.

20. 독자에게 주는 것은 무엇인가.

　

강원국은 아쉽게도 이 체크리스트에 따른 자세한 다듬기 예를 제공하지 않는다. 그러나 자세한 문장다듬기 예를 제공하는 탁월한 책들이 있다. 이오덕의 『우리글 바로쓰기』[12]와 김정선의 『내 문장이 그렇게 이상한가요?』[13]라는 책이 대표적인데, 이 다듬기 장에서는 이 두 책의 신세를 많이 져야겠다. 『우리글 바로쓰기』는 이미 수십 년 전에 나온 글쓰기 책으로 총 5권으로 구성되었다. 교사로 평생을 우리말과 우리글을 가꾸고 살리는 길을 개척했던 이오덕은 우리글이 중국말, 일본말, 서양말에 얼마나 오염되어 있는지 상세한 예와 비교를 통해 설명해 주고 있다. 총 5권 중 세부적인 글 다듬기 관련 내용은 1권과 2권에 있는데 세부 글을 다듬는데 이 정도 상세한 책을 찾아보기 힘들다. 『내 문장이 그렇게 이상한가요?』는 20년 넘게 단행본 교정 교열 일을 해온 편집자가 손수 자신의 업무 스킬을 꼼꼼하게 알려주는 책이다. 이 책은 마치 수십 년 전 이오덕 선생의 노력 중 책 다듬는 기술만 떼내어 압축 정리한 최신판처럼 보인다.

5.2 세부 문장 다듬기

'적·의를 보이는 것·들'14

책에서 처음 이 소제목을 보며 무슨 의미인가 했다가 설명을 듣고 정말 기가 막힌 이름 짓기라고 생각했다. 이 문구는 『내 문장이 그렇게 이상한가요?』의 저자 김정선이 편집 일을 시작할 때 선배들이 알려 준 문구였다고 한다. 많은 문장에 습관적으로 사용하는 '적, 의, 것, 들'에 주의해 편집자가 잡아내야 한다는 뜻이다. 많은 글쓰기 책에서 이를 다루지만 이렇게 정리해서 알려주는 책을 찾기 쉽지 않은데 역시 편집자 출신 저자답다고 생각했다. 전체 구조를 다듬었다면 세부 문장을 다듬어야 하는데 '적·의를 보이는 것·들' 외에도 문장에서 자주 실수하는 부분을 보자.

5.2.1 '–적'

'적·의를 보이는 것·들' 중 먼저 '–적'에 대해서 알아보자. '–적'은 굳이 쓰지 않아도 상관없는데 습관적으로 사용하는 대표적인 표현이다. 때문에 김정선은 '–적'을 생략하는 쪽으로 설명한다.

> 사회적 현상, 경제적 문제, 정치적 세력, 국제적 관계, 혁명적 사상, 자유주의적 경향15

이 구절에서 '–적'은 굳이 쓰지 않아도 되는 표현이기에 빼고 다시 적으면 아래와 같이 뜻이 더 분명해진다.

사회 현상, 경제 문제, 정치 세력, 국제 관계, 혁명 사상, 자유주의 경향

이오덕은 김정선과 달리 '-적'을 무조건 생략하는 쪽으로 정리하기보다 다른 표현으로 대체하여 사용하기를 권한다. 이오덕은 '-적(的)'이란 말은 우리 글을 중국글자말 문장 체계로 만드는 중요한 노릇을 하고 있다고 했다. 이 표현은 일본 사람들이 영어 '-tic'을 번역하여 쓰기 시작한 것인데 우리가 따라 쓰게 되었다고 한다. '-적'은 우리나라에서 1908년 최남선이 『소년』 창간호 표지에 처음 사용했다[16]고 하는데 역사가 그리 길지 않은데도 우리 글엔 정말 많이 사용되고 있다.

① 수상자가 정치적으로 스포츠적으로 세계적인 거물급으로 압축되었다.
② 만나는 것 자체에 민족사적 세계사적 의미가 있다.
③ 스포츠에 대한 정치권의 간섭을 단적으로 보여준 대표적인 예이다.

이오덕은 이 신문 기사의 일부 문장을 이렇게 수정한다.

① 상을 받는 사람이 정치인으로나 체육인으로서 세계에 알려진 큰 인물축으로 줄어들었다.
② 만나는 것 자체가 민족사와 세계사에 남을 만한 뜻이 있다.
③ 체육에 대한 정치권의 간섭을 바로 보여준 대표가 되는 본보기다.

이오덕은 단순히 '-적'을 빼지 않고, 문장 전체를 다른 표현으로 어떻게 바꿀 수 있는지 잘 보여주고 있다. '-적'을 뺄 수 있는 글도 있지만 빼게 되면 문장 자체가 성립되지 않는 표현도 있기에 무조건 빼기보다 이오덕과 같이 바꾸어 쓰는 연습을 해야 한다. 말처럼 쉽지 않다. 그러나 우리가 일상생활에서 쓰는 '무조건적으로', '세상적으로', '시간적으로',

'대표적으로', '연속적으로' 라는 표현들이 말하다 보면 뭔가 군더더기가 붙은 느낌인 건 분명하다.

5.2.2 '-의'

적·의를 보이는 것·들의 다음 표현인 '-의'를 보자. 이오덕은 우리말에서는 토씨 '-의'를 잘 쓰지 않는다고 하였다. 실제로 우리가 일상생활에서 대화할 때 '-의'를 얼마나 사용하고 있는지 한번 떠올려 보기 바란다. '우리의 집', '나의 아빠', '문제의 해결', '어머니의 가방', '한국의 발전'과 같은 표현들은 우리가 말할 때 잘 쓰지 않는다. 대부분 '-의'를 빼고 사용한다. 그런데 정작 글로 쓸 때는 '-의'를 꼭 넣는다. 이오덕은 "우리의 옛 글에도 '의'는 좀처럼 잘 안 나오고, '의'자가 나와도 지금 쓰는 토 '에'의 뜻으로 쓴 것"[17]이라고 한다. 이 '-의'를 가장 많이 사용하는 말이 일본말인데, 이오덕은 일본글 'の(노)'를 우리말로 직역해서 그대로 사용하면서 옛날에 우리말에 잘 쓰지 않던 '-의'가 남발되고 있음을 이야기한다. 아래는 실제 일본의 한 소학교 아이가 쓴 글이다.

> きのう私は私の家のうらの私の家の畑の私の家の桃をとつてたべました。[18]

이 짧은 글에 일본말 'の(노)'가 8번 나오는데 이를 우리말로 직역하면

> 어제 나는 나의 집의 뒤의 나의 집의 밭의 나의 집의 복숭아를 따먹었습니다.[19]

가 된다. 어느 한 자도 없애서는 안된다고 일본의 교육평론가가 말하고 있다고 했는데 이오덕은 이를 우리말로 제대로 옮긴다면 아래와 같이 옮겨야 한다고 말한다.

> 나는 어제 우리 집 뒤에 있는 우리 밭 복숭아를 따먹었습니다.[20]

이오덕이 옮긴 문장을 보더라도 '-의'를 빼거나 '-에'로 바꾸어 사용하는 방법이 적절하다. 이오덕은 '-의'를 빼는 방법뿐 아니라 '-이', '-가'로 바꾸어 사용하는 방법도 제시한다.

서로의 안부를 묻고 난 후 : 서로의 → 서로

나의 첫 번째 존경하는 분 : 나의 → 내가

보은군으로 농촌활동을 간 본교 학우들의 열심히 일하고 있는 모습 : 학우들의 → 학우들이

내 집은 만민의 기도하는 집이다. : 만민의 → 만민이

여야 모두의 패배 : 모두의 → 모두

농민의 주인된 삶을 위한 교양지 : 농민의 → 농민이

건강한 농민문화의 뿌리내림을 위하여 : 농민문화의 → 농민문화가 뿌리내리기

그의 글의 최대의 장점은 : 최대의 → 최대21

주의할 부분은 '-의'를 무조건 빼거나 '-이', '-가'로 바꿀 것이 아니라 문장을 적절하게 바꾸어야 할 때가 있다. 마치 공식처럼 빼거나 바꿀 것이 아니라 위의 예에서 나온 "건강한 농민문화의 뿌리내림을 위하여"를 "건강한 농민문화가 뿌리내리기 위하여"로 바꾼 것처럼 의미를 잘 살릴 수 있도록 바꾸어야 할 때도 있다.

김정선도 이오덕과 거의 동일하게 말하고 있는데 아래와 같이 '-의'를 빼거나 바꾸어 사용하기를 권한다.

문제의 해결 → 문제 해결

음악 취향의 형성 시기 → 음악 취향이 형성되는 시기

노조 지도부와의 협력 → 노조 지도부와 협력하는 일

문제 해결은 그다음의 일이다. → 문제 해결은 그다음 일이다.

이제는 모든 걸 혼자의 힘으로 해내야만 한다. → 이제는 모든 걸 혼자 힘으로 해내야만 한다.

부모와의 화해가 우선이다. → 부모와 화해하는 일이 우선이다.

선수들은 소속 팀에서의 활약 여부에 따라 올스타에 뽑힐 수 있다. → 선수들은 소속 팀에서 보이는 활약 여부에 따라 올스타에 뽑힐 수 있다.

그동안의 올바른 독서습관을 통해 독서 체력이 튼튼해 졌기 때문에 → 그동안 올바른 독서습관을 통해 독서 체력이 튼튼해 졌기 때문에22

'-의'와 비슷하게 '-에의', '-로의', '-으로의', '-에서의'도 말이 통한다면 굳이 사용하지 않아도 된다. '-에의'는 '-의'나 '-에'를 빼거나 '-에 대한'(한국은 다양한 통일에의 노력을 해 왔다. → 한국은 다양한 통일에 대한 노력을 해 왔다.)으로 바꾸어 사용할 수 있다. '-로의', '-으로의'는 '-의'를 빼고 사용해도 대부분 의미가 통한다. '-에서의'는 '-에서'나 '-의' 중 하나를 빼고 사용하면 된다. 이처럼 '-의'는 대부분 빼도 되거나 일부는 적절한 다른 표현으로 대체해 글을 자연스럽게 만들 수 있다.

5.2.3 '-것'

적·의를 보이는 것·들의 세 번째 표현인 '-것'을 보자. 원고를 수정하기 위해 읽다보면 가장 많이 등장했던 의존명사가 '-것'이었다. 가장 좋은 방법은 빼는 것이지만 빼게 되면 의미가 통하지 않아 문장 전체를 다시 수정해야 할 수도 있다.

당신이 죽였다는 것에 대한 증거 → 당신이 죽였다는 증거

굳이 '-것'을 사용하지 않아도 얼마든지 같은 의미를 전달할 수 있다. '-것'을 빼고 나니 '-에 대한'도 사라졌다.

여행한다는 것은 행복한 것이다. → 여행은 행복한 것이다. / 여행은 행복한 일이다.

이처럼 '-것'을 빼고 다른 단어를 사용할 수도 있다. 글을 수정할 때 자주 등장하는 '-것'은 가급적 사용하지 않고, 빼고 난 뒤 의미가 잘 전달되지 않는다면 다른 단어로 대체하는 방법이 문장의 의미를 더 잘 드러낸다.

> 우리가 서로 알고 지낸 것은 어린 시절부터였다. → 우리는 어린 시절부터 서로 알고 지냈다.
>
> 친구들과 같이 있었다는 것을 이야기했지만 선생님은 내 말을 믿지 않았다. → 친구들과 같이 있었다고 이야기했지만 선생님은 내 말을 믿지 않았다.
>
> 실패한다는 것은 단지 출구를 찾지 못했다는 것일 뿐이다. → 실패란 단지 출구를 찾지 못한 것일 뿐이다.
>
> 내일은 분명히 갈 것이라고 믿었다. → 내일은 분명히 가리라고 믿었다.23

위의 여러 예시문장은 단순히 '-것'을 빼 버린 문장이 아니라 적절하게 다시 표현한 문장이다. 특히 네 번째 문장은 '갈 것이라'를 '가리라'로 바꾸어 표현했다. 글이 상당히 부드러워졌다. 처음부터 '-것'을 빼고 다른 표현 방법을 찾아 쓰기는 어렵다. 그러나 먼저 '-것'의 사용보다 더 자연스러운 다른 방법이 있음을 알고 문장을 읽고 보아야 한다. 글을 처음 쓸 때부터 '-것'을 의식하고 적다보면 글이 제대로 나오지 않는다. 처음부터 의식하며 쓰기보다 일단 먼저 쓴 후 나중에 고칠 때 이 부분은 명확하게 기억하고 다듬어야 한다.

5.2.4 '-들'

적ㆍ의를 보이는 것ㆍ들의 마지막 표현인 '-들'을 보자. 김정선은 접미사 '-들'이 남발되는 이유가 번역 문장 때문이라고 진단한다. 원어에 복수형으로 쓰인 걸 그대로 번역하다 보니 한글 문장에도 '-들'을 붙인다고 했다. 내가 글을 쓸 때도 조금 더 정확한 의미를 표현하기 위해 '-들'을 붙일 때가 많았다. 그러나 '-들'을 굳이 사용하지 않더라도 이미

문장 앞뒤에 복수형태를 의미하는 단어들이 있는데 '-들'을 사용해 이중으로 복수형을 강조하고 있음을 알게 되었다. 아래는 '-들'이 필요없어 아예 빼거나 다른 단어로 수정한 문장의 예다.

> 사과나무들에 사과들이 주렁주렁 열렸다. → 사과나무에 사과가 주렁주렁 열렸다.
>
> 모든 아이들이 손에 꽃들을 들고 자신들의 부모들을 향해 뛰어갔다. → 모든 아이가 손에 꽃을 들고 자기 부모를 향해 뛰어갔다.
>
> 수많은 무리들이 열을 지어 행진해 갔다. → 수많은 무리가 열을 지어 행진해 갔다.
>
> 문들이 열리자 그는 관람자들의 무리에 휩쓸려 전람실들이 줄지어 있는 홀 안으로 들어갔다. → 문이 열리자 그는 관람객 무리에 휩쓸려 전람실이 줄지어 있는 홀 안으로 들어갔다.[24]

첫 번째 문장처럼 수정하면 마치 한 그루의 사과나무만 표현하는 의미가 되어 원래 문장과 약간 다른 의미가 된다. 사실 이런 이유 때문에 '-들'을 자주 쓰게 되는데 이럴 때 어색한 '-들'을 쓰기보다 사과나무 앞뒤에 적절한 단어를 삽입하는 것이 훨씬 자연스럽다. "많은 사과나무에 사과가 주렁주렁 열렸다."로 쓰게 되면 굳이 사과 뒤에 '사과들'이라고 표현하지 않아도 '많은 사과나무'가 충분히 설명해 주기 때문이다. 두 번째와 세 번째 문장도 '모든', '수많은'이라는 단어가 충분히 설명하기 때문에 굳이 '-들'을 사용할 필요가 없다. 네 번째 문장도 '무리', '줄지어 있는'이라는 표현이 충분히 복수형을 뜻하기 때문에 '-들'을 사용하지 않아도 된다.

5.2.5 '-었었다', '-하였었다', '있었다'

문장을 쓰면서도 뭔가 이상하거나 불편하다는 느낌을 받을 때가 있다. 바로 '-었었다'나 '-하였었다'라는 말이다. 이 말은 가운데 '-었'을 빼고 사용해도 크게 의미가 달라지지 않는다.

50년 동안 한 나라를 <u>통치했었던</u> 독재자는 → 50년 동안 나라를 <u>통치했던</u> 독재자는

처음 개발되었을 때는 벽지로 <u>개발되었었다.</u> → 처음 개발되었을 때는 벽지로 <u>개발되</u><u>었다.</u>

가로수길로 <u>유명했었던</u> 곳 → 가로수길로 <u>유명했던</u> 곳

나라를 빼앗긴 동안에는 또 <u>어떠했었는가</u> → 나라를 빼앗긴 동안에는 또 <u>어떠했는가</u>

'있었다'는 '-었었다'나 '-하였었다'와는 조금 다른데 '있었다'라는 말 자체를 빼도 무방할 때가 많다. '있었다' 앞에 이미 동사나 형용사를 쓰고 있는데 굳이 '있었다'라는 형용사를 붙일 때가 있다.

일정 변경에 대한 검토가 <u>있을</u> 계획이다. → 일정 변경에 대해 <u>검토할</u> 계획이다.

그들은 어떤 공격에도 두려워하지 않고 <u>있었다.</u> → 그들은 어떤 공격에도 <u>두려워하지</u> <u>않았다.</u>

학부모들로부터 약속날짜를 예정보다 연기하라는 요청이 <u>있었다.</u> → 학부모<u>들의</u> 약속날짜를 예정보다 연기하라고 <u>요청했다.</u>

글을 고칠 때는 더하기보다 빼고 줄일 때 더 전달력이 높아진다. 별 의미없는 '있었다'를 습관처럼 사용하다 보니 당연하게 있어야 할 자리처럼 보인다. 그러나 빼고나도 의미 전달에 문제없고 오히려 더 명확한 문장이 되었다.

5.2.6 '을/를/이/가'

'-적'과 '-의'처럼 '을/를/이/가'도 굳이 넣어서 문장을 어색하게 만들 수 있다.

안전하게 <u>촬영을</u> 할 수 있었다. → 안전하게 <u>촬영할</u> 수 있었다.

문제를 해결해 달라고 관리자에게 <u>요구를</u> 했다. → 문제를 해결해 달라고 관리자에게

요구했다.

서로 <u>합의가</u> 된 사안들부터 실천합시다. → 서로 <u>합의된</u> 사안부터 실천합시다.

오늘 해야 할 일이 <u>생각이</u> 났다. → 오늘 해야 할 일이 <u>생각났다.</u>

특히 '을/를'은 이외에도 방향이나 처소를 나타낼 때 쓰는 '-에' 대신 잘못 사용하는 경우도 있다.

아들이 <u>서울대를</u> 가는 게 목표인 어머니 → 아들이 <u>서울대에</u> 가는 게 목표인 어머니

많은 학생들이 수학여행으로 <u>서울을</u> 갑니다. → 많은 학생들이 수학여행으로 <u>서울에</u> 갑니다.

5.2.7 '-등'과 '및'

이오덕은 '-등'과 '및'을 쓰지 말자고 주장한다.[25] 여러 가지가 있다는 뜻을 나타낼 때 우리 말로 '들'과 '따위'를 쓰는데 유독 글로 쓸 때 '등'을 많이 쓴다. 이는 우리글이 아니라 중국글자 '等'을 일본사람들이 쓰면서 식민지 시대에 우리도 따라 쓰게 되었다고 이오덕은 말한다. '-등'은 하나의 표현으로만 대체할 수 없는데 '-같은', '-들', '따위'로 바꾸거나 문장의 의미에 맞게 고쳐쓰는 것이 적절하다. '-등'과 더불어 '및'도 중국글자로 가능하면 '과'나 '와'로 고쳐쓰는 것이 바람직하다.

어머니는 된장 <u>등</u> 밑반찬을 가져왔다. → 어머니는 된장<u>같은</u> 밑반찬을 가져왔다.

영화를 보면 빌려준 돈을 받기 위해 폭력배 <u>등을</u> 고용해 폭행하는 사례가 있다. 실제로 경찰은 돈을 받아내기 위해 폭력배를 고용한 최** 대표 <u>등</u> 2명에 대해 구속영장을 신청했다. → 영화를 보면 빌려준 돈을 받기 위해 폭력배<u>들</u>을 고용해 폭행하는 사례가 있다. 실제로 경찰은 돈을 받아내기 위해 폭력배를 고용한 최** 대표<u>와 다른</u> 2명에 대해 구속영장을 신청했다.

부산시는 작년 12월부터 올해 3월까지 시내 신호체계 정비 등을 마쳤다. → 부산시는 작년 12월부터 올해 3월까지 시내 신호체계 정비 따위를 마쳤다.

노동자들은 "임금협상에 응하라", "대표는 사과하라"는 등의 구호를 외치며 시위를 했다. → 노동자들은 "임금협상에 응하라", "대표는 사과하라"고 하는 구호들을 외치며 시위했다.

5.2.8 주어와 서술어 일치

한 문장에서 주어와 서술어는 일치해야 한다. 가장 기본적인 사항이고 누구나 알고 있을 내용 같지만 실제 글쓰기를 하면서 일일이 확인하기 어렵다. 결국 다 쓴 글을 다시 읽으며 살펴보아야 한다. 정희모와 이재성26은 주어와 서술어가 두 개인 문장은 주어와 서술어가 일치하는 것에 크게 신경쓰지 않아도 된다고 하였다. 문제는 주어와 서술어가 한 문장 안에 서너 개 이상 들어있는 경우 주어와 서술어 관계가 어긋날 수 있다고 했다. 결국 복문(장문)을 사용하더라도 너무 많은 주어와 서술어는 피하고 최대한 2~3개 정도의 주어와 서술어가 적절하다는 말이다. 앞서 단문과 장문을 리듬감 있게 사용하는 것이 좋다고 했는데 장문이라도 너무 많은 주어와 서술어는 늘 피해야 한다. 그리고 글쓰기가 모두 끝난 후 문장을 하나씩 읽으며 주어와 서술어가 일치하는지 꼭 확인해야 한다. 내용에만 집중하여 글을 쓰다보면 주어와 서술어가 일치하지 않는 문장이 의외로 많다.

특이한 것은 이 물질을 계속 가열하면 붉은 색이 없어지고 본래의 회색 수은으로 되돌아간다.

→ 특이한 것은 이 물질을 계속 가열하면 붉은 색이 없어지고 본래의 회색 수은으로 되돌아간다는 것이다.

(또는) → 이 물질을 계속 가열하면 붉은 색이 없어지고 본래의 회색 수은으로 되돌아간다는 사실은 특이하다.27

5.2.9 피동문

　주어가 자기 힘으로 어떤 일을 하는 것을 '능동'이라고 하며, 주어가 다른 주체의 힘으로 어떤 일을 당하게 된 것을 '피동'이라고 한다. 능동표현에 '-이', '-히', '-리', '-기'를 붙이거나 '-어지다', '되다'를 붙이면 피동표현이 된다.[28] 피동문을 쓰면 주체가 분명하지 않고 문장을 이해하기 어렵다. 피동문으로만 써야하는 문장(차가 밀리다, 감기에 걸렸다)이라면 어쩔 수 없으나 그렇지 않을 때는 피동문은 피해야 한다.

　대표적인 예가 '설레다'인데 설레는 일은 누군가에게 당할 수 없다. 그런데 '설레다' 사이에 '-이'를 넣어 '설레이다', '설레이어(설레여)', '설레이는'으로 많이 사용한다. 또한 어떤 일을 손꼽아 기다리는 일도 '기다려지게' 당할 수 없지만 '여행이 너무 기다려진다.'라는 표현처럼 피동문을 자주 사용한다. 이 문장은 '여행을 손꼽아 기다리고 있다.'고 바꾸거나 '여행만 기다리고 있다.'로 써야 한다. '-되다'나 '-어지다'도 많이 사용하는데 예로 '계획 변경이 요구된다.', '실험 결과를 알 수 있을 것으로 보여진다.'는 '계획을 변경해야 한다. (혹은) 계획 변경이 필요하다.'나 '실험 결과를 알 수 있을 것으로 보인다.'로 바꾸어야 한다. 특히 김정선은 '-하다'를 사용해 표현하면 될 일을 굳이 '-시키다'를 써서 피동문으로 만든 문장을 아래와 같이 제시한다.[29]

　　부모로서 자식을 제대로 <u>교육시키지</u> 못한 점 반성합니다. → 부모로서 자식을 제대로 <u>교육하지</u> 못한 점 반성합니다.

　　문제를 <u>야기시킨</u> 학생들 모두 정학 처분을 면치 못할 것이다. → 문제를 <u>야기한</u> 학생들 모두 정학 처분을 면치 못할 것이다.

　　좋은 사람 있으면 <u>소개시켜</u> 줘. → 좋은 사람 있으면 <u>소개해</u> 줘.

　　협상을 <u>지연시킨</u> 건 노조가 아니라 사측입니다. → 협상을 <u>지연한</u> 건 노조가 아니라 사측입니다.

　　전염병 환자를 <u>격리시켜</u> 치료할 병동이 턱없이 부족한 형편입니다. → 전염병 환자를 <u>격리해</u> 치료할 병동이 턱없이 부족한 형편입니다.

계약 기간을 <u>연장시키고</u> 나니 마음이 놓인다. → 계약 기간을 <u>연장하고</u> 나니 마음이 놓인다.

이 외에도 피동문은 능동문보다 문장이 길어진다. 능동문을 쓰면 필요 없을 '-에 의해'나 '-에게'와 같은 부사어가 추가되어 글이 쓸데없이 길고, 어려워진다.

연구원이 문제를 해결했다. → 문제가 연구원<u>에 의해</u> 해결<u>되었다.</u>
경찰이 도둑을 잡았다. → 도둑이 경찰<u>에게</u> 잡혔다.

개인적으로 부크크로 만든 첫 책 『진로도 나답게』 원고에 피동문이 상당히 많다. 본 책을 준비하면서 다시 보니 '-되다'로 끝맺는 문장이 수두룩하다. 부끄러울 정도다.

전국 문헌정보학과 정보를 미친 듯 찾아보았고, 대학원 석사과정에 <u>입학하게 된다.</u> → 전국 문헌정보학과 정보를 미친 듯 찾아보았고, 대학원 석사과정에 <u>입학했다.</u>
전문직 세부작업의 대체 현상은 앞에서 언급한 포트폴리오 인생을 더욱 <u>가속화 시키게 된다.</u> → 전문직 세부작업의 대체 현상은 앞에서 언급한 포트폴리오 인생을 더욱 <u>가속화시킨다.</u>[30]

지금 보면 도대체 '된다'라는 표현을 왜 사용했는지 모르겠다. 거의 습관성이다. 얼마든지 문장을 줄일 수 있고, 의미 전달도 빠르며, 읽기에 훨씬 간결해졌다.

제2부

한글 프로그램으로 내지 편집하기

보통 출판사에서는 내지 디자인과 편집에 『인디자인』이라는 프로그램을 많이 사용한다. 그러나 프로그램을 구입해야 할 뿐만 아니라 사용방법도 제법 배워야 한다. 이 책에서는 인디자인이 아니라 『한컴오피스 ᄒᆞᆫ글 2018』 프로그램(이후 한글프로그램으로 지칭)으로 내지 편집하는 방법을 다룬다. 한글프로그램 버전이 다르더라도 어느 버전에나 있는 메뉴를 활용하기 때문에 책을 보며 따라오는데 큰 어려움은 없도록 구성했다. 한글 프로그램으로 내지 편집하기 앞서 책의 구성요소와 판형(책 크기)에 대한 이해가 있어야 한다. 이후 글꼴, 자간, 어간, 장평의 개념과 여백, 한글 파일을 해상도 높은 PDF 파일로 변환하는 방법도 알아볼 것이다. 또한 글자가 포함된 표나 그래프가 들어가야 하는 해상도 높은 이미지를 파워포인트(PPT)를 활용해 얻는 방법도 살펴볼 것이다. 주문형 출판을 해야 하는 상황이라면 대규모 출판사처럼 다양한 프로그램을 구입해 사용할 수 없다. 2부는 보다 쉽게 구해 사용할 수 있는 프로그램과 온라인으로 무료로 제공하는 프로그램을 활용해 내지 디자인하는 방법을 다룬다.

1. 책 구성요소

내지를 편집하기 전에 종이책 구성요소부터 알아야 한다. 책 구성요소의 명칭을 모르면서 책을 만든다는 건 말이 안 된다. 책의 앞 표지와 뒷 표지는 누구나 이해하는 명칭이기 때문에 굳이 설명할 필요는 없으나 표지 이후의 내부 명칭은 알고 있어야 한다.

1.1 면지(간지)

앞 표지를 넘기면 가장 먼저 마주하는 두껍고 색이 있는 종이가 있는데 면지 또는 간지라고 불리는 부분이다. 면지는 표지와 내지 사이에 위치하여 책 내지를 보호해 주는 역할을 한다. 면지는 주로 단색을 사용하며, 정해진 색깔이 있는 것은 아니다. 그림책은 면지에 다양한 그림을 넣어 내용을 추측해 볼 수 있도록 구성하기도 한다. 면지에는 내용이 들어가지 않으며, 책에 따라 면지를 두 장 두기도 한다. 내지와 뒷 표지 사이에도 당연히 면지가 있다.

진로도
나답게

1.2 약표제지(소표제지, 반표제지)

면지를 한 장 넘기면 책 제목만 있는 종이가 나오는데 약표제지, 소표제지, 반표제지라 부른다. 내지의 첫 페이지에 해당하며 책을 펼쳤을 때 오른쪽에 위치한다. 뒤에 정식 표제지가 나오는데 그 앞에 붙은 표제지라고 해서 앞에 '약', '소', '반'을 붙였다. 모든 책에 약표제지가 있는 것은 아니며 바로 표제지를 둔 책도 있다.

1.3 판권지

약표제지 바로 뒷 페이지(짝수 쪽, 책의 왼쪽 페이지)에 판권지가 보통 붙는다. 판권은 책을 출판하는 출판자의 권리를 뜻하며 이 권리를 적은 지면을 판권지라고 한다. 판권지에는 저작자와 출판자의 정보가 담겨 있다. 판권지가 약표제지 뒷 페이지에 있는 책도 있고, 책의 가장 마지막 페이지에 판권지가 위치한 책도 있다. 아래는 『진로도 나답게』 책의 판권지 예다.

진로도 나답게

발　행 | 2022년 12월 30일
저　자 | 이운우
펴낸이 | 이운우
펴낸곳 | 공간나다움
출판사등록 | 2015.09.22.(제337-2015-000012호)
주　소 | 부산시 연제구 여고로 52번길 25, 301호
전　화 | 051-506-4282
팩　스 | 0504-470-4282
이메일 | cloudrain95@naver.com
ISBN | 979-11-981476-0-8

ⓒ 이운우 2022
본 책은 저작자의 지적 재산으로서 무단 전재와 복제를 금합니다.

판권지 양식이 따로 정해져 있는 것은 아니나 보통 발행일, 저자명, 출판사 정보(출판사 이름, 대표자, 등록번호, 주소, 전화번호, 이메일), ISBN으로 구성된다. 그리고 저작물의 저작권이 저자에게 있음을 알리기 위해 ⓒ (copyright, 저작권) 기호를 붙이고 뒤에 저자 명을 함께 적는다. 마지막 줄에는 보통 책 내용의 무단 전재(인용 정보 없이 글을 그대로 다른 곳에 옮겨 실음)와 복제를 금한다는 문구가 붙는다.

1.4 표제지(속표지, 도비라, 총 도비라)

약표제지와 판권지 다음 페이지에 표제지(홀수 쪽, 책의 오른쪽 페이지)가 위치한다. 표 제지는 표지와 동일한 내용을 담고 있어 속표지라고도 부른다. 표지에 있는 정보인 제목, 저자명, 출판사명과 함께 표지에 있는 부제목도 모두 실려 책 속에 있는 얇은 표지라고 보면 된다. 표지를 그대로 복사해 표제지로 삼기로 한다. 표제지를 '도비라'로 부르기도 하는데 이는 일본어로 '문짝'을 뜻한다. 출판 용어 중에는 여전히 일본어를 그대로 사용 하고 있는데 대표적인 용어가 바로 '도비라'다. 안으로 들어가는 입구의 '문짝'이라는 의

미답게 표제지를 '도비라'라고 부르며, '총 도비라'로 불리기도 한다. 책을 읽다보면 각 장이나 챕터가 시작되는 부분에 장 표지, 챕터별 표지가 있는데 이를 '장 도비라'로 부르며 '장 도비라'와 구별하기 위해 표제지를 '총 도비라'로 부르기도 한다. 약표제지를 두지 않은 책은 표제지 뒤에 판권지를 두기도 한다.

1.5 목차 또는 머리말

대부분의 책은 표제지 뒷면(짝수 쪽, 책의 왼쪽 페이지)에 목차나 머리말을 둔다. 머리말을 목차 다음에 두는 책도 있고, 목차가 시작되기 전 표제지 뒷면부터 머리말을 두는 책도 있다. 정석이 있는 것은 아니며, 편집자의 필요에 따라 정한다. 목차 디자인은 여러 책을 보면서 따라하는 것이 초기에는 가장 좋다. 새롭게 만들 생각보다 기존 출판사들이 어떻게 목차를 디자인하는지 참고하는 것이 안전하다. 목차를 디자인할 때 주의해야 할 부분은 글자 크기다. 목차가 책의 내용을 정리하고 알리는 아주 중요한 역할을 하고 있지만 글자 크기를 크게 하면 전체적인 느낌이 아주 촌스러워 보인다. 다양한 글꼴을 사용하기보다 보통 고딕체(돋움체)를 많이 사용하거나 명조체(바탕체)와 고딕체를 함께 사용해 깔끔하고 집중시키는 느낌을 주도록 한다. 목차 디자인은 여러 책들을 참고하고 따라하면서 안목이 생긴다. '머리말'이라는 용어는 '들어가기'나 '프롤로그'라는 이름으로도 많이 사용하고, 아예 독립적인 제목을 붙이기도 한다.

1.6 중간 표지(장 도비라)

책은 여러 개의 '장'이나 '챕터'로 구성되어 있다. 한 '장'이 끝나고 다음 장으로 넘어갈 때 이를 구분하기 위해 중간 표지를 둔다. 이를 '장 도비라'라고 부르기도 한다. 중간 표지는 책의 내용을 구분하는 용도뿐만 아니라 색깔을 두어 디자인요소로 사용하기도 한다. 중간 표지는 홀수 쪽, 책의 오른쪽 페이지에 많이 두지만 경우에 따라 책을 펼쳤을 때 양쪽 페이지 전체에 걸쳐 중간 표지를 두기도 한다. 내지를 흑백으로만 진행할 경우 중간 표지 전체를 회색톤으로 두고 장 제목만 가운데 정렬로 두어도 아주 깔끔하다. 중간 표지 디자인도 다양한 책을 참고하면 좋다. 처음부터 멋진 중간 표지를 만들 생각을 하지 말고, 회색이나 단색 위주로 시작해 차츰 차츰 간단한 도형이나 이미지를 넣는 방식으로 진행하면 좋다. 책 표지를 중간 표지 배경으로 사용하는 책도 많다.

이 책은 총 7개의 '부'(들어가며, 제1부, 제2부, 제3부, 제4부, 제5부, 나오며)로 나누었고, 새로운 '부'가 시작될 때마다 중간 표지를 두었다.

진 듯 찾아보았고, 대학원 석사과정에 입학한다.

입학 후 당시 우리나라에서 갓 기지개를 펴던 '독서치료'라는 학문을 접하고 물 만난 물고기마냥 공부했다. '공부가 이렇게 재미있을 수 있구나.' 하는 경험을 처음으로 했고, 평생 잊지 못할 스승님을 만난 순간이기도 했다. 그렇게 석사과정을 마무리하며 논문을 쓰던 중 한 독서 관련 연구소를 알게 된다.

논문을 위해 이 연구소 사이트에서 제공하는 자료를 조사하며, 이 연구소가 독서와 관련하여 나름 철학과 비전을 가지고 있다고 생각했다. 졸업하자마자 구인공고도 없는 연구소였지만 전화를 하고 이력서 한 장 달랑 들고 면접을 보러 갔다. 당시 연구소 소장님과 긴 면접을 마치고 그냥 그렇게 들어왔다. 개인이 운영하는 연구소였고, 재정적인 부담이 생길 수밖에 없는 상황에서 계획에 없던 직원을 채용한다는 것은 불가능했다. 나는 그저 시도해 보았다는 사실에 만족하며 돌아왔다. 그런데 면접 후 한 통의 전화가 왔다. 중소기업체를 운영하며 연구소에 재정적 지원을 해 주던 연구소 소장님의 남편분이 나의 당돌한 면접 소식을 듣고 한번 더 만나보자고 했던 것이다.

그렇게 다시 면접을 보게 되고, 없는 자리를 만들어 인턴 연구원으

대학 시절 기계공학을 전공한 나는 2학년 첫 중간고사를 치고 나오며 울었다. 1학년까지는 교양 위주의 과목들이라 장학금도 받아가며 그럭저럭 대학 생활을 했다. 그러나 전공과목 수강이 시작되는 2학년 1학기 중간고사 문제를 풀면서 내 인생과 이 학과가 무슨 상관이 있는지 공학용 계산기를 들고 그렇게 울었다.

잘못된 학과선택임을 절절하게 깨달을 즈음 나는 대학 동아리에서 독서에 눈 튼다. 독서의 '재미'와 그로 인한 '변화'와 '성장'은 큰 즐거움이었고, 졸업 전부터 서점이나 출판 관련 직종으로 취업을 생각

1.7 각주, 미주, 참고문헌

주석은 아주 중요한 책의 구성요소다. 수필이나 에세이, 시집은 주석이 없는 경우가 많으나 다른 책이나 인터넷, 미디어에서 인용한 내용은 반드시 그 출처를 밝혀야 한다. 가끔 교양도서를 읽다 보면 분명히 어떤 저자의 책에서 인용했다고 밝히면서 책 제목과 인용한 페이지 수를 밝히지 않고 넘어가는 책들이 있다. 이는 다른 사람의 글을 마치 자신의 것인 양 사용하는 것과 동일하다. 각주는 각 페이지마다 주석을 다는 방법이며, 미주

는 책의 가장 뒷 부분에 몰아서 주석을 다는 방법이다. 미주와 각주를 달면서 이미 인용한 책 정보가 있기에 참고문헌을 따로 두지 않기도 하지만 참고한 모든 문헌을 따로 모아 참고문헌 페이지를 두기도 한다. 다른 사람의 글이나 정보를 옮겨 실었다면 미주든 각주든 그 출처를 밝혀야 한다. 미주와 각주 다는 방법은 이후 한글 프로그램 부분에서 다룰 예정이다.

주

제1부

1 신동열, 『소명에 답하다』, 스텝스톤, 2013. p.60~63. 내용을 참고하여 각색하여 재정리함.

2 Online Etymology dictionary(온라인 어원 사전). https://www.etymonline.com. 영어 Career의 어원은 중세 프랑스어로 '길'이라는 뜻의 'carriere', 통속 라틴어(Vulgar Latin)로 '바퀴 달린 운송수단이 다니는 길'이라는 뜻의 'cararia'에서 시작되었다.

제2부

3 사이먼 사이넥, 『나는 왜 이 일을 하는가』, 타임비즈, 2013. p.66~67.

4 사이먼 사이넥, 앞의 책, p.63~91. 동심원과 뇌에 대한 부분은 사이넥의 글을 재정리해 실음.

5 사이먼 사이넥, 앞의 책, p.91.

6 박승오, 김영광, 『지금 꿈이 없어도 괜찮아』, 풀빛, 2017. 아쉽게도 이 책에서는 사이먼 사이넥의 개념을 설명하지 않고 본인들이 만들어낸 개념으로 쓰고 있는데 그 출발 개념은 사이넥의 사이넥의 개념으로 보인다.

7 케빈 브랜플릭, 케이 마리 브랜플릭, 『부르심에 합당한 삶을 위한 소명찾기』, IVP, 2014. p.33. 본 내용은 파커 J. 파머, 『삶이 내게 말을 걸어올 때』, 한문화, 2014. p.19. 내용을 저자가 재정리해 인용한 것으로 나 또한 문맥에 맞게 『부르심에 합당한 삶을 위한 소명찾기』 내용을 재정리하여 인용하였음.

8 심리학용어사전, 한국심리학회. http://www.koreanpsychology.or.kr

9 나다나엘 브랜든, 『실존의 7번째 센스 자존감』, 비전과 리더십, 2009. p.24~26.

10 심리학용어사전, 앞의 사이트.

15 임성미, 『오늘 읽은 책이 바로 내 미래다』, 북하우스, 2010.

16 김정운, 『에디톨로지』, 21세기북스, 2014.

17 한기호, 『인공지능 시대의 삶』, 어른의시간, 2016.

18 David H. Montross 외, 『자녀를 위한 커리어코칭』, 에세스타, 2008. p.39 참조.

19 기존 단어 57개 중 일부는 수정하여 사용하였다.

20 리처드 볼스, 『파라슈트』, 한국경제신문, 2013. p.138~140. 참고하여 단어들을 더 추가하였다. 1970년에 첫 출판되어 2~3년에 한번씩 개정작업을 거쳐나가 1975년부터 현재까지 시대의 흐름에 맞게 매년 내용을 개정하여 출판하고 있다.

21 심리학용어사전, 한국심리학회. http://www.koreanpsychology.or.kr 참고하여 재정리

22 최진석, 『인간이 그리는 무늬』, 소나무, 2013. p.73~74.

23 최진석, 앞의 책, p.76~77.

24 프레드릭 뷰크너, 『통쾌한 희망사전』, 복있는사람, 2005. p.167. 프레드릭 뷰크너는 인용 여부를 밝히지 않고 있으나 로렌 크로즈나리는 『인생학교 일』에서 이 문장을 아리스토텔레스가 말했다고 하고 있다. p.106. '당신의 재능과 세상의 필요가 교차하는 곳에 당신의 천직이 있다.' 그러나 나는 프레드릭 뷰크너의 문장을 더 선호한다. 재능과 가능(흥미)은 전혀 의미가 다르기 때문이다.

25 아마다 즈니, 『청춘의 진로교실』, 프렌즈, 2011. p.45~53.

26 기시미 이치로, 『나를 위해 일한다는 것』, 을유문화사, 2017. p.27. 아들러의 『삶의 의미를 찾아서』 재인용.

27 기시미 이치로, 앞의 책.

28 로먼 크르즈나릭, 『인생학교 일』, 쌤앤파커스, 2013. p.82.

29 존 크럼볼츠, 『굿럭』, 새움, 2012. p.59.

30 로먼 크르즈나릭, 앞의 책, p.21~24.

31 오연호, 『우리도 행복할 수 있을까』, 오마이북, 2014. 재정리

---

2. 판형에 대한 이해

판형이 무엇인가? 인쇄물 크기의 규격을 뜻하며, 쉽게 말하면 책 크기다. 우리가 보통 많이 사용하는 종이 규격을 A4 용지라 부르듯 책의 판형도 나름의 규격이 있다. 원고 작업과 다듬기까지 마쳤다면 내 책에 맞는 판형을 선택해야 한다. 다양한 판형이 있지만 출판 시 가장 많이 사용하는 판형 4가지는 다음과 같다.

판형	판형 명칭	크기 (가로*세로)	인쇄물	비고
A4	국배판	210*297mm	가장 큰 사이즈의 잡지, 화보집	시중에서 접할 수 있는 책 크기로 가장 큰 크기
B5	46배판	182*257mm	학술전문서적, 문제지, 잡지	『주문형 출판으로 무료 출판 따라하기』 크기
A5	국판	148*210mm	일반단행본	단행본에서 가장 많이 사용하는 크기
B6	46판	127*188mm	시집, 에세이	

소설이든 자기계발서든 대중적인 단행본들은 주로 A5 판형을 가장 많이 사용한다. 대학교재나 전문서적, 문제지와 잡지들은 대부분 B5 판형을 많이 사용하며, 프로그램 활용법 따위를 알려주는 도서들도 B5 판형이 많다. 이 책도 B5 판형이다. 이유가 있는데 대중적인 단행본 크기인 A5 판형으로는 이미지나 표, 그래프를 담기에 면이 좁다. 특히 책을 계속 펼쳐두고 모니터를 번갈아 보며 프로그램을 배워야 하는 특성상 펼쳐 둔 면이 그대로 유지되려면 적어도 B5 판형 정도 되어야 한다. 이런 이유로 대부분의 실습 내용을 담고 있는 책들이 B5 이상의 판형으로 출판된다. 이처럼 어떤 내용의 책을 출판할 것인가에 따라 책의 판형이 달라진다. 시집을 출판하려는데 굳이 가로 길이가 긴 판형을 선택할 필요가 없다. 아주 긴 산문시가 아닌 이상 시는 한 줄(행)이 길지 않는데 가로 길이가 가장 짧은 B6 판형으로 충분하다.

부크크에서 이미 원고(내지) 양식을 4개 판형으로 제공하고 있기 때문에 애써 만들 필요는 없다. 워드와 한글 프로그램 두 종류로 제공하고 있으며, 서식으로 제공되는 내용을 수정해 사용할 수 있다. 다음 그림은 부크크에서 제공하는 판형 서식을 내려받을 수 있는 방법이다.

부크크 메인화면에서 [책 만들기] 메뉴를 클릭한다. 로그인 상태가 아니라도 이용가능하나 부크크를 통해 책을 만들 예정이므로 미리 회원가입을 해두면 좋다.

새로 열리는 화면에서 [새종이책]을 클릭하면 만들 책의 도서형태를 선택하는 새 페이지가 나타난다. 이 페이지의 하단 오른쪽에 [원고서식 받기] 버튼을 클릭하면 판형 서식이 다운로드 된다.

[원고서식 받기]를 클릭하면 압축파일이 다운로드 된다. 그 압축파일 안에 워드서식과 한글서식으로 A4, B5, A5, B6 판형의 내지 서식이 있다. 압축을 푼 후에(압축을 푼 후에 한글 파일을 열어야 편집이 가능하다. 압축을 풀지 않은 채 한글 파일을 열면 편집이 불가능하다.) 책 내용을 잘 담을 수 있는 판형을 선택하고, 어떤 판형을 선택하든 다음(다음쪽 참조)과 같은 동일한 샘플 내용을 제공한다.

판형 샘플 파일을 바로 클릭하기 전에 [필독!!] 부크크서식 이용안내를 먼저 읽기를 권한다. 이후 워드든 한글이든 원하는 종류의 서식을 선택한다. 서식 중 (선), (리본)이라 적힌 서식은 (기본) 서식과 동일하나 제목명 위에 리본이나 선으로 포인트를 줄 수 있는 이미지 샘플을 제공한다.

하단 압축 폴더는 부크크 글꼴로 글꼴 관련 파트에서 다룰 예정이다.

[워드서식]A4(국배판)_부크크서식(기본)	Microsoft Office Word 문서
[워드서식]A5(국판)_부크크서식(기본)	Microsoft Office Word 문서
[워드서식]B5(46배판)_부크크서식(기본)	Microsoft Office Word 문서
[워드서식]B6(46판)_부크크서식(기본)	Microsoft Office Word 문서
[필독!!]부크크서식 이용안내	한컴오피스 한글 2010 문서
[필독!!]부크크서식 이용안내.rtf	Word.RTF.8
[한글서식]A4(국배판)_부크크서식(기본)	한컴오피스 한글 2010 문서
[한글서식]A5(국판)_부크크서식(기본)	한컴오피스 한글 2010 문서
[한글서식]A5(국판)_부크크서식(리본)	한컴오피스 한글 2010 문서
[한글서식]A5(국판)_부크크서식(선)	한컴오피스 한글 2010 문서
[한글서식]B5(46배판)_부크크서식(기본)	한컴오피스 한글 2010 문서
[한글서식]B6(46판)_부크크서식(기본)	한컴오피스 한글 2010 문서
BOOKK_FONTS_ALL.20221205	압축(ZIP) 폴더

판형 샘플파일을 클릭하면 아래 왼쪽과 같이 첫 페이지에 페이지 편집을 위한 유의사항을 안내한다. 글꼴은 부크크체로 기본 설정되어 있으며, 내지 여백, 장평, 자간도 기본 설정되어 있다. 주의해야 할 부분은 판형 샘플파일의 용지 사이즈는 실제 책 판형보다 상하좌우 3mm씩 더 길다. 이는 책을 만들 때 상하좌우 3mm씩 잘라내기 때문에 이 부분을 미리 포함한 사이즈다. 실제 책 판형 사이즈와 작업할 용지 사이즈가 다른 이유인데 작업 용지 사이즈는 **3. 한글프**

본 페이지는 편집 시 유의사항을 담고 있습니다.
페이지 수 오류를 방지하기 위해 실제 편집 작업 시에는 지워주시기 바랍니다.

이 파일은 A5로 제작을 원하는 저자분들께서 사용하시면 됩니다. 편집 과정중 꽉차게 들어가는 이미지, 배경색상이 있을 경우 하얀색 종이가 보이지 않도록 이미지, 색상 크기 반영하셔야 하는 점 알려드립니다.

이파일은 실제 제작시 필요한 사방여백 3mm가 포함된 크기입니다.(154x216mm)
상하좌우 3mm는 실제 제작시 재단되어 반영되지 않으니 참고해주세요!

로그램으로 편집하기의 **3.9 여백** 부분을 참고하면 확인 가능하다. 가능하면 부크크에서 제공하는 판형 샘플을 그대로 사용하고 내용만 지우고 새로 작성한다.

---

3. 한글프로그램으로 편집하기

3.1 글꼴

서체 또는 폰트라고 불리는 글꼴은 출판물의 가독성과 분위기에 아주 중요한 역할을 한다. 보통 한글, 워드, 파워포인트, 엑셀과 같은 오피스 프로그램에 다양한 글꼴이 사용된다. 이런 프로그램 내에서 제공하는 글꼴을 활용해 출판물을 만드는 것은 저작권 관련 문제가 없다.³¹ 문제가 되는 것은 개인적으로 검색해서 다운로드 받은 후 설치한 글꼴로 상업적으로 무료로 사용가능한지 꼭 확인해야 한다. 유료 사용임에도 확인하지 않고 사용해 출판할 경우 후에 문제가 될 수 있다. 글꼴 저작권 관련 내용은 **4부**에서 따로 자세하게 다룰 예정이다.

보통 출판사에서 가장 많이 사용하는 글꼴은 윤명조체다. 대부분의 책이 명조체를 사용해 왔고, 또 윤명조체를 가장 많이 보다보니 우리 눈에 가장 익숙한 글꼴이 명조체다. 물론 요즘 독립출판이나 다양한 출판사에서 다른 글꼴을 사용해 출판하기도 하지만 여전히 가독성이 가장 높은 글꼴이 명조체다. 그러나 윤명조체는 유료글꼴로 독립출판을 하겠다는 개인이나 출판사 입장에서는 비용이 부담된다.

다행히 윤명조체를 개발한 윤디자인그룹에서 2023년 2월 1일에 윤명조 320, 340과 윤고딕 320, 340이 무료 배포되었다. 윤명조 320은 학교안심 바른바탕R로, 340은 학교안심 바른바탕B로 배포되며 글꼴 자체를 다운로드 받을 수 없고 프로그램을 설치하면 사용가능하다. 또한 윤명조체를 대체할만한 다양한 글꼴이 개발되어 무료로 배포되고 있고, 실제 출판에 많이 활용하고 있다. (본 문장은 윤명조 320, 학교안심 바른바탕R로 쓰였다.)

윤명조 320은 얇은 느낌이 있어 실제 인쇄된 실물 책을 보아야 정확한 확인이 가능하다. 프린터로 출력한 출력물과 인쇄된 실물 책의 글꼴 두께는 약간 차이가 있기 때문에 모니터로 보거나 프린터로 출력한 출력물만 보고 글꼴을 쉽게 결정하면 안된다. 특히 한 번도 출력해 보지 않고 모니터로만 글꼴을 확인하면 종이책과 차이가 있다. 꼭 출력해보거나 부크크에서는 페이지 일부를 인쇄해서 보내주거나(내지테스트) 소장본으로 샘플책을 만들 수 있기 때문에 직접 보고 결정하면 가장 좋다. 무료 배포되는 윤명조 320과 340 사이에 330이 없어 아쉽지만 개인적으로 판단해야 할 일이다.

윤디자인그룹에서는 다양한 무료글꼴을 제공하고 있는데 처음 출판하는 이들에게는 활용하기 아주 좋은 도구이다. 윤디자인그룹이 제공하는 무료글꼴은 기존의 무료글꼴 제공 방식과 다르다. 대부분의 무료글꼴은 글꼴을 다운로드 받아 자동설치하거나 아니면 직접 복사해 컴퓨터 C드라이버 내 폰트 폴더에 저장해야 이용가능하다. 그러나 윤디자인그룹에서 무료로 제공하는 글꼴은 컴퓨터에 앱을 다운로드 받아 설치해야 한다. https://font.co.kr/cs/app 사이트로 들어가면 사이트 하단에 아래와 같은 다운로드 링

크가 보인다. 원하는 운영체제를 선택해 다운로드 받아 설치하면 폰코 자키 앱을 사용할 수 있다. 앱을 클릭하면 다음과 같은 첫 화면이 나타난다.

왼쪽의 초기 페이지에서 로그인하면 다음 페이지가 나타난다. 메인 페이지 상단에 SHOWROOM과 FONT 메뉴가 있는데 이 중 FONT 메뉴를 클릭한다. 윤디자인그룹에서 제공하는 무료 글꼴은 이 메뉴에서 모두 확인가능하고 또 무료로 사용할 수 있다. 원하는 글꼴이름 앞에 있는 네모박스에 체크하면 글꼴이 활성화되고 사용하고자 하는 프로그램(한글, 워드, 엑셀, 파워포인트)을 실행하면 글꼴을 사용할 수 있다. 글꼴을 클릭할 때마다 그 글꼴이 어떻게 생겼는지 샘플까지 글꼴 뒤에 제공해 주고 있어 확인하기 편하다. 주의할 점은 이 폰코 자키앱에 먼저 로그인해 글꼴에 체크한 후 한글이든 워드든 프로그램을 실행해야 글꼴이 적용된다. 기존에 띄워 둔 한글, 워드, 엑셀, 파워포인트 문서는 새로운 글꼴이 적용되지 않는다. 꼭 모든 문서 창을 끄고 폰코 자키 앱의 글꼴에 체크한 후 문서 프

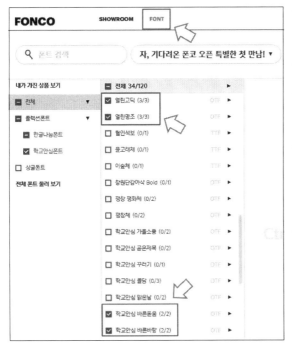

로그램을 다시 열어야 한다. 그래야만 선택한 글꼴이 적용된다. 기존 문서에 윤디자인그룹 글꼴을 사용했더라도 이 앱을 통해 글꼴을 먼저 선택하지 않으면 기존 문서의 윤디자인그룹 글꼴은 다른 글꼴로 인식해 화면에 띄운다. 나중에 출력하거나 책을 만든 후 글꼴이 이상하다고 생각해봐야 그때는 늦었다.

윤명조체 외에 독립출판에서 많이 사용하는 글꼴은 코펍(KoPub)체다. 한국출판인회에서 만든 글꼴로 모니터로 볼 때나 인쇄된 형태로 보아도 가독성이 좋다. 코펍 바탕체(명조체)와 **코펍 돋움체(고딕체)**로 제공되는데 3가지 종류 두께(라이트, 미디엄, 볼드)가 있어 활용도도 높다. 다만 글자 가로길이(장평)가 다른 명조체보다 길어 많은 디자이너들이 장평을 줄여서 사용하기도 한다.(본 문장과 이 책의 글꼴은 코펍 바탕체 미디엄을 사용하였다.) 윤명조체와 코펍체 외에도 다양한 명조체들이 사용되지만 제주명조와 열린명조, 조선신명조도 개인적으로 추천한다. 제주도청에서 만든 제주명조는 다른 명조체에 비해 세로 길이의 변화가 글자마다 생기는 단점이 있지만 많이 사용하는 서체다. 코펍체와 비교했을 때 전체 글꼴이 작다.(본 문장은 제주명조로 쓰였다.)

열린명조는 윤명조체를 디자인한 윤디자인그룹에서 만들었으며, 윤명조체 320과 유사한 필체로 단단하고 힘이 있다. 열린명조도 세로대비 가로길이가 약간 긴 느낌을 받을 수 있다. 코펍체와 동일하게 글자 가로길이(장평)를 줄여 사용해도 무방하다. 열린명조체도 윤명조체와 마찬가지로 윤디자인그룹에서 제공하는 프로그램을 설치한 후 로그인 과정을 거쳐 글꼴 선택을 해야 글꼴이 활성화되는 방식이다.(본 문장은 열린명조체로 쓰였다.)

조선신명조체는 조선일보사에서 만든 서체로 코펍체와 비슷한 느낌이지만 코펍체에 비해 장평(글자 가로길이)이 좁고, 글꼴 크기도 약간 작은 편이다. 그럼에도 제주명조나 열린명조에 비해 글자가 큰 편이고, 선명도도 높다.(본 문장은 조선신명조체로 쓰였다.)

추천한 글꼴 외에도 다양한 글꼴들이 무료로 배포되고 있다. 다양한 글꼴을 한곳에서 비교해 볼 수 있는 사이트가 있는데 '눈누(https://noonnu.cc)'라는 사이트를 추천한다.

다양한 글꼴을 사이트 내에서 직접 입력해 보며 화면에서 글꼴의 특징을 바로 확인해 볼 수 있다. 그리고 선택해서 보는 글꼴 화면 오른쪽 상단에 다운로드 메뉴가 있어 누르면 글꼴체을 제공하는 사이트로 링크 연결된다. 다운로드해서 프로그램 설치하거나 설치 프로그램이 없으면 다운받은 서체를 컴퓨터 폰트 폴더에 파일을 복사해 넣어야 한다. 코펍체를 예로 눈누에서 다운받아 사용하는 방법을 보자.

먼저 눈누 사이트 상단 오른쪽 폰트 검색창에 '코펍' 혹은 'kopub'이라고 입력한다. 검색된 코펍체 종류가 2가지다. 우리는 두 서체 모두 필요한데 먼저 코펍 바탕체를 클릭한다.

폰트 미리보기 아래 창에 글을 입력하면 서체를 확인할 수 있다. 상단 오른쪽 **[다운로드 페이지로 이동]** 메뉴를 누르면 코펍체를 제공하는 사이트로 연결된다.

'한국출판인회의'에서 제공하는, 두 종류의 코펍체 중 KoPub 2.0을 클릭한다. 하단으로 내리면, **[TTF 다운로드]**와 **[OTF 다운로드]**가 있는데 TTF 다운로드를 클릭한다.

KoPubWorld Dotum Bold	2023-04-13 오후 2:58	트루타입 글꼴 파일	5,026KB
KoPubWorld Dotum Light	2023-04-13 오후 2:58	트루타입 글꼴 파일	5,067KB
KoPubWorld Batang Bold	2023-04-13 오후 2:58	트루타입 글꼴 파일	11,915KB
KoPubWorld Batang Light	2023-04-13 오후 2:58	트루타입 글꼴 파일	12,013KB
KoPubWorld Batang Medium	2023-04-13 오후 2:58	트루타입 글꼴 파일	11,864KB
KoPubWorld Dotum Medium	2023-04-13 오후 2:58	트루타입 글꼴 파일	5,062KB

압축파일로 다운로드 되며, 압축을 풀면 바탕체와 돋움체 모두 포함되어 있는데 설치 프로그램이 없고 폰트 파일만 있다. 이 경우 이 파일들을 복사한 후 복사한 파일을 컴퓨터의 폰트 폴더에 저장(단축키는 Ctl+A 한 후 Ctrl+C)해야 한글프로그램에서 사용할 수 있다. 컴퓨터 폴더 [내 PC] - [로컬 드라이브(C:)] - [Windows] - [Fonts] 순서로 클릭하면 아래와 같은 파일들이 보인다. 이는 내 컴퓨터에 저장된 글꼴 종류들이다.

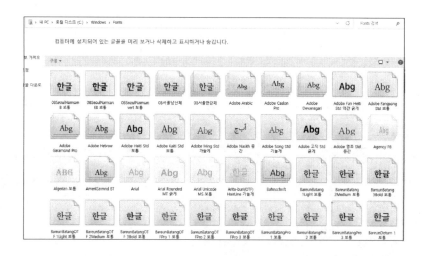

이 폴더에 다운로드 받은 코펍체를 추가(Ctrl+V)한다. 이때 중요한 부분이 있는데 한글 프로그램을 미리 실행 시켜두면 추가한 글꼴이 적용되지 않는다. 기존에 띄워 둔 한글프로그램이 있다면 모두 종료하고 글꼴 추가 후 다시 실행해야 한다.

글꼴 추가 후 한글 프로그램 상단 메뉴 중 길게 바(bar) 형태로 제공되는 메뉴에서 서체 종류를 변경할 수 있다. 네모 칸 안에 있는 부분이 서체 종류며, 글꼴명 옆 화살표로 변경가능하다. 변경할 내용 구역을 지정(검은색으로 바뀜)해야 하는데 문서 전체를 대상으로 할 땐 Ctr키와 함께 A를 누르면 문서 전체가 지정된다. 일부 내용의 글꼴을 수정하고 싶다면 그 내용 구역을 마우스(왼쪽 버튼 누른 채)로 긁어 내용을 지정한 후 글꼴을 변경한다.

이 책에서 권하는 글꼴 외에도 여러 책에서 사용하는 다양한 글꼴들을 유심히 살펴보는 것도 좋은 방법이다. 괜찮은 글꼴이다 싶으면 직접 출판사에 연락해 글꼴 종류를 물어볼 수도 있다.

지금까지는 추천한 글꼴들이지만 쓰지 말아야 할 글꼴도 있다. 바로 한글프로그램에서 많이 쓰는 굴림체나 바탕체, 함초롬바탕체는 권하지 않는 글꼴이다. 화면이나 출력해서 볼 때는 괜찮을지 모르나 책으로 만들어 보기에는 가독성이 좋지 않다. 실제 판매되는 책에 이러한 글꼴을 쓰지 않는 이유가 있다.

글꼴과 관련해 꼭 명심해야 할 부분이 있다. 전자책으로 출판할 게 아니라면 글꼴은 화면으로만 보고 결정하면 절대로 안 된다. 인쇄할 판형크기에 맞게 출력해 보아야 글꼴이 어떤 두께와 느낌으로 보이는지 확인된다. 화면과 실제 출력물은 다르다. 프린터로 출력한 것과 인쇄기로 인쇄된 출력물이 또 다르기 때문에 원고 내용 일부를 샘플로 인쇄해 달라고 부크크로 신청(내지테스트)하거나 아예 소장본(샘플북)을 만들어 직접 보는 방법이 가장 좋다. 물론 두 방법 모두 비용은 발생한다.

3.2 글자 크기

글꼴마다 글자 크기가 모두 다르다. 한글프로그램에서 글자 크기를 10포인트(pt)로 통일하더라도 글꼴에 따라 글자 크기가 다르다. 따라서 글자 크기는 화면이 아니라 직접 출력해 보아야 한다. 출력도 출판하려는 판형의 크기에 맞게 조절해 출력해야 한다. 그렇지 않으면 프린트 용지 크기에 맞추어 출력될 때가 있어 실제 인쇄된 책의 글자 크기가 달라질 수 있다. 판형 크기에 맞게 원고를 출력하는 방법은 뒤에서 다룰 것이다.

글자 크기는 보통 9.5 ~ 10.5 사이를 많이 사용하며, 보통 10포인트를 기준으로 원고 작성을 많이 한다. 그러나 이 크기도 대략적인 크기지 어떤 글꼴을 사용하는가에 따라 달라진다. 앞에서 예를 들었던 글꼴 중 제주명조는 기본 글꼴 크기가 작다. 따라서 출력해서 볼 때 작은 느낌이 들면 글자 크기를 조금 더 크게 할 수 있다. 반대로 코펍 바탕체는 예를 든 서체 중 가장 큰 글꼴인데 10포인트를 사용해도 글자가 크다고 느낄 수 있다. 이런 코펍 바탕체 특성상 10포인트를 넘어가면 한 페이지에 글자가 빽빽하게 들어찬 느낌이 들 수 있다.

실제로 필자가 처음으로 직접 출판한 책은 코펍 바탕체를 기본 글꼴로 하고, 글자 크기를 10포인트로 했다. 출판해 판매하다가 조금 더 가독성을 높이려고 글자 크기를 10.1포인트로 수정했는데 실제 종이책으로 만들어 보니 생각보다 글자가 커 책의 가독성을 오히려 떨어뜨렸다. 이미 이 글자 크기로 10여 권은 팔린 상태였고, 부랴부랴 예전 크기로 수정하기도 했다. 물론 글자 크기를 0.1로 늘린 것뿐 아니라 여백도 조금 줄이고, 자간을 키우면서 복합적으로 발생한 결과지만 무작정 글자 크기를 크게 한다고 가독성이 높아지는 것이 아니다. 처음 출판하는 분들이라면 글꼴 크기와 상관없이 글자 크기는 10포인트

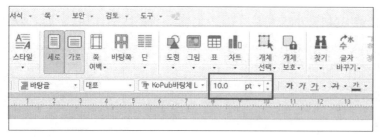

정도에 두고 시작하라고 권하고 싶다.

네모 칸 안에 있는 부분이 글자 크

기며, 화살표로 변경하거나 직접 숫자를 입력해 소수점 한자리까지 변경가능하다. 변경할 내용 구역을 지정(검은색으로 바뀜)해야 하는데 문서 전체를 대상으로 할 땐 Ctl키와 함께 A를 누르면 문서 전체가 지정된다. 일부 내용의 글자 크기를 수정하고 싶다면 그 내용 구역을 마우스(왼쪽 버튼 누른 채)로 긁어 내용을 지정한 후 글자 크기를 변경한다.

3.3 자간과 어간

자간은 글자(낱자)와 글자(낱자) 사이의 간격을 뜻한다. 글꼴마다 글자 하나 하나 사이의 간격이 다르다. 이를 자간이라고 하는데, 출판 시 자간뿐만 아니라 어간도 확인해야 한다. 어간은 띄어쓰기 간격이다. 빈 공간의 간격이 어느 정도 되는가가 어간이다. 글꼴에 따라 자간과 어간은 모두 다르며, 배포되는 글꼴의 자간은 그대로 사용하기도 하지만 대부분 자간과 어간을 줄여 사용한다. 특히 한글 프로그램에서 어간은 많이 줄여야 한다. 화면으로 볼 때는 무난해 보이나 인쇄된 책으로 보면 띄어쓰기 간격이 너무 클 때가 많다. 그러나 한글 프로그램은 어간을 조절할 수 있는 기능을 제공하지 않는다. 그럼에도 다른 방법으로 어간을 조절할 방법은 있다. 먼저 자간 조절 방법을 보자.

자간 조정은 한글 프로그램 상단 메뉴 중 [서식] 메뉴의 [글자모양] 메뉴를 클릭한다. 다른 방법(오른쪽 이미지)으로 마우스를 화면에 둔 채로 오른쪽 버튼을 클릭하면 세로로 메뉴 창이 열리고 동일하게 [글자모양]이라는 메뉴를 클릭한다.

단축키는 Alt + L

조정하기 전 자간은 0%로 세팅되어 있다. 왼쪽 하단에 자간을 조정하면 어떻게 바뀌는지 확인할 수 있는 샘플 문구를 보면서 조정할 수 있다. 정해진 답은 없으며 서체에 따라 -10% ~ 0% 내외면 적절하다. 자간을 늘리는 건 별로 권하지 않는다. 이 책은 -2%로 조정했다. 수정이 끝났으면 오른쪽 상단 [설정]을 클릭한다.

변경한 자간도 화면으로 보는 것과 실제 출력물은 차이가 있다. 꼭 판형사이즈에 맞게 출력해 확인해야 한다.

띄어쓰기 간격인 어간은 아주 중요하다. 일반적인 사이즈인 A4사이즈로 한글 프로그램 화면을 보거나 출력해서 볼 때 띄어쓰기 간격이 크게 눈에 들어오지 않지만 책으로 만들어 읽을 때는 띄어쓰기 간격이 중요하다. 그러나 한글프로그램에서는 인디자인과 같은 어간 조정 기능이 없다. 다른 방법을 사용해야 한다.

어간 조정은 한글 프로그램 상단 메뉴 중 [편집] 메뉴의 [찾기] - [찾아 바꾸기] 메뉴를 클릭한다.

단축키는 Ctrl + F2

또는 **[편집]** 메뉴 상단 오른쪽에 **[찾기]** – **[찾아 바꾸기]** 메뉴를 클릭한다.

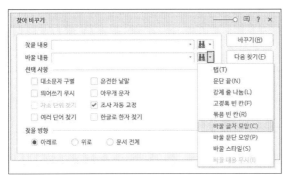

[찾을 내용]에 스페이스바를 한 번 눌러 빈 띄어쓰기 한 칸을 만든다. 그리고 바로 밑의 **[바꿀 내용]**에도 동일하게 스페이스바를 한번 눌러 빈 띄어쓰기 한 칸을 만든다.

이렇게 하는 이유는 문서에 있는 모든 빈칸 하나를 다른 형식의 빈칸으로 바꾸겠다는 의미다. 이후 바꾸고 싶은 형식을 등록하는데 **[바꿀 내용]** 우측의 망원경 부분 화살표를 클릭한 후 **[바꿀 글자 모양]** 메뉴를 클릭한다.

앞서 보았던 글자 모양 메뉴가 나오며 바로 이 메뉴에서 장평이나 자간을 수정하면 빈 한칸(띄어쓰기)의 간격이 변경된다. 어간의 기준은 따로 없다. 글자 하나의 크기보다 어간을 더 좁게 하는게 좋다. 이 책의 어간은 장평과 자간 모두를 줄였으나(장평 80, 자간 -5) 자간만 줄여 어간 크기를 조정해도 된다.

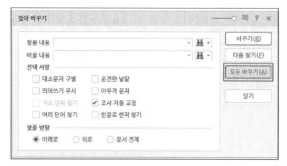

[설정] 버튼을 누른 후 새 창에서 [모두 바꾸기] 버튼을 누르면 어간이 변경된다. 문서 전체 어간을 바꿀 수도 있고, 수정하고 싶은 내용 일부만 마우스로 긁어 어간을 바꿀 수도 있다.

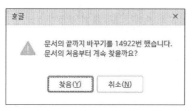

바꾸기 후 〈문서의 처음부터 계속 찾을까요?〉라는 안내가 나오는데 문서 전체를 한번 더 점검하고 싶다면 [찾음], 그렇지 않다면 [취소]를 클릭한다.

자간이나 어간의 기준은 없다. 글꼴에서도 이야기했듯 자간과 어간을 화면만 보고 결정하면 절대 안된다. 꼭 판형크기와 동일하게 출력해 직접 종이로 보아야 한다. 화면으로 보았을 땐 무난했으나 출력해 종이로 보니 가독성과 몰입도가 뚝 떨어질 수 있다.

3.4 장평

자간이 한 글자 한 글자 사이의 간격이라면 장평은 한 글자의 세로 대비 가로길이다. 장평을 줄이거나 늘이면 글자 세로길이는 동일하나 글자 가로길이가 줄어들거나 늘어난다. 장평을 줄일수록 글자는 좁아지고(장평 100%, 장평 80%), 장평을 늘일수록 글자는 넓어져(장평 100%, 장평 120%) 퍼져 보인다. 앞 문장의 괄호 예를 보면 알 수 있듯, 글꼴에 따라 장평을 조절해야 할 수 있다. 이 장평도 정답이 있는 것이 아니라 직접 출력해 확인해보며 맞추어야 한다. 대부분 장평을 늘이기보다 그대로 두거나 줄여 사용한다. 괄호 예에서 볼 수 있듯 장평이 늘어나면 빈칸 크기도 커지기 때문에 이 부분도 조심해야 한다. 어간을 수정할 때 자간은 그대로 두고 장평으로 어간을 조절할 수도 있다. 장평을 조절하는 방법 다음과 같다.

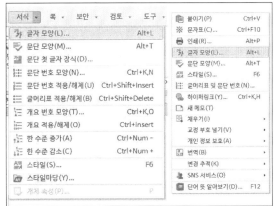

장평 조정은 상단 메뉴 중 [서식] - [글자모양] 메뉴를 클릭한다. 다른 방법으로 마우스를 화면에 둔 채로 오른쪽 버튼을 클릭하면 세로로 메뉴 창(오른쪽 이미지)이 열리고 동일하게 [글자모양]이라는 메뉴를 클릭한다.

단축키는 Alt + L

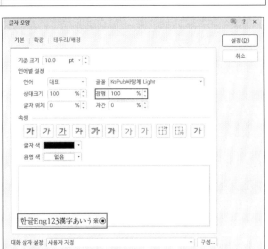

기본값은 장평 100%이며 수치를 줄이거나 그대로 둔다. 장평을 늘려서 사용하는 경우는 잘 없다. 하단 좌측의 미리보기를 통해 장평 간격을 확인할 수 있다. 수정이 끝났으면 오른쪽 상단 [설정]을 클릭한다.

장평이나 자간을 수정할 때 주의해야 할 부분이 있는데 어간이 같이 수정된다는 점이다. 한글프로그램은 글자의 장평이나 자간을 수정하면 빈칸의 자간과 장평도 함께 수정된다. 따라서 어간은 장평과 자간 수정이 모두 마무리 된 후 마지막에 최종적으로 수정하는 게 좋다. 그래야 글자의 장평과 자간은 그대로 둔 채 빈칸의 간격인 어간만 수정된다.

3.5 행간

행간은 문서의 한 줄(행)과 한 줄(행) 사이의 간격이다. 행간은 행의 간격을 줄여서 부르는 말이다. 행간은 글자 크기를 보고 수정해야 하는데 보통 글자의 세로길이와 동일하거나 세로길이보다 간격이 커야 한다. 그냥 행간 몇 % 이렇게 정할 것이 아니다. 사용하는 글꼴의 크기에 따라 행간 비율을 1:1 이상으로 맞추어야 한다. 행간이 너무 좁으면 가독성이 떨어지고, 글을 읽기 싫어진다. 차라리 행간이 큰 것이 낫지 좁으면 아무리 좋은 내용의 책이라도 독자들은 쉽게 읽지 못한다. 보통 한글프로그램에서는 200%로 행간을 설정하지만 얼마든지 더 간격을 크게 할 수 있다. 행간 조절 방법은 아래와 같다.

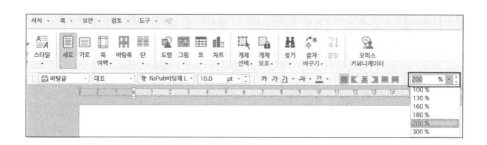

　　행간 조절은 바(Bar)형태의 글꼴 종류, 글자 크기, 글자 두께, 줄 긋기, 글자 색, 글자 위치, 장평을 변경할 수 있는 메뉴에 있다. 가장 오른쪽 칸 안에 있는 부분이 행간 조절 창이며, 화살표로 변경하거나 직접 숫자를 입력해 변경가능하다. 변경할 내용 구역을 지정(검은색으로 바뀜)해야 하는데 문서 전체를 대상으로 할 땐 Ctl키와 함께 A를 누르면 문서 전체가 지정된다. 일부 내용의 행간을 조절하고 싶다면 그 내용 구역을 마우스(왼쪽 버튼 누른 채)로 긁어 내용을 지정한 후 행간을 조절하면 그 부분만 수정된다.

3.6 각주, 미주, 참고문헌

　　시집이나 자서전, 에세이 같은 경우 따로 주석을 달아 추가로 설명할 일은 잘 없다. 또한 다른 저자의 문장을 인용해 자신의 주장을 뒷받침할 근거자료를 제시할 일도 거의 없기 때문에 이런 책에 주석을 잘 쓰지 않는다. 그럼에도 저자의 필요에 따라 각주나 미주를 사용할 일이 생긴다. 자기계발서나 교양서, 인문, 사회과학, 자연과학 책들은 주석은 필수다. 주석은 크게 두 가지 종류가 있는데 주석을 달고 싶은 본문이 있는 페이지 하단에 설명하는 각주가 있다. 다른 하나는 모든 주석을 모아 책 말미에 다는 미주가 있다.

먼저 한글에서 각주를 다는 방법은 자신이 주석을 달고 싶은 단어나 문장 바로 뒤에 마우스나 키보드를 사용해 커서를 둔다. 한글 프로그램 상단 [입력] 메뉴를 선택하면 중간 부분에 [주석]이라는 메뉴가 나오며, [주석] 메뉴를 선택하면 [각주]와 [미주] 메뉴가 나온다. 각주를 선택하면 자동으로 번호1가 생성되면서 본문 페이지 하단에 주석을 달 수 있

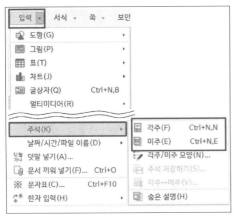

는 공간이 여백 사이에 만들어진다. 번호는 각주를 만들 때마다 자동으로 생성되기 때문에 따로 부여할 필요없다. 각주를 만든 후 수정하고 싶다면 마우스로 각주 부분(본문 문장 아님)에 클릭하면 얼마든지 문장을 추가하거나 삭제할 수 있다. 각주를 삭제하면 번호도 자동으로 변경되기 때문에 이후 각주 번호를 일일이 수정할 필요없다.

본문과 각주를 구분하는 구분선은 기본설정이 5cm인데 더 줄이거나 늘리고 싶다면 각주 문장에 마우스를 클릭하면 한글 프로그램 상단에 각주 메뉴가 뜬다. 이 메뉴 중에 [구분선 길이]이라는 메뉴에서 길이조절이 가능하다.

아니면 왼쪽 첫 번째 메뉴인 [각주/미주 모양]을 선택해 번호 모양, 크기, 구분선 한번에 모두 변경할 수 있는 창을 띄워 작업해도 된다. 다시 본문으로 돌아가고 싶다면 우측의 [닫기] 버튼을 클릭한다.

---

1 주석은 더 설명하고 싶거나 인용한 문장의 출처를 밝히는 용도로 많이 사용한다.

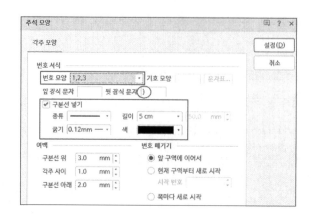

미주도 각주와 같은 방식이며, 미주는 각주와 달리 가장 마지막 페이지에 번호가 자동으로 설정된다. 미주를 변경하려면 각주와 동일하게, 고치고 싶은 미주 문장(본문 문장 아님)에 마우스를 클릭한 후 상단의 **[각주/미주 모양]** 메뉴를 선택하면 **[주석모양]** 메뉴 창이 뜬다. 미주는 책 말미에 붙기 때문에 미주를 작성한 후 다시 본문으로 돌아오려면 페이지를 한참 찾아야 하는 번거로움이 있다. 이를 해결하기 위해 한글 프로그램에서는 미주를 작성한 뒤 상단 오른쪽에 있는 **[닫기]** 메뉴를 선택하면 작성하던 미주 번호가 붙은 본문 내 문장으로 자동 이동하도록 설정되어 있다. 주의할 점은 미주와 각주 번호는 서로 이어지지 않고 따로 부여되기 때문에 한 페이지는 미주, 다음 페이지는 각주 이런 방법이 아니라 각주나 미주 한 방법으로만 진행하는 것이 좋다. 본 책은 미주를 사용했으며, 미주는 독자가 책을 읽을 때 방해받지 않고 본문에만 집중할 수 있도록 하는 장점이 있다.

본문을 더 자세하게 설명하기 위해 주석을 사용했다면 상관없으나 다른 저자의 글을 인용했을 경우 출처를 정확하게 밝혀야 한다. 출처를 적는 방법은 어떤 표준이나 기준을 지켜야 하는 것은 아니며 출판사가 제공하는 양식이 있다면 그에 따르면 된다. 본 책에서는 아래와 같은 양식으로 인용 주석을 기록했다.

강원국, 『강원국의 글쓰기: 남과 다른 글은 어떻게 쓰는가』, 메디치, 2018, 135~136쪽.

이미 앞에서 밝힌 책을 한번 더 인용할 경우 굳이 저자명, 책 제목, 출판사명, 출판연도를 중복해서 모두 적을 필요 없이 저자명만 밝히고 아래와 같이 적으면 된다.

　　　　강원국, 앞의 책, 138~140쪽.

어떤 책에 인용된 내용인데 원문을 찾을 수 없을 때가 있다. 가능하면 원문을 인용해야 하지만 어려울 경우에는 재인용할 수 밖에 없는 상황이 있다. 예를 든다면, 저자 이운우의 『진로도 나답게』 책을 읽다가 이 책에 인용된 나다니엘 브랜든이라는 저자의 글 일부를 인용하고 싶다고 하자. 그런데 나다니엘 브랜든의 책을 구하기 어렵다면 결국 이운우 저자의 책에서 인용한 부분을 다시 인용해야 하는데 이것이 바로 재인용이다. 그렇다면 이렇게 인용해야 한다. '나다니엘 브랜든은 "자존감은 스스로를 어떻게 보는지, 스스로를 어떻게 평가하는지, 스스로를 어떻게 느끼는지로 구성된다."고 하였다.' 이렇게 인용한 후 (작은 따옴표는 이 책에서 설명글과 구분하기 위해 사용했지만 실제 책에서는 작은 따옴표를 쓸 필요가 없다.) 각주나 미주 번호를 달고 각주나 미주에서는

　　　　나다니엘 브랜든, 『성공의 7번째 센스 자존감』, 비전과 리더십, 2009, p.24~26., 이운우, 『진로도 나답게』, 공간나다움, 2022, 135~136쪽 재인용

이라고 주석을 붙이면 된다.

미주나 각주를 사용했다면 따로 참고문헌까지 정리할 필요는 없는데, 굳이 참고문헌을 정리해 제공하고 싶다면 미주와 각주에서 설명한 문헌들을 가나다 순으로 정렬해 제공하면 된다. 이때 미주나 각주에서 자세하게 페이지 수까지 제공했기 때문에 참고문헌에서 페이지 수는 적을 필요없다. 주석에서 기록했던, 저자명, 책 제목, 출판사명, 출판연도 정도만 적으면 된다.

3.7 중간표지

중간표지는 앞에서도 설명했듯이 책에서 새로운 장이 시작됨을 알리는 표지다. 어디에 중간표지를 넣을지는 정해진 것이 아니라 저자나 편집자가 책에 따라 새로운 장이나 새로운 부가 시작될 때를 알리기 위해 사용한다. 내지가 흑백만으로 사용될 때는 주로 회색톤으로 중간표지를 많이 사용하며, 내지에 컬러를 살려 인쇄할 때는 주로 책표지에 사용된 색상 중 하나를 골라 만든다. 중간표지 전체를 여백으로 두고 장 제목만 적는 깔끔한 중간표지도 있다. 그러나 대부분 단색 배경에 장 제목을 적거나 다양한 이미지를 추가해 중간표지를 구성한다. 중간표지를 2개 쪽으로 구성할지 1개 쪽으로 구성할지 정답은 없다. 다만 1개 쪽으로 중간표지를 구성한다면 홀수 쪽, 책을 펼쳤을 때 오른쪽 페이지에 두는 것을 권한다. 아래는 내지를 흑백으로만 구성할 때 회색톤 배경으로 중간표지를 만드는 방법이다.

한글프로그램 상단의 **[입력]** 메뉴 옆 화살표를 누른 후 **[개체]** - **[그리기 개체]** 순서로 선택한다.

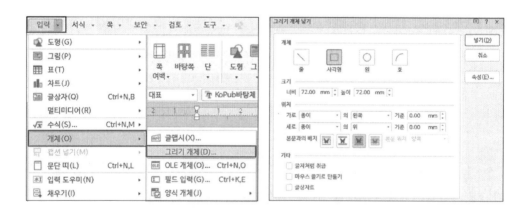

[그리기 개체]를 선택하면 **[그리기 개체 넣기]** 메뉴가 뜨는데 책 중간표지에 들어갈 배경틀이 필요하기 때문에 사각형을 선택하고 오른쪽 상단의 **[넣기]** 버튼을 선택한다. 원래 커서가 있던 페이지 상단 왼쪽에 사각형 도형이 하나 만들어진다.

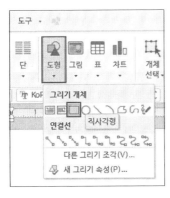

또는 이 방법보다 조금 더 빠른 방법이 있는데 상단 메뉴에 있는 [도형] - [그리기 개체]에서 사각형을 선택한다. 이후 화면에 십자가모양 커서가 뜨는데 원하는 지점에 두고 마우스 왼쪽 버튼을 클릭해 사각형 크기를 결정해 만든다. 페이지 전체를 회색바탕으로 만들고 싶다면 마우스를 조작해 사각형 크기를 늘려 종이크기보다 더 크게 만든다. 사각형 틀이 만들어지면 배경색을 추가한다.

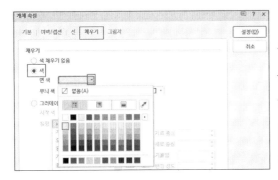

사각형에 색을 넣으려면 직사각형 틀 위에 마우스를 두고 마우스 왼쪽 버튼을 더블 클릭하면 [개체속성] 메뉴가 뜬다. 이후 [채우기] 메뉴를 선택해 [색] - [면 색] 메뉴 옆의 화살표를 선택한다. 이 후 색상표가 뜨는데 이 색상들 중에 선택해 [설정]을 누르면 사각형 틀 안에 색깔이 채워진다.

그런데 이대로 둔 채 글자를 입력하면(사각형 틀이 활성화되어 있기 때문에 글자를 입력하려면 Esc 키를 누른 후 입력) 글자가 사각형 뒤에 적히기 때문에 사각형에 가려 보이지 않는다. 이 사각형 배경이 글자 뒤로 가야하기 때문에 위에서 했던 방식 그대로 사각형 틀에 마우스를 두고 더블클릭해 [개체 속성] 메뉴를 다시 띄워 위치를 조정해야 한다.

[개체 속성] 창에서 가장 왼쪽 메뉴인 [기본]을 클릭한다. 가운데 있는 [위치] 메뉴 중 나비가 보이는 아이콘 4개가 있다. 이 아이콘 중 네 번째 아이콘이 배경을 [글 뒤로] 보내는 메뉴다. 이 아이콘을 클릭한 후 [설정]을 누른다. 이 작업 후 사각형 배경 위로 글자가 입력된다.

3.8 꼬리말(소제목)과 쪽수

　대부분의 책은 일반적으로 책 하단에 쪽수와 소제목을 둔다. 물론 내지 편집 방식에 따라 책 상단에 두는 경우도 있다. 한글프로그램에서는 하단에 붙이는 말을 꼬리말로, 상단에 붙이는 말을 머리말이라고 부른다. 어느 위치든 모든 책은 쪽수와 소제목을 페이지마다 두고 있다. 소제목이라고 부르고 있지만 책에 따라 왼쪽 페이지에는 책 제목을 오른쪽 페이지에는 소제목(내용이 속한 '부'나 '장' 제목)을 붙이는 책도 있다. 아니면 왼쪽 페이지에는 그 장을 포함하고 있는 '부'제목을, 오른쪽 페이지에는 '장'제목을 붙이기도 한다.

　머리말과 꼬리말을 다는 방법은 동일하기 때문에 이 책에서는 꼬리말을 활용해 소제목과 쪽수를 함께 기입하는 방법을 알아볼 것이다. 한글프로그램에서는 쪽수(쪽번호)를 매기는 메뉴가 따로 있지만 소제목과 쪽수를 한번에 기입할 수 있는 꼬리말 달기를 활용할 것이다.

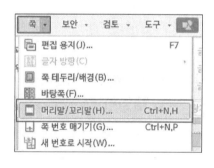 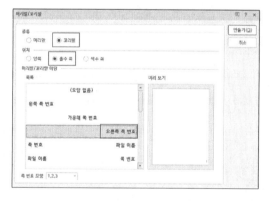

　상단 메뉴 중 [쪽] 메뉴 옆 화살표를 눌러 [머리말/꼬리말] 메뉴를 선택한다. [머리말/꼬리말] 메뉴 창이 뜨면 머리말을 작성할지 꼬리말을 작성할지 선택해야 한다. [꼬리말]을 선택하고 나면, 위치를 선택해야 하는데 이 위치란 꼬리말에 들어갈 내용을 양 쪽 페이지에 동일하게 할 것인가 홀수 쪽에만 둘 것인가 아니면 짝수 쪽에만 둘 것인가를 말한다. 보통 홀수 쪽(책을 펼쳤을 때 오른쪽 페이지)에는 소제목을, 짝수 쪽(책을 펼쳤을 때 왼쪽 페이지)은 책 제목을 적는다. 먼저 소제목이 붙는 홀수 쪽을 예로 든다면 [위치] 부분에서 홀수 쪽을 선택하고, **[머리말/꼬리말 마당]**에서 **[오른쪽 쪽 번호]**를 선택한다. 이 메뉴는 꼬리말에서 쪽 번호를 매길 수 있으며, 쪽 번호 앞에 소제목을 붙일 수도 있다. 하단 쪽 번호에 마우스를 클릭해 소제목을 입력한다.

- 꼬리말(홀수 쪽) -

제2부 내지 디자인 65

소제목 입력이 끝나면 상단의 닫기 메뉴를 클릭해 본문으로 돌아온다.

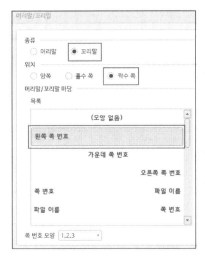

책 제목이 붙는 짝수 쪽도 동일한 방법으로 진행하되 쪽 번호는 **[머리말/꼬리말 마당]**에서 **[왼쪽 쪽 번호]**를 선택한다. 이유는 홀수 쪽은 오른쪽이 바깥 쪽이고, 짝수 쪽은 왼쪽이 바깥 쪽이기 때문이다. 이렇게 만들고 나면 책을 펼쳤을 때 왼쪽 페이지 하단에 쪽 번호와 책제목이, 오른쪽 페이지 하단에 소제목과 쪽번호가 붙는다. 쪽 번호와 소제목은 페이지가 넘어가면 자동으로 매겨지기 때문에 쪽수에 더 이상 신경 쓰지 않아도 된다.

- 꼬리말(짝수 쪽) -

66 주문형 출판으로 무료 출판 따라 하기

쪽수와 소제목 모두 글꼴 종류, 글꼴 크기, 자간, 어간, 행간, 장평 수정이 가능하다. 방법은 앞에서 보았던 본문에서 수정하던 방식과 동일하다. 그런데 이런 방식으로 쪽 번호와 소제목을 함께 매기면 책 첫 장부터 마지막 장까지 동일한 소제목이 왼쪽 페이지와 오른쪽 페이지에 따라온다. 중간에 새로운 '부'나 '장'이 시작되어도 처음에 입력했던 소제목이 변경되지 않고 끝까지 유지된다. 그렇기 때문에 새롭게 시작된 '부'나 '장'은 그 페이지에서 다시 소제목을 매겨야 한다.

앞의 예를 다시 본다면 66쪽까지 책 제목이 소제목으로 따라온다. 책 제목은 처음부터 끝까지 변동이 없으므로 짝수 쪽은 그대로 둔다. 65쪽인 '2부'의 소제목이 67쪽부터 '3부'로 바뀐다고 가정하면, 67페이지부터는 새로운 '부' 소제목이 붙어야 한다. 이 경우 마우스 커서를 67페이지 가운데 두고 새로운 꼬리말을 붙여야 한다. 홀수 쪽 꼬리말 붙이는 방식 그대로 진행하고 꼬리말인 소제목만 3부 내용으로 수정한다. 이렇게 하면 67페이지 이후 홀수 쪽은 모두 '제3부 표지 디자인'이라는 소제목이 붙는다.

```
 - 꼬리말(홀수 쪽) -




                                              제3부 표지 디자인 67
```

소제목은 이런 이유 때문에 가장 마지막에 붙이는 게 좋다. 작업을 하다보면 설정을 위해 클릭한 부분의 위치가 다른 페이지로 이동되면 엉뚱한 소제목이 붙을 수도 있기 때문이다.

이 책의 약표제지, 판권지, 표제지, 목차, 중간표지를 지금 확인하기 바란다. 하단에 쪽수와 소제목이 붙어 있는가? 없을 것이다. 책 중간 중간 여백이 있는 페이지 하단에도 쪽수와 소제목이 없을 것인가. 보통 이런 페이지에는 쪽수와 소제목을 붙이지 않는다. 쪽수와 소제목을 전체 페이지에 모두 붙는데 이런 페이지에서는 어떻게 지울 것인가? 한 쪽에서 쪽수와 소제목을 삭제하면 전체 쪽수와 소제목이 삭제된다. 이럴 때 사용하는 방법이 바로 **[감추기]** 메뉴다.

먼저 내가 감추고 싶은 페이지에 마우스 커서를 둔다. 상단 메뉴 중 [쪽] - [감추기]메뉴를 클릭한다. [감추기] 메뉴가 열리면 감추고 싶은 항목을 클릭한다. 우리는 꼬리말을 감추고 싶기 때문에 [꼬리말] 앞 빈 박스에 체크한 후 [설정] 버튼을 클릭한다. 이후 그 페이지 하단을 확인해 보면 조금 전까지 보이던 쪽수와 소제목이 사라졌음을 확인할 수 있다. 본 메뉴도 클릭한 부분의 위치가 다른 페이지로 이동되면 [감추기] 페이지도 달라지니 항상 확인해야 한다.

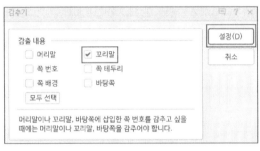

작업을 하다보면 [감추기]했던 페이지의 꼬리말을 다시 살려야 할 때가 있다. 다시 꼬리말을 살리기 위해서는 상단 메뉴에서 [보기] - [표시 숨기기] - [조판 부호]를 클릭하면 화면에 이전에 없던 조판 부호가 생성된다. 그리고 주황색 글씨로 [감추기]라는 문구가 보인다. 바로 이 주황색 글자인 [감추기]를 삭제하면 하단에 꼬리말이 다시 나타난다. [감추기]가 끝나면 다시 [보기] - [표시 숨기기] - [조판 부호]를 클릭하면 조판 부호가 사라진다. 이와 같은 방법으로 꼬리말이나 머리말을 다시 살릴 수 있다.

3.9 여백

여백이 뭐가 그리 중요하다고 하나의 제목까지 달고 이야기할까 싶을 수 있다. 그러나 정말 중요하다. 내 경험을 이야기해보자면 책을 만들면서 한 페이지에 있는 줄 수를 한 줄 늘리기 위해 아래 위 여백을 줄였다. 한 페이지 내에 한 줄이 더 늘어나면 당연히 책의 전체 페이지 수가 줄어든다. 경제적 이유도 있거니와 이미지나 표들이 자꾸 다음 페이지로 넘어가는 바람에 궁여지책으로 해결한 방법이었다. 그런데 화면으로는 크게 느끼지 못했는데 출력해서 확인하니 단 한줄 늘어날 만큼의 여백을 줄였지만 책의 전체 느낌이 답답해 보였다. 여백의 힘이다.

이 경험을 페이스북에 올렸더니 페이스북 친구인 한 변호사분이 법조계에서도 문서 여백이 중요하다며 댓글을 달았다. 변호사는 사건과 관련해 판사에게 제출하는 준비서면을 작성한다. 준비서면은 일반적인 문서보다 줄 간격을 상당히 많이 두고 단락도 많이 나눈다. 여백도 상당히 많이 두는데 이는 적은 양의 내용으로 많이 쓴 것처럼 꾸미려고 그러는 것이 아니다. 판사가 준비서면을 읽을 때 답답해서 읽기 싫다는 마음이 들지 않도록 하기 위함이다. 같은 글이라도 다닥다닥 붙여 놓으면 첫인상부터 읽기 싫다는 느낌을 받기 때문이다. 그러면 변호사 입장에서도 손해이니 준비서면을 얼마나 가독성 있게 여백을 주어 작성하느냐가 중요하다고 페이스북에 댓글을 올렸다.

지금 주변에 종이책이 있다면 한번 펼쳐서 보라. 대부분 여백을 여유 있게 두고 있다. 글자크기는 작을지언정 여백이 별로 없는 책은 없다. 여백 없이 한 페이지에 빽빽하게 글자가 들어 찬 책은 아무리 좋은 내용이라도 독자들의 손에 오래 머물지 못한다. 읽기 힘들기 때문이다. 우리는 부크크 플랫폼에서 제공하는 판형별 여백을 그대로 사용할 예정이다. 앞서 판형에 대한 이해 부분에서 부크크에서 제공하는 판형별 한글프로그램 파일을 안내하였다.

여백 조정은 한글 프로그램 상단 메뉴 중 **[쪽]** 메뉴의 **[편집용지]** 메뉴를 클릭한다.(단축키 F7) 편집 용지 메뉴로 들어가면 상단에 판형의 폭과 길이가 나온다. 이 폭과 길이는

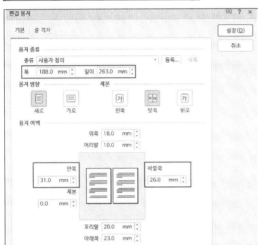

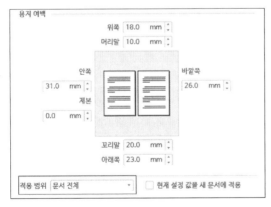

나중에 표지 디자인할 때 알아야 해 한번 더 볼 예정이다. **[용지 여백]** 부분으로 내려오면 상하좌우 여백을 조절할 수 있다. 안쪽 여백이 바깥쪽 여백보다 더 많은데 그 이유는 안쪽이 책등 부분으로 책을 만들 때 제본해야 하기 때문에 여백을 더 많이 둔다. 책을 펼쳤을 때 왼쪽이 짝수페이지로 짝수페이지는 오른쪽이 안쪽이며, 반대로 오른쪽 홀수페이지는 왼쪽이 안쪽이다. 가능하면 부크크에서 제공하는 여백을 그대로 사용하기를 권한다. 여백을 줄이면 가독성이 떨어지니 항상 출력하거나 부크크를 통해 내지테스트(메일요청)나 소장본으로 인쇄해 확인해야 한다.

모든 변경이 완료되면 주의해야 할 부분이 있다. 바로 하단 왼쪽에 있는 **[적용 범위]** 메뉴인데 적용 범위가 **[현재 구역]**으로 세팅되어 있을 수 있다. 때문에 확인없이 **[설정]** 버튼을 클릭하면 현재 페이지만 여백 변경이 될 수도 있다. 전체 문서에 동일한 여백 변경을 적용하려면 **[적용 범위]** 메뉴에서 화살표를 클릭해 **[현재 구역]**인지 **[문서 전체]**인지 확인해야 한다.

원고를 PDF로 변환해 전자책으로도 만들 수 있는데(종이책을 출판한다면 전자책 출판도 꼭 하길 바란다.) 이때 제본과 재단을 위해 여백을 많이 두었던 종이책과 전자책은 다르다는 것을 명심해야 한다. 여백 조정 없이 종이책 원고를 그대로 전자책 원고로 PDF 변환하면 여백이 너무 많고, 또 페이지에 따라 안쪽과 바깥쪽 여백이 다르기 때문에 내용 위치가 쪽수에 따라 들쑥날쑥해진다. 앞의 그림을 예로 든다면 원고의 가로길이가 188mm, 세로길이가 263mm다. 이 길이는 종이책을 염두해 두고 세팅되었다. 그러나 전자책은 종이책과 달리 제본할 일도 재단할 일도 없다. 종이책 원고는 책을 만들 때 재단하는 사방 3mm씩 포함했기 때문에 전자책 실제 원고사이즈는 이를 뺀 가로길이 182mm, 세로길이 257mm로 용지 [폭]과 [길이]를 수정해야 한다. 원고 전체 사이즈를 줄였기 때문에 당연히 사방 여백도 3mm씩 줄여야 전체 비율이 맞다. 여기에 종이책의 경우 제본시 본드를 붙이기 위해 안쪽에 여백을 더 주기 때문에 안쪽과 바깥쪽 여백을 동일하게 주어야 전자책 원고 글이 가운데 위치한다.

자세하게 설명한다면 원고 전체 사이즈를 사방 3mm씩 줄였으니 앞의 [용지 여백] 그림에서 사방 여백도 모두 3mm씩 줄인 위쪽 15mm, 아래쪽 20mm, 안쪽 28mm, 바깥쪽 23mm로 변경한다. 이대로 두면 안쪽과 바깥쪽 여백이 달라 전자책 원고 글이 페이지에 따라 들쑥날쑥하니 원고 글이 가운데 오도록 여백을 동일하게 하기 위해 양쪽 여백을 더한 후 2로 나누면[(28mm+ 23mm)/2] 25.5mm씩 좌우에 여백을 주면 된다. 이렇게 사방 여백을 조정하고 PDF 변환을 해야 전자책과 종이책 내용과 페이지 수가 동일해진다.

3.10 PDF 변환

내지 편집이 끝났으면 한글파일을 PDF파일로 변환하는 과정이 남았다. 그냥 한글파일을 보내면 인쇄소(부크크)에서 알아서 하지 않느냐 생각하겠지만 가능하면 PDF 파일로 변환하는게 좋다. 한글파일로 그대로 넘기면 인쇄소의 컴퓨터에 글꼴이 없다면 내가 사용한 글꼴이 아니라 이상한 글꼴로 인쇄된다. 또한 한글프로그램에서 출력해서 볼 때와 달리 PDF로 변환해서 출력해 보면 글꼴의 두께가 미묘하지만 차이가 있을 수 있다. 인쇄소에서 한글프로그램으로 책을 인쇄하는게 아니기 때문에 내가 한글프로그램에서 출력해 본 글꼴 느낌과 실제 책으로 인쇄 후 보는 글꼴 느낌이 다를 수 있다. 부크크에서도 가능하면 한글 파일이 아닌 PDF 파일로 변환해 보내 줄 것을 권한다.

한글 파일을 PDF 파일로 변환할 때 가장 간단한 방법은 한글프로그램에서 바로 PDF로 변환하는 방법이다. 한글 상단 메뉴에서 **[파일] - [PDF로 저장하기]** 메뉴를 클릭한다. PDF로 변환되었을 때 저장할 폴더명과 파일 이름을 입력하는 창이 나타난다. 저장하기 원

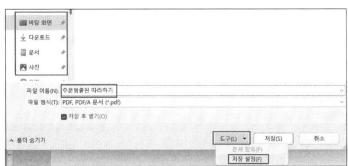

하는 폴더를 클릭하고, 파일 이름도 입력하여 저장한다. 이때 하단의 **[도구]** 메뉴를 클릭하면 PDF 저장을 설정할 수 있는 메뉴가 나타나는 데 **[저장 설정]** 메뉴를 눌러 좀 더 상세한 PDF 저장 설정을 변경할 수 있다.

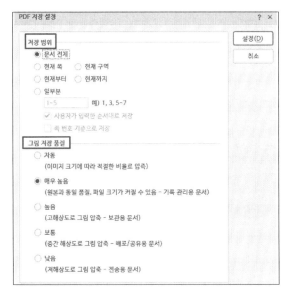

[PDF 저장 설정] 메뉴는 **[저장 범위]**와 **[그림 저장 품질]** 하위메뉴로 나뉘는데 **[저장 범위]** 메뉴는 문서의 저장 범위를 설정할 수 있고, **[그림 저장 품질]** 메뉴는 한글 문서에 첨부된 이미지의 저장 품질을 설정할 수 있다. 가장 높은 품질을 원한다면 **[매우 높음]**에 체크한다.

한글프로그램 내에서 PDF로 변환해 저장할 수 있는 이 방법으로 얼마든지 PDF로 변

환해 출판할 수 있다. 그러나 **[그림 저장 품질]** 메뉴에서 볼 수 있듯이 저장 품질 수준을 낮음, 보통, 높음, 매우 높음으로 제시하고 있고, 수치화해서 볼 수 없다. 또한 PDF로 변환할 원고사이즈를 설정할 수 없고 한컴PDF 프로그램이 자동으로 원고사이즈를 설정한다. 뿐만 아니라 PDF 변환시 특정 글꼴이 깨지거나 공란으로 처리될 때도 있고, 컴퓨터 사양에 따라 PDF변환이 원활하게 이루어지지 않을 때가 있다. 이런 이유 때문에 한 방식으로만 PDF변환하기 보다 몇 가지 PDF 변환 프로그램을 알고 있어야 하며, 대표적인 프로그램으로 알PDF(ALPDF)와 doPDF가 있다. 두 프로그램 모두 해상도 조절이 가능하고, 용지(페이지) 크기 조절도 가능하다. doPDF와 알PDF 모두 인터넷에서 무료 배포한다. 다운로드해 설치하면 특별한 조치없이도 한글 프로그램에서 바로 사용가능하다. 모든 프로그램이 그러하듯 한글프로그램을 미리 켜둔 상태에서 프로그램을 설치하면 이미 켜둔 한글프로그램에는 적용되지 않으니 다운로드 프로그램 설치 후 한글프로그램을 실행해야 한다. 프로그램 설치를 위해 네이버나 다음, 구글과 같은 포털사이트에서 doPDF와 알PDF 중 원하는 프로그램을 검색한다.

doPDF는 dopdf.com 사이트에 들어가면 3가지 버전의 프로그램이 보인다. 무료 프로그램으로도 얼마든지 가능하니 무료 다운로드(FREE DOWN LOAD)를 클릭해 설치한다.

알PDF 다운로드 사이트에서 **[설치하기]**를 클릭해 설치한다.

설치를 완료한 후 PDF로 변환할 한글파일을 실행한다. 두 프로그램 모두 설치해도 상관없으며, 책에서는 두 프로그램을 함께 설명하도록 하겠다.

doPDF, 알PDF 모두 한글프로그램에서는 **[인쇄]** 메뉴에서 변환한다. 한글 파일 자체를 PDF 파일로 변환하는게 아니라 변환하고자 하는 한글 파일을 띄운 후 인쇄 메뉴를 클릭한다.

doPDF와 알PDF가 잘 설치되었으면 **[인쇄]** 메뉴의 프린터 선택 창에 doPDF와 알PDF가 뜬다. 여기서 doPDF나 알PDF 중 원하는 프로그램을 선택하고 아래 설정 버튼을 클릭한다.

먼저 doPDF를 선택해 설정을 클릭하면 아래 그림과 같은 창이 뜬다. 가장 먼저 해야 할 일은 PDF로 변환했을 때 용지크기를 설정하는 것이다. 앞서 출판할 책의 판형 크기를

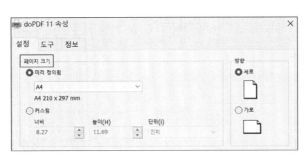

선택해 원고를 작성해야 한다고 했다. 원고의 판형 크기는 책의 판형 크기보다 큰데 책을 제본할 때 잘려나가는 부분을 감안하기 때문이라고 했다. 그렇기에 출판하는 책의 판형보다 원고사이즈

가 조금씩 더 크다. 부크크에서 제공하는 판형별 원고샘플은 이런 부분을 감안해 책 판형보다 조금 더 크게 사이즈를 설정해 두었기에 그대로 사용하면 된다. 다만 판형별 원고 크기가 몇 mm인지 알고 있어야 한다. PDF 변환시 그 사이즈를 동일하게 입력해야 하기 때문이다. 보통 doPDF나 알PDF는 A4 용지 기준으로 설정되어 있다. 그렇기 때문에 한

글프로그램 원고를 확인했을 때는 사이즈가 맞았는데 PDF로 변환하고 나니 A4 사이즈로 변환되는 일이 벌어진다. 이걸 막기 위해 PDF 변환시 용지 크기를 입력해야 한다.

원고 크기를 확인하려면 메뉴바에서 **[쪽]-[편집 용지]**를 클릭한다.

용지 종류 부분에 폭과 길이가 확인되는데 폭은 너비를 말하며 길이는 높이를 뜻한다. 이 크기를 기억했다가 PDF 변환시 동일하게 용지 크기로 입력한다.

이 책 기준인 B5 판형 기준으로 설명을 하면 부크크에서 제공하는 원고 사이즈는 188×263mm다. 실제 책 사이즈는 182×257mm지만 책 만들 때 위, 아래, 좌, 우 3mm씩 재단할 것을 감안한 원고 사이즈다. PDF로 변환시 한글파일 원고와 동일한 사이즈를 유지하려면 PDF 변환 창에도 같은 사이즈를 입력해야 한다.

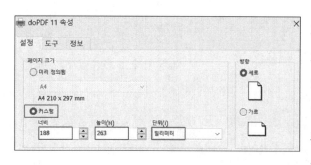

앞서 클릭했던 doPDF를 다시 보면 페이지 크기 메뉴가 있다. 그대로 두면 A4크기로 변환되기 때문에 **[커스텀]** 메뉴에서 너비와 높이를 부크크에서 제공하는 B5판형 너비 188mm, 높이 263mm로 변경한다.

doPDF와 알PDF는 해상도 조절이 가능하다고 했는데 해상도는 아주 중요하다. 표지 디자인 부분에서 자세하게 이야기하겠지만 해상도가 낮을수록 책으로 인쇄하면 이미지 질은 떨어진다. 특히 책에 사진이나 이미지를 많이 사용할수록 높은 해상도로 변환되어야 원본의 해상도를 유지할 수 있다. 물론 원본의 해상도가 낮은데 해상도를 높여 PDF로 변환해도 원본 이상의 해상도를 만들 수는 없다. 한글 프로그램의 원본 해상도를 그대로 유지하려면 PDF로 변환할 때 높은 해상도를 유지할 수 있는 프로그램이 좋다. doPDF와 알PDF는 한글프로그램을 PDF로 변환시 해상도를 조절할 수 있는 기능이 있다.

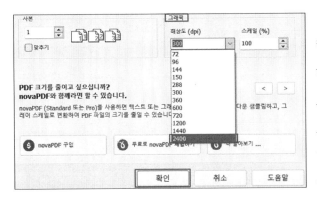

[페이지 크기] 조정 메뉴 아래 **[그래픽]** 메뉴가 있다. 이 메뉴에서 해상도 부분의 화살표를 클릭해 가장 높은 해상도인 2400을 클릭한다. 그 외 다른 부분은 그대로 두고 **[확인]**을 클릭한다.

doPDF 설정 창은 사라지고 처음 인쇄창이 다시 나타나는데 이 창에서 **[인쇄범위]**를 문서 전체인 **[모두]**로 하고 **[인쇄]** 버튼을 클릭한다. 원하는 인쇄 범위가 있다면 그에 맞게 선택한 후 **[인쇄]** 버튼을 클릭한다.

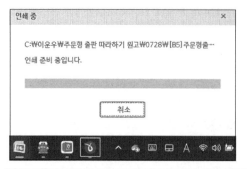

[인쇄 중]이라는 메뉴창이 나타나고, 컴퓨터 모니터 하단의 작업창에 doPDF가 실행 중이라는 아이콘이 뜬다. 하단 우측에 이 창이 뜬 것을 모르고 계속 있으면 더 이상 진행되지 않으니 이 아이콘이 활성화되었다면 클릭해 확인한다.

doPDF 창이 뜨면, 변환된 파일을 저장할 위치를 결정해야 한다. [찾아보기]를 클릭해 위치 변경가능하다. 가장 좋은 품질을 원한다면 [최고 품질]을 선택한다. PDF 파일 저장과 동시에 화면에 열고 싶다면 [파일 열기]에 체크한다.

[확인] 메뉴를 클릭하면 최종적으로 PDF 파일로 문서가 저장된다. 그러나 doPDF도 단점이 있는데 어떤 글꼴은 인식이 되지 않아 깨지거나 특정 사이즈(너비, 높이) 영역은 아무리 입력해도 그 사이즈로 입력되지 않는다. 바로 이런 이유 때문에 PDF로 변환 후 필히 PDF 사이즈를 확인해야 한다.(확인 방법은 알PDF 설명 내용 이후에 있음) 만약 내가 한글에서 사용한 글꼴이 doPDF로 변환시 깨지거나, 입력한 사이즈대로 변환되지 않았다면 알PDF를 사용해야 할 때다.

한글 문서를 알PDF 프로그램으로 변환할 때도 doPDF와 동일하게 원고 한글파일을 연다. 이후 동일하게 [인쇄] 버튼을 눌러 프린터 창에서 ALPDF를 선택하고 아래 [설정] 메뉴를 클릭한다.

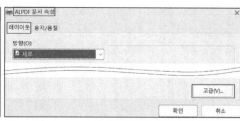

[ALPDF 문서 속성] 창이 뜨면 [레이아웃] 메뉴에서 하단 오른쪽에 [고급] 메뉴를 클릭한다. [고급 옵션] 창이 열리면 이 창에서 용지 크기와 해상도 변경이 가능하다. [용지 크기]

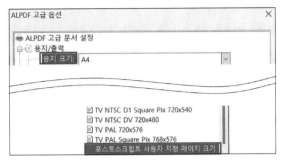

메뉴는 A4가 기본적으로 세팅되어 있는데 오른쪽 화살표를 클릭해 메뉴 가장 하단에 있는 [포스트스크립트 사용자 지정 페이지 크기]를 클릭한다.

[포스트스크립트 사용자 지정 페이지 크기] 메뉴 창이 열리면 doPDF와 마찬가지로 용지 크기를 판형에 맞게 입력한다. B5 판형 크기라면 188mm×263mm로 변경한다. 변경 후 하단 [확인] 버튼을 누른다.

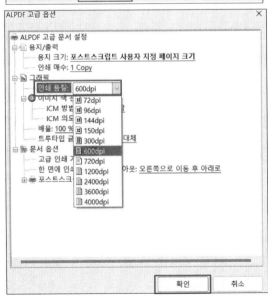

해상도 변경은 [고급 옵션]-[그래픽]-[인쇄 품질] 메뉴의 화살표를 클릭해 변경가능하다. doPDF는 최대 2400dpi까지 가능했으나 AL PDF는 최대 4000dpi까지 가능하다. ALPDF는 기본 해상도가 600 dpi로 설정되어 있으며, 해상도를 높일수록 파일의 용량 크기도 커지기 때문에 너무 높은 해상도까지는 필요없다. 선택이 끝나면 마지막으로 [확인] 버튼을 클릭한다.

다시 [ALPDF 문서 속성] 창에서

[확인] 버튼을 클릭하면 인쇄창이 다시 나타난다. [인쇄 범위] 설정 후 [인쇄] 버튼을 클릭한다. PDF 변환이 모두 끝나면 알PDF 화면이 나타난다. PDF 파일을 저장할 폴더를 선택해 저장하면 최종적으로 저장된다.

doPDF 든 알PDF 든 PDF 변환이 끝나면 변환된 PDF 파일의 용지 크기가 맞는지 '꼭' 확인해야 한다. 설정했으니 바뀌었겠지 생각할 수 있는데 작업을 하다보면 용지크기를 변경하지 않고 기본값으로 PDF 변환을 할 때가 있다. 이렇게 변환해 출력하거나 부크크로 보내면 전혀 엉뚱한 판형의 PDF 파일이 된다. 글자 크기, 여백, 자간과 같은 모든 형식이 완전히 달라진다. PDF 파일의 용지 크기 확인은 알PDF뿐 아니라, 가장 많이 사용하는 어도브 아크로뱃 리더에서도 가능하다.(doPDF는 PDF 변환만 가능하지 PDF 파일을 볼 수 있는 뷰어 기능은 제공하지 않는다.) 대표적인 PDF뷰어 프로그램인 어도브 아크로뱃 리더 프로그램이 컴퓨터에

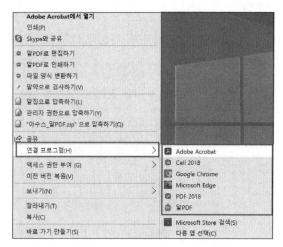

설치되어 있지 않다면, 다운로드 받은 후 설치한다.

아크로뱃 리더 프로그램까지 설치하면 컴퓨터에서 PDF 파일을 열어볼 수 있는 프로그램(뷰어-viewer- 프로그램)이 한컴PDF, 알PDF, 아크로뱃 리더까지 3개 있는 셈이다. 이중 어떤 프로그램으로 PDF 파일을 열지 선택할 수 있는데 열고 싶은 PDF 파일에 마우스를 둔 채로 오른쪽 버튼을 누르면 새로운 메뉴가 나온다. 이 메뉴에서 [연결프

로그램]을 클릭하면 다양한 PDF 뷰어 프로그램이 나오는데 그 중 원하는 뷰어를 선택하면 적용된다.

아크로뱃 리더 프로그램으로 PDF 파일을 열어 PDF 변환 파일의 사이즈를 확인하는 방법을 먼저 보자. 앞의 이미지에서 **[연결 프로그램] - [Acrobat]**으로 뷰어를 결정한다. 아크로뱃 리더로 PDF 파일을 열면 아래와 같은 메뉴가 나타난다. 상단 왼쪽의 **[메뉴]**를 클릭한 후 **[문서 속성]** 메뉴를 클릭한다.

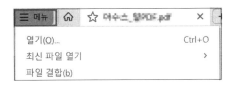 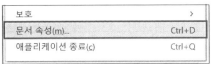

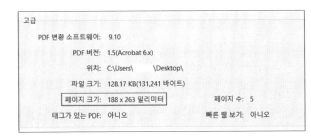

[문서 속성] 창이 뜨고 하단의 페이지 크기를 확인하면 PDF 파일의 용지 크기를 확인할 수 있다.

알PDF 프로그램을 사용해서 확인할 경우 해당 PDF 파일에 마우스를 두고 오른쪽 버튼을 클릭해 **[연결 프로그램]** 메뉴를 연다. 이후 알PDF를 클릭해 문서가 열리면 상단 왼쪽의 **[파일] - [속성]**을 클릭한다.

[속성] 창이 뜨고 페이지 크기를 확인하면 PDF 파일 용지 크기를 확인할 수 있다. 소수점까지 제공하기 때문에 수치가 약간 달라 보일 수 있는데 크게 의미없다.

앞의 내용을 표로 정리해보면 한글 파일을 PDF 파일로 변환하는 프로그램과 PDF 파일을 열어 볼 수 있는 뷰어 프로그램으로 크게 나뉘는 것을 알 수 있다.

	한컴PDF	doPDF	알PDF	아크로뱃 리더
PDF 변환	○	○	○	×
보기(뷰어)	○	×	○	○
사이즈 입력	×	○	○	×
사이즈 확인	×	×	○	○

표를 보면 모든 항목에 알PDF가 가능하니 알PDF로만 PDF 변환을 하면 될 것이라고 생각할 수 있다. 그런데 한글프로그램의 버전이나 컴퓨터 환경에 따라 알PDF로 변환한 PDF파일을 아크로뱃 리더로 열면 글자가 깨져 빈 공백으로 나올 때가 있다. 파일을 굳이 아크로뱃 리더로 열지 말고 알PDF로 열면 되지 않느냐 생각할 수 있지만 책을 만드는 부크크에서 아크로뱃 리더로 PDF 파일을 확인한다. 따라서 알PDF로 변환한 PDF 파일을 알PDF로 열어 보면 멀쩡하던 게 아크로뱃 리더로 열면 글자가 깨질 수 있어 마지막에는 꼭 아크로뱃 리더로 PDF 파일을 최종 확인해야 한다.

알PDF로 변환한 PDF파일을 아크로뱃 리더로 열었을 때 글자가 깨진다면, 다른 컴퓨터나 다른 한글프로그램 버전에서 알PDF로 변환해 보길 권한다. 컴퓨터에 따라 깨지지 않고 알PDF로 변환되는 경우가 있다. 그렇다고 doPDF가 만능이냐, 그것도 아니다. doPDF는 특정 판형(B5, 원고로 188×263mm)에서 아무리 사이즈를 정확하게 입력해도 나중에 PDF변환 후 확인해 보면 큰 오차가 생긴다. 나머지 세 개 판형은 정상적으로 PDF변환이 되는데 유독 이 판형만 사이즈가 입력한대로 변환되지 않는다.

이런 이유 때문에 여러 종류의 PDF 변환 프로그램을 익혀야 한다는 것이다. 정리하면 B5판형만 제외하고 PDF변환은 doPDF로 하길 권한다. B5판형만 알PDF로 변환한다. 이후 아크로뱃 리더로 꼭 PDF 원고의 사이즈와 글꼴 깨짐을 확인해야 한다. 알

PDF로도 PDF 원고 사이즈를 확인할 수 있지만 책을 만드는 부크크에서 최종 검수 시 아크로뱃 리더로 하니 우리도 그에 맞게 하겠다는 의미다. 알PDF로 B5 판형 원고를 PDF로 변환한 후 아크로뱃 리더로 확인했더니 사이즈는 맞는데 글자가 깨진다고 하면 다른 컴퓨터나 다른 한글프로그램 버전에서 알PDF로 변환해 본다. 그럼에도 어느 컴퓨터에서도 알PDF로 변환한 후 아크로뱃 리더로 확인해보니 PDF 원고의 글자가 깨진다면, 마지막 방법이 있다. 바로 부크크에 원고 등록할 때 한글 파일로 등록하는 것이다. 이 방법이 있는데 왜 굳이 PDF 변환해서 PDF 파일로 원고 등록을 하라고 하는지 의아할 것이다. 출판사나 인쇄소에서 대부분 원고는 PDF파일로 주고 받는다. 부크크에서 한글 파일을 대신 PDF로 변환해 주겠다는 말이다. 그러나 가능하면 한글 파일을 PDF 파일로 변환해 넘겨야 한다. 지금은 부크크를 통해서 주문형 출판으로 책을 만들지만 나중에 경험이 쌓이면 독립출판이나 다른 방식으로 책을 만들 수 있지 않은가? 그땐 PDF파일로 변환해 주고 받는게 일반적이다.

3.11 내지 출력해 보기

전자책만 출판할 계획이라면 컴퓨터 화면으로 보이는 그대로 편집해 출판해도 크게 문제될 부분이 없다. 책을 읽는 독자도 화면으로 글을 읽기 때문이다. 그러나 종이책으로 출판할 계획이라면 전자책과 전혀 다르다. 화면으로 볼 때는 글자크기나 어간, 행간, 여백이 적절했는데 종이로 인쇄한 후 읽어보면 글자가 너무 작다든지, 답답하게 보여 가독성이 떨어져 보일 때가 있다. 그뿐 아니라 내지 편집을 하다보면 화면으로 보는 원고가 실제 종이로 출력하면 어떤 느낌일지 확인하고 싶을 때도 있다. 이럴 경우 편집한 내지를 그때마다 종이에 출력해 확인할 필요가 있다. 물론 부크크 플랫폼을 통해 소장용 책(3회까지 가능)을 만들어 볼 수 있지만 책을 만들려면 책 표지 디자인도 마쳐야 하며, 책 구입비와 택배비까지 부담해야 한다. 이런 부담을 줄이기 위해 부크크에서는 '내지 출력 테스트'라는 서비스를 제공하는데 내가 원하는 부분을 PDF 파일로 변환해 보내주면 일부 페이지를 원고 판형에 맞게 인쇄해 택배로 발송한다. 이 또한 택배비와 인쇄비 부담, 그리고 인쇄 후 택배 도착까지 시간이 걸린다.

편집하는 원고를 필요할 때마다 종이로 출력해 보려면 집이나 사무실에 흔히 있는 프린터로 출력해 확인하는 방법이 가장 간단하다. 그러나 설정 변경 없이 무턱대고 출력하다 보면 원고 판형에 맞게 출력되기보다 프린터 기본 공급용지(일반적으로 A4용지) 기준으로 출력된다. 이렇게 되면 원래 원고 판형보다 더 확대된 사이즈로 출력되기 때문에 실제 종이책에 인쇄될 글과 다른 자간, 어간, 행간, 여백으로 출력된다. 이 장에서는 아크로뱃 리더와 알PDF를 활용해 원고 판형과 동일한 사이즈로 출력하는 방법을 살펴볼 것이다.

먼저 아크로뱃 리더로 출력하는 방법은 원하는 PDF 파일을 클릭 문서 열기를 한 다음, 상단 왼쪽의 **[메뉴] - [인쇄]** 버튼을 클릭한다. 상단 오른쪽에 위치한 프린터 모양의 아이콘을 클릭해도 동일한 메뉴가 열린다.

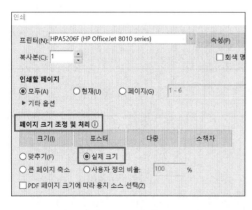

인쇄 메뉴가 열리면 출력을 할 프린터를 선택하고 하단의 **[페이지 크기 조정 및 처리]** 메뉴에서 출력할 크기를 설정한다. **[맞추기]**는 실제 공급용지(일반적으로 A4) 기준에 맞게 출력하는 메뉴기 때문에 실제 원고 크기보다 크게 출력된다. 원고 판형과 동일한 크기로 출력하고 싶다면 **[실제 크기]** 메뉴에 체크하고 인쇄를 진행한다. 본 메뉴 옆에 미리보기 화면으로 **[맞추기]**와 **[실제 크기]**를 번갈아 가며 클릭하면서 인쇄될 내용의 사이즈가 어떻게 변경되는지 확인해봐도 좋다.

알PDF도 메뉴의 디자인만 다르지 방법은 동일하다. PDF 파일을 클릭해 문서 열기를 한 후 상단 왼쪽의 **[파일]** - **[인쇄]**를 클릭하거나 상단의 프린터 모양 아이콘을 클릭하면 **[인쇄]** 메뉴가 열린다.

인쇄 메뉴가 열리면 **[용지 크기]** 메뉴에서 출력할 공급용지의 크기를 확인한다. 일반적으로 A4용지로 출력하기 때문에 공급용지에 맞게 설정한다. 프로그램이 자동으로 **[PDF 페이지 크기에 따라 용지 소스 선택]**에 체크해 둘 수 있는데 박스의 체크를 해제하면 용지크기를 변경할 수 있다.

추가 설정을 위해서 숨어있는 설정 메뉴를 열어야 한다. 메뉴 하단 오른쪽을 보면 붉은 색 원 안에 양쪽 화살표를 둔 메뉴가 보인다. **[설정 더보기]** 메뉴로 클릭하면 숨어있던 메뉴가 나타나고, **[인쇄 모드]** 메뉴에서 사이즈 변경이 가능하다.

[맞춤]은 공급용지인 A4 크기에 맞추겠다는 의미고, **[실제 크기]** 메뉴에 체크한 후 인쇄하면 원고 판형에 맞게 출력된다. 아크로뱃 리더 프로그램과 마찬가지로 본 메뉴 우측에 미리보기 화면이 있어 **[맞춤]**과 **[실제 크기]** 메뉴 클릭 시 어떻게 사이즈가 달라지는지 확

인 가능하다. **[자동 가운데 맞춤]** 메뉴는 원고를 가운데 정렬할지 아니면 왼쪽 상단에 정렬할지 결정하는 메뉴다. 선택 해제하면 원고가 왼쪽 상단에 정렬된다.

판형에 맞게 원고가 출력되면, 종이 그대로 확인해도 되지만 더 정확하게 확인할 수 있는 방법이 있다. 출력한 원고와 비슷한 판형의 책을 찾아(부크크에서 제공하는 판형 사이즈 확인) 그 책 위에 출력한 종이를 두고 상, 하, 좌, 우 여백 부분을 접어 훨씬 더 책의 느낌을 주어 확인해도 좋다. 이때 한 페이지가 꽉 찬 부분을 출력해 확인해야 한다. 첫 줄부터 쪽수가 있는 꼬리말까지 완전히 들어찬 원고여야 여백 확인이 더 쉽기 때문이다. 이제는 화면이 아니라 종이로 인쇄되는 실제 글꼴의 느낌, 글꼴 크기, 여백 정도, 자간, 어간과 행간을 확인할 수 있다.

4. 파워포인트(PPT)로 해상도 높은 이미지 저장하기

해상도란 어떤 의미인가? 컴퓨터 화면이나 이미지의 선명도를 뜻하며, 1인치 당 들어가 있는 픽셀 수(ppi, pixel per inch)를 말한다. 컴퓨터 화면은 미세한 크기의 사각형 픽셀로 이루어져 있고 하나의 픽셀에 하나의 색을 표현한다. 해상도가 높다는 말은 1인치 당 이 픽셀이 많이 들어가 있다는 의미이며, 그만큼 이미지를 섬세하게 표현할 수 있다. 흔히 프린터의 성능을 나타낼 때 dpi라는 명칭을 쓰는데 이 또한 해상도와 관련된 용어로 1인치 당 들어가 있는 점의 수(dot per inch)를 의미한다. 프린터로 출력 시 1인치 당 많은 점이 들어가 있으면 그만큼 색상을 세밀하게 표현할 수 있다. 예로 600dpi라면 1인치 당 600개의 점으로 구성되었다는 뜻이다. 즉 ppi나 dpi가 높을수록 해상도가 높다.

보통 고품질로 인쇄해야 하는 작업물을 만들 때는 300dpi 이상 설정하라는 말을 많이 한다. 이는 1인치 당 300개의 점 이상으로 인쇄물을 출력하라는 말인데 적어도 300dpi 이상이어야 인쇄할 때 이미지나 사진이 어느 정도 선명도를 가지기 때문이다.

4.1 파워포인트(PPT) 설정하기

해상도 이야기를 이렇게 길게 하는 이유가 무엇일까? 책 내용이나 표지에 이미지를 만들어 사용해야 할 때가 있기 때문이다. 표지는 다음 장에서 캔바(Canva) 활용법을 설명할 때 이야기할 것이다. 지금 장에서는 내용 부분을 다루기 때문에 원고에 들어갈 이미지가 필요할 때 이미지를 만들 프로그램이 필요하다. 한글프로그램은 이미지를 그릴 수 있는 프로그램이 아니다. 그렇다고 포토샵이나 일러스트와 같은 전문적인 프로그램을 사용해 이미지를 만들수도 없다. 이 프로그램을 활용하려면 또 다른 책 한권이 더 필요할 정도의 교육과 훈련이 필요하기 때문이다.

굳이 포토샵이나 일러스트 프로그램이 아니더라도 가장 쉽게 이미지를 만들 수 있는 프로그램이 있는데 바로 파워포인트(PPT)다. 물론 뒤에서 다룰 Canva(캔바)에서도 이미지를 만들 수 있으나 파워포인트만큼 디테일하지 못하다. 간단한 표나 그래프, 글이 들어간 차트나 도형이 필요할 경우 파워포인트로 만들어 그림 파일로 저장하면 아주 쉽게 원하는 이미지를 얻을 수 있다. 그런데 파워포인트의 경우 이미지를 만들어 저장할 때 기본값이 96dpi로 설정되어 있다. 300dpi 보다 더 낮은 dpi로 설정되어 있기 때문에 파워포인트로 이미지를 만들어 그림 파일로 저장하면 300dpi 이상의 해상도 이미지를 얻을 수 없다. 이런 이미지는 확대해 보면 경계가 희미하며, 선명도는 떨어진다. 그렇기 때문에 파워포인트 프로그램을 통해 이미지 추출 시 해상도 설정을 바꾸어야 한다. 간단하게 수치만 조정하는 방법이 있으면 쉽겠지만 파워포인트 프로그램을 사용할 컴퓨터 자체의 설정을 변경해야 한다. 지금부터 설명하는 해상도 설정 변경 방법은 파워포인트 프로그램을 만든 마이크로소프트사에서 제공하는 방법32을 조금 더 상세하게 설명한 것이다.

1. 윈도우와 관련된 컴퓨터의 모든 프로그램을 종료한다.
2. 윈도우 키(⊞)와 R 키를 함께 눌러 **[실행]** 메뉴가 나타나도록 한다. (또는 윈도우 설정 메뉴에 들어가 검색창 〔 🔍 실행 〕 에 '실행'이라고 입력한다. 윈도우 10 인 경우 왼쪽 하단 검색창에 입력하고, 윈도우 11인 경우 다음 그림과 같이 하

단 가운데 윈도우 아이콘을 클릭하면 검색창이 열린다.)

3. **[실행]** 창이 열리면 **[열기]** 상자에 'regedit'이라고 입력하고 **[확인]**을 클릭한다.

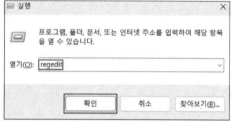

4. **[레지스트리 편집기]**를 허용할지 묻는 메뉴가 나오면 '예'를 클릭한다.

5. **[레지스트리 편집기]** 창이 뜨는데 해상도 설정 변경을 위해서는 이 창에서 자신의 파워포인트 버전에 맞는 폴더를 찾아야 한다. 이를 위해서는 먼저 자신이 사용하는 컴퓨터의 파워포인트 프로그램 버전을 알아야 한다.

6. 자신의 컴퓨터에서 사용하는 파워포인트 프로그램의 버전을 확인하는 방법은 윈도우 메뉴(▦)에서 [Microsoft Office]를 찾아 파워포인트 프로그램의 버전을 확인할 수 있다. 윈도우 11을 사용할 경우 위의 윈도우 메뉴를 띄운 후 오른쪽 상단에 위치한 **[모든 앱]**을 클릭하면 [Microsoft Office] 폴더를 찾을 수 있다.

7. 자신이 사용하는 파워포인트 프로그램의 버전을 확인했으면 **[레지스트리 편집기]** 메뉴로 다시 돌아가 가장 상단의 폴더 중 ∨▭ HKEY_CURRENT_USER 를 찾는다.

8. 좌측의 화살표를 클릭하면 하위폴더를 볼 수 있도록 펼치거나 닫을 수 있는데 하위폴더를 펼친 후 **[Software]** 폴더를 찾는다.

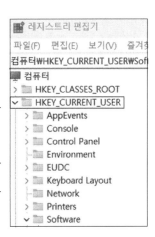

9. 동일하게 ∨ 📁 Software 폴더 앞의 화살표를 클릭해 하위폴더를 연 후 **[Microsoft]** 폴더를 찾는다.

10. 같은 방법으로 **[Microsoft]** – **[Office]** 폴더까지 찾아서 클릭한다. 그러면 숫자들이 나열되는데 이 숫자가 파워포인트 버전들이다.

11. 자신이 사용하는 파워포인트의 버전이 2003이면 **[11.0]** 폴더를 선택하고, 2007 버전이면 **[12.0]**, 2010 버전은 **[14.0]**, 2013 버전은 **[15.0]**, 2016, 2019, 2021, Microsoft 365용 버전은 **[16.0]** 폴더를 선택한다. 이 폴더에 버전이 하나만 있다면 클릭해서 들어가면 되지만 몇 개 버전의 파워포인트를 설치한 적이 있다면 자신이 현재 사용하는 버전의 폴더를 찾아서 들어가야 한다.

12. 자신의 파워포인트 버전 폴더를 찾아 화살표를 클릭한 후 같은 방법으로 **[PowerPoint]** – **[Options]** 폴더까지 차례로 찾아 **[Options]** 폴더를 클릭한다.

13. 이를 파워포인트 버전별 **[레지스트리 편집기]**의 경로로 표현하면 다음과 같다. 이 경로가 여러 블로그나 사이트에 등장하는데 상세한 설명이 없으면 무슨 말인가 헤맬

수 있다.

[PowerPoint 2016, 2019, Microsoft 365]

HKEY_CURRENT_USER\Software\Microsoft\Office\16.0\PowerPoint\Options

[PowerPoint 2013]

HKEY_CURRENT_USER\Software\Microsoft\Office\15.0\PowerPoint\Options

[PowerPoint 2010]

HKEY_CURRENT_USER\Software\Microsoft\Office\14.0\PowerPoint\Options

[PowerPoint 2007]

HKEY_CURRENT_USER\Software\Microsoft\Office\12.0\PowerPoint\Options

[PowerPoint 2003]

HKEY_CURRENT_USER\Software\Microsoft\Office\11.0\PowerPoint\Options

14. 다시 12번의 **[Options]** 폴더로 돌아가 설명하면, **[Options]** 폴더 구성파일이 창 오른편에 뜨는데 여기에 새로운 파일을 하나 더 만들어야 한다. 새 파일을 만들려면 현재 열린 **[Options]** 폴더를 그대로 두고 상단 왼쪽에 보면 **[편집]** 메뉴가 있다. 이 메뉴를 클릭해 **[새로 만들기]** – **[DWORD(32비트) 값]** 메뉴까지 찾아 선택한다.

15. 그러면 🔢새 값 #1   REG_DWORD   0x00000000 (0) 이라는 파일이 만들어지고, '새 값 #1' 이라는 파일 이름을 'ExportBitmapResolution'이라는 이름으로 변경한다.(작은 따옴표는 빼고 입력한다.)

16. 새로 만들어진 ExportBitmap Resolution 파일을 클릭하면 다음과 같은 창이 뜨는데 **[단위]** 란에 10진수를 체크하고, **[데이터]** 란에 300을 입력하고 **[확인]** 버튼을 누른다. 이 명령은 300dpi로 해상도를 맞추겠다는 의미다.

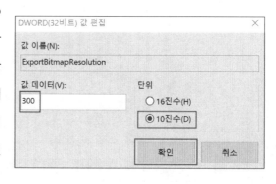

17. **[레지스트리 편집기]**를 종료하고, 파워포인트를 열어 작업한다. 미리 열어 둔 파워포인트 파일이 있다면 이 해상도 설정 변경이 적용되지 않는다. 모든 파워포인트 창을 닫은 후 해상도 설정 변경을 진행하고 파워포인트를 다시 실행해야 변경된 해상도 설정이 적용된다.

앞의 과정대로 마무리했다면 이제 파워포인트로 도형, 그래프, 차트, 글이 들어간 이미지들을 만들어 해상도 높은 그림 파일을 얻을 수 있다. 굳이 포토샵, 일러스트, 인디자인 프로그램을 이용하지 않아도 쉽게 원하는 이미지를 만들 수 있다. 물론 앞의 프로그램처럼 정교한 작업을 필요로 하는 이미지는 무리일 수 있으나 일반적인 도서의 내지 이미지 정도는 만들 수 있다. 다음은 『진로는 나답게』 책을 만들 때 파워포인트 작업으로 직접 만든 300dpi 이상의 이미지들이다.

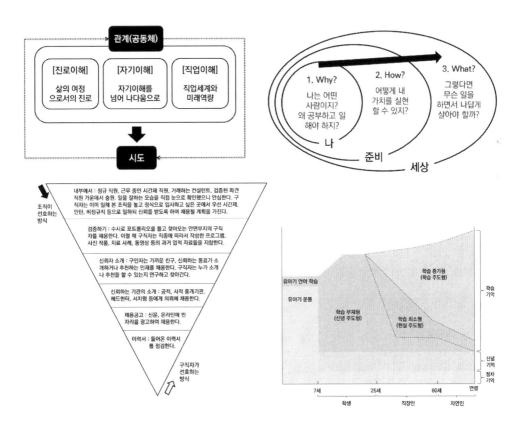

설정 변경 전 기본값으로 세팅된 파워포인트 해상도로는 이 해상도만큼 선명한 이미지로 그림 파일이 저장되지 않는다. 그림 파일의 해상도를 확인하려면 파일에 마우스를 가져가 오른쪽 버튼을 클릭한 후 **[속성]** 메뉴를 클릭해 **[자세히]** 탭을 눌러보면 dpi 수치를 알 수 있다. 해상도가 높을수록 확대해도 이미지의 경계가 선명하게 유지된다. 자세한 설명은 다음 장 **4.2 파워포인트 저장하기**에서 확인가능하다.

4.2 파워포인트(PPT) 저장하기

자. 여기까지는 해상도 높은 그림 파일을 얻는 방법을 알아보았다. 그러면 실제 파워포인트로 작업한 이미지를 PPT 파일이 아닌 그림 파일로 어떻게 저장할 것인가? 파워포인트는 아래 그림처럼 슬라이드에 있는 그림만 선택한 뒤 마우스 우측 버튼을 클릭해 그림 파일(JPEG 혹은 PNG 형식)로 저장할 수도 있다. 그러나 이런 방식으로는 고해상도의 그림 이미지를 얻지 못한다. 실제로 이 방법으로 저장한 후 해상도를 확인하면 300dpi를

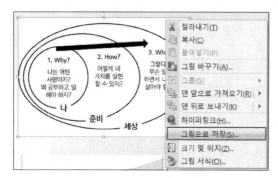

넘지 못하고 이미지를 확대하면 경계가 무너진다. dpi값을 확인하려면 그림 파일 형식이 JPG(JPEG)일 때 가능하며, PNG형식을 불가하다. JPG와 PNG 파일형식의 차이는 **3부 Canva 플랫폼으로 책 표지 디자인하기** 중

3.2.3 작업페이지 상단메뉴 부분을 참고하기 바란다.

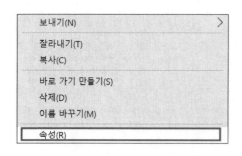

해상도를 확인하는 방법은 그림 파일(JPG만 확인 가능) 위에 마우스 화살표를 두고 오른쪽 버튼을 클릭한다. 왼쪽 그림과 같은 메뉴가 나타나면 하단의 **[속성]** 메뉴를 클릭한다. **[속성]** 메뉴는 이미지 파일의 해상도를 확인할 수 있는 메뉴다.

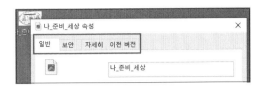

[속성] 메뉴를 클릭하고 나면 위의 그림과 같이 상단에 여러 메뉴들이 보이고, 그 중 [자세히] 탭을 클릭한다. 새로 열리는 메뉴 하단 [이미지] 항목에 해상도가 150dpi 라고 보인다. 150dpi는 옆의 그림처럼 조금만 확대해도 이미지의 경계가 흐릿하게 무너진다. 이 방법으로는 300dpi 이상의 해상도를 얻기 어렵다.

4.1 파워포인트(PPT) 설정하기에서 설정 변경한대로 고해상도 이미지를 얻으려면 '슬라이드 전체'를 그림 파일로 저장해야 한다. 슬라이드 전체를 그림 파일로 저장하려면 원하는 사이즈만큼 슬라이드 크기를 조정해야 한다. 그렇지 않으면 이미지에 비해 배경 크기가 너무 커지기 때문에 한글프로그램에 가져와 작업할 때 어려움이 있다. 그뿐만 아니라 PPT 슬라이드 크기는 해상도에 영향을 미친다. 고해상도로 설정을 바꾸었더라도 슬라이드 크기를 크게 해 이미지 작업을 하면 해상도가 떨어진다. 슬라이드 크기가 작아질수록 해상도는 높아진다. 이런 이유 때문에 이미지 작업을 할 때 PPT 슬라이드의 크기를 조정해서 작업해야 한다.

파워포인트 상단 메뉴 중 [디자인] 메뉴를 클릭하면 좌측에 [페이지 설정] 메뉴가 나온다. [페이지 설정] 메뉴를 눌러 새 창이 뜨면 [슬라이드 크기]에서 너비와 높이를 여러 번 수정하면서 원하는 크기를 설정한다. 입력 후 확인 버튼을 누른다.

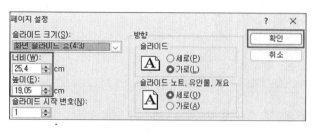

처음부터 파워포인트에서 만든 이미지가 아니라 외부 사이트에서 캡쳐해 온 이미지를 수정하는 것이라면, 원래 이미지에 딱 맞게 페이지를 설정하기보다 이미지보다 크게 슬라이드를 먼저 설정한다. 이후 이미지를 전체적으로 늘여가며 슬라이드 크기에 맞추는 작업을 하면 좋다. 원래 이미지 크기에 슬라이드 크기를 맞추려면 어렵기 때문에 마우스로 이미지 크기를 확대해가며 슬라이드 크기에 맞도록 작업한다. 이미지 작업은 한 슬라이드씩 저장하면서 진행하는 것이 좋다. 각 이미지마다 크기가 다른데 이를 무시하고 파워포인트 하나의 파일에 여러 슬라이드를 묶어서 진행하면 가장 나중에 변경한 슬라이드 크기가 모든 슬라이드에 적용된다. 이렇게 되면 모든 슬라이드 이미지 크기가 마지막에 변경한 슬라이드 크기로 바뀌기 때문에 한 이미지에 하나의 슬라이드만 사용해야 한다.

이미지 작업이 모두 끝났으면 그림 파일로 저장해야 하는데 파워포인트 화면의 상단 왼쪽 파워포인트 이미지를 클릭해 **[다른 이름으로 저장]**을 누른다. **[다른 이름으로 저장]** 새 창이 뜨면, **[파일 이름]**에 원하는 파일명을 입력한다. **[파일 형식]**에는 기본 설정 형식이 **[PowerPoint 프레젠테이션]**이라고 되어 있지만 우리는 그림 파일 형식을 원하기 때문에 **[PowerPoint 프레젠테이션]** 부분을 누르면 다른 파일 형식이 아래로 뜬다. 여러 파일 형식 중 [JPEG 파일 교환 형식]이나 **[PNG 형식]**을 선택하고 저장한다. 이 방식으로 저장한 그림 파일의 해상도를 확인하면 설정한 300dpi 값을 유지하며 확대해도 경계

2. How?

어떻게 내 가치를 실현 할 수 있지?

가 무너지지 않는 이미지를 얻을 수 있다. 슬라이터 내에 있는 이미지를 마우스로 직접 클릭해 **[그림으로 저장]**한 앞의 이미지와 비교해 보라. 경계가 확연하게 다름을 알 수 있다. 최소 300 dpi 이상으로 이미지를 저장하라고 하는 이유가 있다.

이렇게 원하는 그림 파일이 만들어지면 이 파일에 마우스 포인터를 대고 왼쪽 버튼을 누른 채 한글프로그램으로 끌고 와 놓으면 이미지가 한글 프로그램 안으로 들어온다. 적절하게 이미지 크기와 위치를 정해 편집하면 해상도 높은 이미지를 얻을 수 있다. 이때 이미지끼리 나란히 놓고 싶거나 이미지 옆에 글을 넣고 싶을 때가 있는데 그렇게 하기 위해서는 그림 설정을 아래와 같이 바꾸어야 한다.

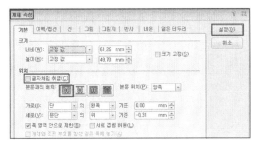

마우스 왼쪽 버튼으로 이미지를 두 번 클릭하면 **[개체 속성]**이라는 창이 뜬다. 이 창에서 가운데 있는 **[위치]** 메뉴에서 **[글자처럼 취급]** 부분의 체크를 해제하고, **[본문과의 배치]** 메뉴의 첫 번째 나비모양을 클릭한다. 이 배치는 이미지 옆에 다른 이미지나 글자가 올 수 있도록 하겠다는 변경을 의미한다. 마지막으로 오른쪽 상단의 **[설정]** 버튼을 눌러 저장한다.

이 책은 파워포인트로 섬세한 이미지를 만드는 방법까지 설명하는 책이 아니다. 또한 파워포인트는 이미지를 디자인하는 프로그램이 아니라 프리젠테이션을 위한 프로그램이기 때문에 제한이 있다. 이를 보완할 수 있는 방법이 외부 무료 이미지 사이트를 활용하는 방법이다. 다음 장에서는 무료로 아이콘, 사진, 그림과 같은 이미지들을 얻을 수 있는 사이트와 이런 이미지들을 PPT에서 어떻게 만들어 한글프로그램에서 활용할 수 있는지 살펴볼 것이다.

4.3 무료 이미지사이트에서 가져온 이미지 활용하기

　모든 이미지에는 저작권이 있다. 그저 스스로 생긴 이미지는 없기 때문이다. 누군가가 만들었고, 그렇다면 그 저작물에는 주인이 있다. 구글이나 포털사이트를 통해 검색한 이미지들도 소유권이 있는 이미지들이다. 그럼에도 자신의 저작물을 누구나 무료로 자유롭게 이용할 수 있도록 배포한 저작물도 많다. 이런 다양한 이미지들 중에 책의 내지나 표지 디자인에 사용할 수 있는 해상도 높은 이미지들을 제공하는 사이트들이 있다. 그럼 그 사이트에 있는 이미지를 그냥 가져와 한글 파일에 삽입하면 되지 왜 PPT까지 또 활용하느냐 의아할 것이다. 무료 이미지 사이트에서 제공하는 이미지 하나만으로는 내가 원하는 디자인을 얻을 수 없기 때문이다. 대부분 편집해야 한다. 여러 이미지들을 조합하거나 변형해야 한다. 내가 원하는 내지나 표지의 디자인을 누가 딱 맞게 이미지 배포 사이트에서 제공할리 없다. 앞 장에서 본 표, 차트, 그래프, 도형들은 PPT 내부 프로그램을 활용해 만들 수 있지만 섬세한 이미지들을 직접 만들어 편집하는 건 어렵다. 때문에 무료 이미지 사이트에서 가져온 다양한 그림, 사진, 아이콘들을 조합, 변형, 배열해야 하는데 이 방법은 PPT에서 가능하다.(이 후에 다룰 Canva 플랫폼에서도 수정 가능하지만 장단점이 있다.) 이 책의 중간표지 부분에 사용된 리본 문양은 원래 부크크에서 제공하는 내지에 있던 이미지다. 그러나 그 이미지 그대로 사용하니 해상도가 낮아 경계 부분이 흐릿하게 인쇄되었다. 이를 해결하기 위해 무료로 이미지를 제공하는 사이트에서 리본 아이콘을 다운받아 PPT에서 수정하여 사용하였다. 사이트에서 다운받은 이미지는 수평으로 된 리본이었으나 한글 프로그램 내지에 사용하기 위해 PPT를 통해 각도를 약간 틀고 크기를 조정했다. 다양한 무료이미지 사이트들 중 대표적인 사이트로 프리픽(Freepik), 픽사베이(Pixabay), 펙셀스(Pexels) 가 있다.

　무료 이미지 사이트들을 설명하기 전에 알고 있어야 할 부분이 있다. 우리가 일반적으로 이미지라고 부르는 파일의 형식은 비트맵 이미지와 벡터 이미지로 구분할 수 있다. 비트맵 이미지는 우리가 컴퓨터나 인터넷을 통해 가장 많이 보는 이미지 파일 형식으로 이미지를 확대시켜보면 픽셀단위로 사각형 모양으로 보이고 확대율을 많이 높이면 이 사각형이 깨져 보인다. 색으로 채워진 사각형 픽셀들이 모여 이미지를 구성하고 있다. 대표적인 비트맵 이미지 파일로 JPG, PNG, PSD(포토샵) 파일이 있다.

벡터 이미지는 이미지를 구성하는 한 점과 다른 한 점을 선으로 이어 수학적으로 계산해서 데이터를 저장하는 방식이다. 곡선의 경우도 곡률(커브)값을 부여한 데이터로 저장된다. 이 때문에 아무리 이미지를 확대해도 비트맵 이미지처럼 깨져서 보이지 않는다. 대표적인 벡터 이미지 파일로 AI(일러스트레이터), EPS, SVG 파일이 있다.

비트맵 이미지와 벡터 이미지의 차이, 그리고 각 이미지 파일의 종류를 이해해야 무료 이미지 사이트에서 제공하는 이미지들을 제대로 사용할 수 있다. 이 책에서는 포토샵이나 일러스트레이터 프로그램을 활용하지 않기 때문에 대부분의 이미지가 비트맵 이미지지만 사이트에서 제공하고 있는 파일의 종류를 알고 이용해야 한다.

① Freepik (www.freepik.com)

무료 이미지 사이트 중에 가장 먼저 권하는 사이트다. 사이트 상단 메뉴에도 있듯이 이미지 종류로 벡터, 사진, 동영상, PSD(포토샵) 파일을 제공한다. 벡터나 PSD라 하더라도 비트맵 이미지인 JPG나 PNG 파일 형태도 함께 제공한다. 우리는 포토샵이나 일러스트레이트 프로그램을 활용하지 않기 때문에 다운로드 받을 때 JPG나 PNG 파일로 다운로드 받으면 된다. 다운로드 방법은 원하는 이미지 우측 [다운로드] 메뉴를 선택해 프리미엄

가입(유료)과 무료 다운로드 중 무료 다운로드를 선택한다. 한국어도 지원하고 있기 때문에 검색창에 한국어로 입력해도 검색가능하다. 왼쪽에 있는 검색 필터로 카테고리(벡터, 사진, 동영상, PSD, 아이콘), 유무료, 색상, 파일유형을 선택해서 검색할 수 있다. 이미지 중에 왕관 모양이 표시된 이미지는 유료 서비스 이미지다. 검색 필터로 무료를 클릭하면 무료 이미지만 볼 수 있다. 물론 유료 회원으로 가입하면 더 많은 이미지를 이용할 수 있지만 무료 회원가입만으로도 충분히 다양한 이미지를 얻을 수 있다. 그러나 로그인하지 않을 시 하루에 3개의 이미지만 다운로드 가능하며, 무료회원은 하루에 10개의 이미지를 다운로드할 수 있도록 제한하고 있는 부분은 아쉽다.

프리픽은 다른 무료 이미지 사이트와 달리 출처를 표기해야 한다. 우리는 서적에 사용할 것이기 때문에 이미지가 표지나 내지 디자인에 사용되었더라도 그때마다 이미지 밑에 출처를 적을 수 없으니 책의 판권지에 프리픽에서 이미지를 가져왔음을 밝혀야 한다. 그리고 프리픽의 이미지는 그 이미지 그대로를 주요 요소로 사용하면 안된다. 여러 이미지들을 추가하거나 수정, 변형해서 사용해야지 프리픽에서 가져온 이미지 하나만 넣고 이용하면 안된다.

② Pixabay (pixabay.com/ko)

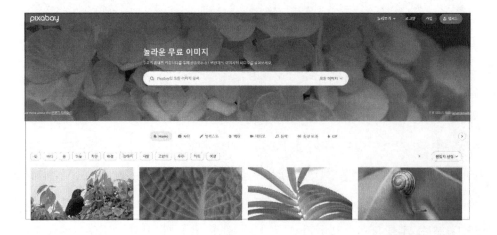

픽사베이(Pixabay)는 고해상도 사진, 일러스트(비트맵 이지미인 JPG로 다운로드), 벡터 이미지(비트맵 이미지인 PNG, 벡터 이미지인 SVG 모두 다운로드 가능), 동영상, 음악 파일(mp3), 효과음까지 다운로드 할 수 있다. 이 사이트는 프리픽과 달리 회원가입 없이 필요한 만큼 제한없이 다운로드하여 사용할 수 있다. 한국어로도 검색 가능하며, 프리픽에서 요구하는 저작자 출처 표시가 픽사베이에서는 필요하지 않다. 이미지 다운로드 시 이미지 사이즈를 선택할 수 있으며, 자유롭게 상업적 용도로 사용가능하다.

원하는 이미지를 클릭하면 새로운 창이 뜨고, 오른쪽에 있는 **[무료 다운로드]** 버튼을 클릭해 이미지 사이즈를 선택한다. 픽사베이와 펙셀스는 캔바(Canva)가 인수해 **[무료 다운로드]** 메뉴 하단의 **[이미지 편집]**을 누르면 캔바로 바로 연결되어 이미지 편집이 가능하다.

③ Pexels (www.pexels.com/ko-kr)

펙셀스는 크리에이터들이 공유하는 사진과 동영상 다운로드 사이트다. 프리픽과 픽사베이처럼 일러스트나 벡터 이미지들을 제공하지 않고 사진과 동영상 무료파일만 제공한다. 한글로 검색가능하며, 이미지 크기도 원본부터 다양한 사이즈로 선택해서 다운로드 가능하다. 프리픽이나 픽사베이와 마찬가지로 사진 우측에 **[무료 다운로드]** 메뉴를 누르면 사진 크기를 선택해 다운로드 할 수 있다. 저작권 표시 없이 상업적 용도로 자유롭게 사용 가능하다.

제3부

Canva 플랫폼으로 표지 디자인하기

내지 편집을 마무리했다면 이제 표지디자인을 해야 할 차례다. 미적 감각도 없고, 디자인 전문가도 아닌데 표지를 어떻게 디자인하냐고 생각할 수 있다. 그러나 지레 포기하기 전에 도전해 볼만한 디자인 플랫폼들이 여럿 있다. 전문적인 프로그램이 아니더라도 인터넷으로 제공되는 디자인 툴로 얼마든지 표지 디자인이 가능하다.

대표적인 종류로 국내업체가 운영하는 미리캔버스와 망고보드, 그리고 해외 업체가 운영하는 Canva(캔바)가 있다. 이 책에서는 Canva 위주로 설명을 할 것인데 그 이유는 종이책 인쇄에 적합한 기능을 Canva만 제공하고 있기 때문이다. 이 부분은 본 장에서 자세하게 다룰 예정이다. 미리캔버스와 망고보드가 추후 이런 기능을 제공한다면 얼마든지 이용할 수 있다.

표지 디자인을 위해서는 가장 먼저 만들고자 하는 책의 크기를 알아야 한다. 내지 편집에서 이미 판형에 대해 설명했으나 표지 디자인을 위한 판형은 다르기 때문에 표지 디자인을 위한 판형부터 살펴보자.

1. 판형에 따른 표지 크기

표지는 당연히 내지와 같은 크기여야 한다. 그러나 종이책에 표지가 앞 표지만 있는게 아니다. 종이책은 앞표지, 뒷표지, 표지 사이에 제본되는 부분인 책등, 그리고 표지 끝부분이 안으로 접힌 책 날개로 구성된다. 책 날개가 없는 책도 있지만 책 날개는 책 내지를 보호해주는 역할뿐만 아니라 디자인에 있어서도 유무의 차이가 크다. 부크크에서는 날개 유무가 1,500원 차이(2023년 기준)기 때문에 가능하면 날개를 두는게 좋다.

표지는 앞표지, 뒷표지, 책등, 책 날개로 구성되기 때문에 표지를 디자인할 때 이 크기를 모두 더해서 틀을 만들어야 한다. 즉, 표지 디자인은 앞표지 따로, 뒷표지 따로, 책등 따로, 책 날개 따로 디자인하지 않는다. 한 판으로 디자인하기 때문에 전체 사이즈의 가로 세로 길이를 계산한 다음 디자인해야 한다. 아래는 부크크에서 제공하는 내지 판형 크기다. 내지를 이 크기로 만들기 때문에 표지 크기도 이 크기를 기준으로 만들어야 한다.

판형	판형 명칭	크기 (가로*세로)	인쇄물	비고
A4	국배판	210*297mm	가장 큰 사이즈의 잡지, 화보집	시중에서 접할 수 있는 책 크기로 가장 큰 크기
B5	46배판	182*257mm	학술전문서적, 문제지, 잡지	『주문형 출판(POD)으로 무료 출판 따라하기』크기
A5	국판	148*210mm	일반단행본	단행본에서 가장 많이 사용하는 크기
B6	46판	127*188mm	시집, 에세이	

일반단행본 크기인 A5 판형을 예로 든다면, 내지 크기가 가로 148mm, 세로 210mm다. 앞 표지와 뒷 표지의 크기는 내지 크기와 동일하다. 여기에 가로로 앞 표지 책 날개 100mm, 뒷 표지 책 날개 100mm(책을 만들 부크크 기준 책 날개 가로길이)를 더하고, 제본되는 부분인 책등 크기를 합산하면 전체 가로 책 표지 크기가 나온다. 책등 크기는 정해진 것이 없고 책 페이지 수에 따라 책등이 두꺼워질 수 있고, 얇아질 수도 있기 때문에 책 전체 페이지수에 따라 달라진다. 책등 크기는 부크크 사이트에서 전체 책 페이지수를 입력하면 확인가능하다.**[4부. 3.2.1.5 페이지수와 책등 두께 p.216 참조]** 내지 작업

때에도 그러했듯이 표지 디자인에도 제본 때 잘려나가는 여백은 상하좌우 3mm씩 두어

야 한다. 지금까지 설명한 표지 크기 설정 내용을 그림으로 표현하면 아래(A5 판형)와 같

다.(아래 그림도 파워포인트로 만들어 300dpi 이상 해상도로 저장한 이미지임)

주황색 부분까지 표지 크기며 제본 때 상하좌우 3mm씩 제단되는 여백 남김

A4, B5, B6 모두 동일한 방법으로 표지 전체 크기를 설정해야 한다. 어느 판형으로 진

행하든지 상하좌우 여백 3mm는 동일하다. 부크크에서는 A4 판형의 경우 책 날개를 제

공하지 않는다. 책 날개 길이만 빼면 나머지는 동일하다. Canva를 통해 실제 표지 디자

인하는 방법은 뒤에 알아볼 것이다.

2. RGB와 CMYK

일러스트레이터나 인디자인과 같은 프로그램을 구매해 사용하지 않고, 인터넷에서 제공

하는 디자인 툴로도 책 표지를 만들 수 있다. 앞에서도 언급했듯이 대표적인 인터넷 디자

인 툴로 미리캔버스, 망고보드, 캔바가 있다. 그러나 이 책에서는 캔바(Canva)를 사용해

서 책 표지를 만드는 방법을 설명할 것이다. 미리캔버스와 망고보드를 사용하지 않는 가장 큰 이유가 있다. 툴 사용방법은 크게 차이가 없으나 종이 표지를 인쇄할 때 아주 중요하게 고려해야 할 부분을 미리캔버스와 망고보드는 제공하지 않는다. 어떤 차이가 있는지 이해하려면 RGB와 CMYK라는 색상모드를 알아야 한다.[33]

RGB는 Red, Green, Blue 세 가지 색깔의 영어 첫 단어를 따서 부르는 말로 빨강, 초록, 파란색을 조합하여 색을 구현한다. 이 세 종류의 빛이 섞일수록 색이 점점 더 밝아지며(가산혼합방식), 모든 색이 합쳐지면 흰색이 된다. 채도(색의 선명도)가 높고 화사하며 많은 색상을 표현할 수 있어 컴퓨터 모니터, 휴대폰 액정, 텔레비전과 같은 디스플레이에 적합한 색상모드다. 그렇기 때문에 웹 디자인이나 그래픽 디자인 작업에 적합하다.

CMYK는 Cyan, Magenta, Yellow의 첫 글자와 Black의 마지막 글자를 따서 부르는 말로 시안(청록색), 마젠타(자홍색, 붉은 자주색), 노랑, 검정색을 조합하여 색을 구현한다. Black의 첫 글자 B를 따지 않은 이유는 Blue의 'B'와 헷갈릴 수 있기 때문이다. RGB가 빛의 혼합방식이라면 CMYK는 물감의 혼합방식이다. RGB가 색이 섞일수록 밝아지는 가산혼합방식이라면, CMYK는 물감을 섞으면 탁해지듯이 어두워지는 감산혼합방식이다.

책을 전자책으로만 출판할 계획이라면 RGB나 CMYK를 크게 신경 쓸 필요없이 컴퓨터에서 작업하면서 화면에 보이는 그대로 표지를 만들면 된다. 그런데 RGB 모드로 인쇄한다면, 모니터로 보았던 색과 직접 인쇄해서 보는 색이 달라지는 현상이 발생한다. 인쇄할 때는 빛이 아닌 물감으로 인쇄하기 때문이다. 즉 RGB로 구현된 색상은 물감으로 그대로 인쇄할 수 없기 때문에 내가 모니터로 보는 색상과 실제 종이에 인쇄했을 때 보는 색상을 비슷하게 하려면 색상모드를 CMYK로 바꾸어야 한다. 분명 화면으로 보았을 때는 선명하고, 화사했는데 그 이미지를 그대로 인쇄했음에도 종이에서 구현되는 색상은 다르다. 이런 차이를 줄이기 위해 이미지를 저장할 때 RGB 모드가 아닌 CMYK 모드로 저장해야 한다. 캔바에서 작업할 때 화면으로 보는 색상과 CMYK 모드로 저장한 후 화면으로 보는 이미지 색상이 약간 다른 이유다.

미리캔버스와 망고보드가 아닌 캔바를 사용하는 이유가 바로 CMYK 모드 저장여부 때문이다. 미리캔버스와 망고보드는 완성된 이미지를 저장할 때 CMYK 모드로 저장할 수 있는 메뉴가 없다. 그러나 캔바는 이미지를 PDF 파일로 저장할 때(책 표지는 PDF로 저장한다.) RGB 모드로 저장할지, CMYK 모드로 저장할지 선택할 수 있다. 물론 RGB 모드로 저장하고 책 표지를 인쇄해서 책을 만들 수 있다. 개인에 따라 RGB 모드로 저장한 후 인쇄한 것이 더 좋아보일 수 있다. 개인의 선택사항이나 일반적으로 모니터로 보는 색상과 인쇄해서 보는 색상의 차이는 CMYK보다 RGB모드가 크다. 그렇기 때문에 웹이 아닌 인쇄를 목적으로 하는 이미지들은 디자이너들이 프로그램의 RGB 모드를 CMYK 모드로 바꾸어 작업하거나 이미지를 CMYK 모드로 저장한다.

처음 종이책 표지 작업을 했을 때 이 개념을 모르고 미리캔버스를 먼저 사용했다. 표지를 만들고 난 다음 PDF 파일로 저장 후 확인을 위해 출력했는데 모니터로 보던 색상과 달랐다. 이유를 몰라 프린터만 탓하고 있었는데 전문적으로 디자인하는 후배를 통해 그 이유가 RGB와 CMYK 모드 차이라는 사실을 알았다. 이런 이유 때문에 미리캔버스나 망고보드는 웹에서 사용하는 이미지에 최적화된 디자인 툴이라 볼 수 있다. 종이나 현수막, 간판과 같은 재료에 인쇄를 목적으로 하는 이미지라면 CMYK 모드로 저장한 후 확인해야 한다. CMYK 모드로 저장하더라도 모니터로 보는 색감과 인쇄 후 보는 색감이 완전히 같을 수는 없으나 RGB 모드로 저장한 색감보다 그 차이를 줄일 수 있다.

3. Canva 사용법

보통 이미지를 만들기 위해서는 포토샵이나 일러스트레이터와 같은 프로그램을 다룰 줄 알아야 한다고 생각한다. 이런 이유로 개인이 책을 만든다는 건 아주 어려운 과정이라고 여긴다. 내지 편집까지는 어떻게 할 수 있겠으나 책 표지 디자인은 전문가만이 할 수 있다고 생각한다. 그러나 캔바, 미리캔버스, 망고보드와 같은 디자인 툴(디자인 플랫폼)이 등장하면서 달라졌다. 프로그램 설치 필요없이 인터넷에 연결만 되면 언제 어디서나 디자인을 할 수 있는 시대다. 여러 디자인 툴 중에서 왜 캔바를 선택해 사용하는지는 이미 앞에서 이야기했다.

캔바는 호주 회사가 만든 인터넷 기반 디자인 편집 툴(플랫폼)이다. 무료와 유료 버전으로 나뉘는데 버전에 따라 이용할 수 있는 서비스 정도가 다르다. 기본적인 표지 작업 정도만 한다면 굳이 유료 버전까지 필요없다. 그러나 책 표지를 만들기 위해 다양한 이미지와 템플릿, 기능들을 더 원한다면 무료 버전으로는 한계가 있다. 그렇다고 처음부터 유료 회원으로 가입하기보다 유료 회원 가입 후 30일간 무료 사용(결제 등록만 되지 결제되지 않음)이 가능하기 때문에 한 달 정도 사용해 보고 결정해도 된다. 30일 무료 사용 서비스는 프로모션에 따라 서비스가 약간 다를 수 있다.

캔바를 이용해 다양한 콘텐츠를 디자인할 수 있다. 로고, 포스터, 팜플렛, 페이스북 커버, 인스타그램 게시물, 유튜브 썸네일, 카드뉴스, 명함, 엽서, 티셔츠, 보고서, 달력, 잡지 표지, 책 표지와 같이 이미지가 사용되는 어떤 콘텐츠든 디자인할 수 있다. 그러나 우리는 책 표지를 디자인하기 위해 캔바를 사용하기 때문에 책 표지 제작에만 집중하여 캔바 사용법을 살펴볼 것이다.

3.1 Canva(캔바)란?
3.1.1 회원가입

캔바를 사용한다 하더라도 회원가입과 로그인은 필수다. 먼저 포털사이트(네이버, 다음, 구글 등)에서 캔바를 검색해 클릭하거나 직접 검색창에 캔바 주소 (https://www.canva.com)를 입력해 실행한다.

캔바 메인 화면이 열리면 우측 상단에 [가입]메뉴를 클릭해 가입한다. [이용약관 동의] 메뉴가 나타나면 모두 동의에 체크한다. 요즘 많은 사이트의 회원가입이 구글이나 페이스북 계정과 연동되어 있는데 캔바도 마찬가지다. 구글이나 페이스북 계정이 있다면 [Google로 계속하기]나 [Facebook으로 계속하기]를 클릭한다. Apple이나 Microsoft 계정으로도 가입 가능하고, 이런 계정이 없다면 [이메일로 계속하기] 메뉴를 클릭해 가입하도록 한다.

가입하고 나면 Pro 버전을 30일 동안 무료로 사용해 보라는 창이 열리는데 30일간 무료사용하고 싶다면 하단의 **[무료체험 시작하기]**를 클릭한다.(Canva 정책에 따라 여러 종류의 프로모션이 진행되어 기간에 따라 다른 메뉴가 나타날 수도 있다. 2023년 12월 기준으로 30일 무료체험 대신 3

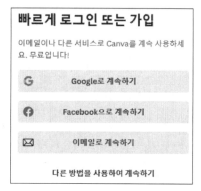

개월 동안 50% 할인 정책 시행) 이 버튼을 클릭하면 Pro 버전의 30일간 무료체험이기 때문에 한달 뒤 유료회원으로 전환된다. 계속 무료 버전으로만 사용하고 싶다면 메뉴 우측 상단에 있는 **[나중에 하기]**를 클릭하면 된다. 유료회원인 Pro 버전을 사용하더라도 한달 동안 무료며, 무료 체험 종료 일주일 전에 유료회원 지속 여부를 메일로 안내해 주기 때문에 가능하면 Pro 회원으로 가입하길 권한다. 사용하면서 30일 내에 얼마든지 취소할 수 있다.

3.1.2 회원 종류에 따른 기능 차이

캔바의 버전을 무료, 유료 버전으로 앞에서 설명했지만 더 자세히 나눈다면 무료, 프로,

단체용, 교육용, 비영리 단체용으로 구분할 수 있다.

Pro는 유료 버전으로 한달에 만원 조금 넘는 비용으로 캔바의 모든 서비스를 이용할 수 있다. 이미지 하단에 노란색 왕관 표시가 있는 서비스는 유료 회원만 이용 가능하다. 무료 회원들에게는 이미지와 템플릿 수를 제한해서 제공하는데 그럼에도 25만개 이상의 무료 템플릿과 1백만개 이상의 무료 사진과 이미지를 이용할 수 있다. Pro 버전은 1명만 이용할 수 있는 반면, 단체용은 2명 이상의 이용자를 위한 요금제다. 팀으로 협업해야 할 경우 단체용이 훨씬 저렴할 수 있다. 2023년 기준 Pro 회원은 1년에 129,000원, 단체용은 280,000원(인원에 따라 다름)으로 매달 결제할 때보다 연단위 결제 시 할인혜택을 준다. 초중고 교사와 학생들을 위한 교육용과 등록된 비영리 단체들에게 제공되는 비영리 단체용도 있다. 교육용은 교사임을 인증(학교나 교육부 도메인 사용여부나 교원 자격증) 받아야 하고, 학생은 교사의 초대를 받아야 한다. 그리고 비영리 조직의 경우도 신청서를 작성한 뒤 캔바 심사를 거쳐 사용 가능 여부를 전달받아야 가능하다.

무료 버전과 달리 Pro 버전에서 제공하는 기능은 다음과 같다.

3.1.2.1 사진, 동영상, 템플릿, 이미지 무제한 사용 가능

유료 회원은 캔바에서 제공하는 모든 사진, 템플릿, 이미지를 사용할 수 있다. 무료 회원들도 볼 수는 있으나 실제 디자인작업에 전부 사용할 수 있는 것은 아니다. 이미지 하

단에 노란 왕관 없이 무료로 제공되는 이미지라도 일부는 워터마크 처리가 된 이미지가 있다. 워터마크란 이미지에 격자무늬와 함께 Canva 글자를 희미하게 처리한 것을 말한다. 이미지 하단에 노란 왕관이 있는 이미지는 무료 회원들이 작업 창에 아예 불러올 수 없지만 워터마크 처리된 이미지는 작업창에서 작업은 가능하다. 단, 워터마크를 지우지는 못하고 그대로 사용해야 한다. 당연히 Pro 회원은 모든 이미지에 이런 워터마크는 없다. 무료 회원인데 워터마크를 지우고 사용하고 싶다면 이미지 1개 당 비용을 계산하거나 Pro 회원으로 변경해야 한다.

이미지를 클릭하면 상단 우측에 워터마크 제거 메뉴가 보이고 클릭하면 우측에 Pro 회원으로 변경할지, 1회용으로 구입하여 사용할지 결정할 수 있다. 1회용 결제는 **[Canva Pro 무료 사용]** 메뉴 옆 **[…]** 메뉴를 클릭하면 나온다.

3.1.2.2 자동 크기 조정

캔바에서는 아주 다양한 크기의 작업 틀을 제공한다. 명함을 만들 것인가, 포스터를 만들 것인가, 아니면 팜플렛을 만들 것인가에 따라 작업틀의 사이즈가 달라야 한다. 명함을 만들 것인데 정사각형 사이즈에 만들 수 없기 때문이다. 캔바는 유형에 맞게 미리 세팅된 다양한 사이즈를 제공하기도 하고, 사용자가 원하는 가로, 세로 사이즈를 입력할 수 있다. 우리는 책 표지를 만들기 위해 캔바를 이용하기 때문에 이 부분은 아주 중요하다. 판형에 따라 책 표지의 크기도 달라지는데 어떤 판형을 선택하든 캔바에서는 그 사이즈를 미리 제공하지 않는다. 사용자가 길이를 입력해 만들어야 하는 사이즈다. 무료나 유료 버전 모두 원하는 사이즈를 입력해 작업할 수 있다. 그러나 무료 버전은 처음 디자인할 때

정한 사이즈를 중간에 바꾸고 싶어도 수정할 수 없다. 유료 버전은 가능한데 예로 명함 크기로 작업하다가 팜플렛 크기로 얼마든지 자동 크기 조정도 가능하다. 작업 틀의 자동 크기 조정은 유료 버전만 가능하다. 그러나 이 기능은 책 표지를 디자인할 때 거의 이용하지 않는 기능이며, 필요하면 캔바 창을 하나 더 띄워 작업해도 된다. 미리캔버스나 망고보드도 무료 회원에게 사용자가 직접 사이즈를 입력할 수 있도록 지원한다. CMYK 모드를 제공하지 않더라도 RGB 모드로 작업해 책 표지를 인쇄해도 된다면 캔바가 아닌 미리캔버스나 망고보드를 활용해도 상관없다.

3.1.2.3 배경과 특정 이미지 제거 기능

디자인을 하다 보면 필요한 이미지만 사용하고 싶은데 배경이 있어 배경을 제거해야 할 때가 있다. 반대로 배경만 사용하고 싶을 때도 있다. 물론 배경을 제거해 주는 인터넷 플랫폼들도 있지만 Pro 버전은 간단하게 배경이나 특정 이미지를 제거해 주는 기능을 지원한다.

3.1.2.4 SVG와 PDF(CMYK) 다운로드 기능

해상도를 설명할 때 벡터 이미지에 대해 설명했다.**(2부. 4.3 무료 이미지사이트에서 가져온 이미지 활용하기)** 벡터이미지는 확대해도 깨지지 않아 선명하고 깔끔한 이미지로 표현 가능하다. 캔바는 유료 버전에 벡터 이미지 중 하나인 SVG로 저장하기가 가능하다. 책 표지를 디자인할 때는 SVG가 아니라 PDF 파일 형태로 다운로드 받아야 하기 때문에 우리는 SVG 다운로드 유무보다 PDF 다운로드 시 CMYK 형식 지원여부가 중요하다. 캔바는 PDF 형식으로 다운로드 가능하며 유료 버전만 CMYK를 지원한다. 무료 버전은 RGB

만 가능하다. 한달 간 무료 체험을 통해서 PDF CMYK 형식으로 다운받아 이용해보면서 미리캔버스나 망고보드와 비교해 봐도 좋다. 미리캔버스와 망고보드는 유료 회원이더라도 CMYK 형식 자체를 지원하지 않는다. PDF RGB 형식으로 출력해도 만족할만한 표지 이미지를 얻을 수 있다면 굳이 CMYK 형식으로 다운로드 받을 필요는 없다.

3.1.2.5 글꼴(서체, 폰트) 업로드

캔바에서는 다양한 글꼴을 제공한다. 그러나 내가 원하는 글꼴이 캔바에 없을 때가 있다. 캔바에서 자체적으로 계속 업그레이드를 하지만 언제까지 기다릴 수도 없다. 캔바는 유료 회원에게 자신이 가지고 있는 글꼴을 얼마든지 등록(업로드)해 사용할 수 있도록 하고 있다. [브랜드 키트]라는 메뉴를 통해 가능하다. 글꼴 파트에서 설명했지만 글꼴을 개인적으로 사용하는 건 문제없지만 판매를 목적으로 하는 책을 만든다면 글꼴의 저작권 부분은 꼭 확인해야 한다. 캔바에서 제공하는 글꼴은 상업적 용도로 무료로 사용할 수 있지만 내가 업로드해 사용하는 글꼴을 [브랜드 키트]를 통해 등록해 사용할 경우 상업적 사용이 가능한지 꼭 서체를 만든 회사를 통해 확인해야 한다.

3.1.3 저작권과 상업적 사용

캔바에서 제공하는 디자인 소스, 사진, 그래픽 요소들을 이용해 상업적인 이미지를 만들어 사용하는 것은 얼마든지 가능하다. 그러나 몇 가지 제한 사항은 알아두어야 한다. 가장 중요한 제한 사항은 캔바에서 제공하는 원본 이미지 하나만 그대로 사용할 수 없다. 작업을 거쳐서 상업적으로 이용하라는 의미다. 몇 개의 이미지를 가져와 조합하든지, 원래 이미지에 글자를 넣든지 최소한 둘 이상의 요소를 사용해야 한다. 또한 캔바에서 이미지를 가져와 로고, 상표, 디자인 등을 만들 수 있지만 독점권을 주장할 수 없다. 캔바 이미지들을 다른 업체나 제품에서도 얼마든지 볼 수 있다는 말이다.

우리는 책 표지 제작에 캔바 이미지를 활용해야 한다. 책 표지에 다양한 디자인 요소와 이미지들을 가져와 조합할 때도 있지만 캔바에서 제공하는 이미지 하나만 그대로 가져와 사용할 수도 있다. 이 경우 앞에서 말한 것처럼 원본 이미지 하나만 그대로 가져와 사용할 수 없다는 부분이 신경 쓰인다. 그러나 책 표지에는 이미 책 제목, 저자명, 출판사명, 책에 대한 간단한 소개 내용이 들어가 있다. 글자가 들어가기 때문에 원본 이미지를 그대로 활용하는 것이 아니며, 책은 이미지가 주가 아니라 책 내용이 '주'기 때문에 책 표지에 원본 이미지 하나만 가져와 수정없이 사용해도 무방하다. 책의 내지에 캔바 원본 이미지 하나만 가져와 사용하는 것도 책 표지와 같이 책 내용을 보완하는 용도기 때문에 얼마든지 가능하다.

저작권과 관련해 더 자세한 내용을 문의하고 싶다면 캔바 메인 화면 상단에 있는 **[사용자 가이드]** - **[도움말 센터]** 메뉴를 클릭한다. 고객 센터 페이지가 나타나면 검색창에 '문의'라고 입력한다. '문의' 입력 후 검색하면 검색결과 중 **[Canva 고객 센터에 문의하기]**라

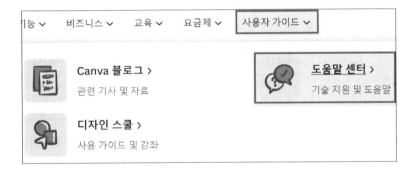

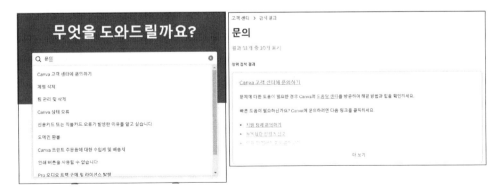

는 메뉴가 보이는데 이 글자를 클릭해 새 창이 열리면 **[지원 팀에 문의하기]** 를 클릭한다. 이렇게 복잡한 과정을 거치는 이유는 캔바 사이트에서는 문의 메일 주소를 바로 제공하지 않기 때문이다. 기본적으로 제공하는 답변을 읽어보고 그래도 문의가 있다면 지원팀에 문의하도록 하는 방식을 캔바는 취하고 있다. 서비스 받는 입장에서는 답답하지만 어쩔 수 없다.

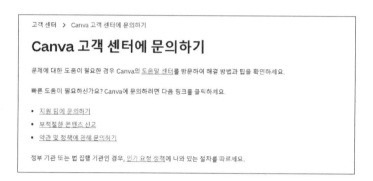

　문의 제출 후 답변 확인은 캔바에 가입할 때 사용했던 메일주소에서 가능하다. 물론 한글로 문의가능하고, 답변도 한글로 온다. 캔바가 기본적으로 제공하는 글꼴을 상업적으로 사용해도 문제가 없다고 앞서 말했는데, 이 방법으로 직접 캔바에 문의해 메일로 답변을 받았다. 추가 설명을 링크로 첨부하기도 하는데 링크를 클릭하면 영어로 된 내용이지만 구글이 제공하는 한글 번역 탭을 클릭하면 바로 한글로 웹페이지 번역이 가능하다.

3.2 Canva의 기능과 사용방법

3.2.1 메인 화면

캔바 메인 화면은 상단과 좌측에 대부분의 메뉴가 모여 있고, 가운데는 최근 디자인한 작업물을 한눈에 볼 수 있도록 구성되어 있다. 먼저 메인 화면의 상단 메뉴를 살펴보자.

3.2.1.1 상단 메뉴

❶ 좌측 메뉴를 활성화시키거나 숨길 수 있다. 메인 화면을 크게 보고 싶을 때 사용할 수 있다.

❷ 다양한 종류의 디자인을 추천한다. 종류별로 디자인하는 방법을 알려주며, 원하는 디자인의 사이즈를 정확하게 모를 경우 기본 사이즈와 다양한 샘플을 제공한다. 로고부터 시작해 포스터, 배너, 명함, 이력서, PPT, 티셔츠에 이르기까지 다양하게 제공하며, 페이스북, 인스타그램, 유튜브와 같은 SNS에 사용할 이미지도 사이즈에 맞추어 제공한다.

❸ 팀으로 캔바를 이용할 경우 활용 기능과 업종별 캔바 사용법에 대해 설명하는 메뉴다. 실제 기업이나 단체에서 캔바를 어떻게 활용하는지 사례도 확인할 수 있다. 단체용 회원에게 유용한 메뉴다.

❹ 교육용 회원들을 위한 메뉴로 교사와 학생들이 교육용으로 캔바를 어떻게 활용할 수 있는지 설명하고 있다. 사용 가이드, 강좌, 활용사례를 제공한다.

❺ 회원종류별로 요금제와 가격을 제공하는 메뉴로 무료, Pro, 단체용, 교육용, 비영리 단체용 회원에 따른 가격과 활용할 수 있는 서비스 내용을 설명하는 메뉴다.

❻ 사용자 가이드 메뉴로 캔바를 활용하는 다양한 방법을 제공한다. 고객센터 메뉴도 이 메뉴에 포함되어 있다.

❼ PC에서 캔바 앱을 다운로드할 수 있도록 제공하는 메뉴다. 검색을 통해서 캔바를 이용하기보다 바탕화면이나 폴더에서 앱을 바로 실행시킬 수 있도록 하는 메뉴다.

❽ 계정설정 메뉴로 자신의 계정 설정(프로필 사진, 이름, 이메일 주소, 화면 테마)을 할 수 있는 곳이다.

❾ 직접 작업할 수 있는 페이지를 여는 메뉴로 **3.2.2 작업 페이지** 부분에서 자세히 설명한다.

❿ 계정 설정, 고객센터, 앱 다운로드, 팀 만들기, 로그아웃 기능을 제공하는 메뉴다.

⓫ 맞춤형 크기 메뉴로 원하는 사이즈를 입력할 수 있다. 책 표지를 만들 때 가로 세로

길이를 이 창에 입력해 바로 작업창을 열 수 있다. 사이즈 기본값 단위가 픽셀이기 때문에 mm로 바꾸어 입력해야 한다. 수치를 입력한 후 **[새로운 디자인 만들기]**를 클릭하면 그에 맞는 작업 페이지나 나타난다. 추천 사이즈는 이 메뉴보다 ❷ 추천 디자인 기능 메뉴를 활용하는 것이 훨씬 낫다. **[맞춤형 크기]** 메뉴 활용법은 다음 장에서 자세하게 다룬다.

⓬ 자신이 소유하고 있는 문서, 사진, 동영상 파일을 업로드해서 작업할 수 있도록 돕는 메뉴다. 파일을 바로 끌어와 놓아도 되고, 폴더에서 선택할 수도 있다.

3.2.1.2 좌측 메뉴

❶ 홈 : 캔바 메인 페이지로 연결된다.

❷ 프로젝트 : 캔바에서 작업한 모든 파일이 저장되어 있는 곳이다.

❸ 템플릿 : 메인 페이지 상단 메뉴 중 [추천 디자인 기능]과 같은 메뉴다. 템플릿 뿐만 아니라 사진, 아이콘까지 모두 제공한다.

❹ 브랜드 : 메뉴 옆의 왕관에서 알 수 있듯이 Pro 회원들만 이용가능한 메뉴다. 브랜드 키트와 브랜드 템플릿으로 구성되며, 브랜드 키트에서 글꼴을 업로드할 수 있다.

❺ 앱 : 캔바와 연동되는 앱들을 소개한다.

❻ 팀 만들기 : 팀으로 작업할 경우 활용하는 기능으로 팀원을 초대할 수 있다. 단체용 회원으로 가입해야 이용 가능한 메뉴다.

❼ 휴지통 : 캔바에서 삭제한 이미지들이 저장되는 곳이다. 복원할 수 있고, 파일을 완전히 삭제할 수도 있다.

3.2.1.3 가운데 메뉴

캔바 메인 화면의 가운데 메뉴는 컨텐츠를 검색할 수 있는 검색창, 디자인 종류에 따른 다양한 템플릿과 샘플 파일을 제공한다. 노란 사각형 내의 메뉴들은 추천 디자인, Docs, 화이트 보드, 프레젠테이션, 소셜미디어, 동영상, 인쇄용 문서, 유튜브 썸네일, 전단지, 명함과 같이 캔바에서 만들 수 있는 디자인 양식을 제공한다. 상단 메뉴의 [추천 디자인 기능], 좌측 메뉴의 [템플릿]과 같은 기능이다.

　[추천 항목] 메뉴도 **[추천 디자인 기능]**, **[템플릿]**과 동일한 기능이다. 그 아래에는 메인 화면을 가장 많이 차지하는 **[최근 디자인]** 메뉴가 자리잡고 있다. 캔바는 인터넷 연결만 되어 있다면 작업과 동시에 실시간으로 작업물 파일이 저장된다. 따로 저장하기가 필요없다. 그렇기 때문에 지금까지 작업한 모든 결과물들이 **[최근 디자인]** 메뉴 아래 제공된다. 이 메뉴도 좌측의 **[프로젝트]** 메뉴와 동일한 기능이다. 캔바 메인 화면은 상단, 좌측, 가운데 메뉴로 구성되며, 가운데 메뉴는 상단 메뉴와 좌측 메뉴 중 실제 작업과 관련된 메뉴만 뽑아서 구성했다고 보면 된다.

3.2.2 디자인 종류 선택하기 화면

　실제 작업을 하려면 작업 페이지로 들어가야 한다. 그림을 그릴 때 스케치북에 그릴지, A4용지에 그릴지, 몇 호짜리 캔버스에 그릴지 결정한 후 그림을 그려야 한다. 캔바에서 디자인 작업을 할 때도 마찬가지다. 내가 어느 정도 크기의 이미지를 원하는지 결정하고, 그 크기에서 작업을 시작해야 한다. 작업 페이지로 들어가야 한다는 말은 곧 작업할 디자인의 종류(사이즈)를 결정한다는 말과 같다. 캔바 메인 화면에서 작업 페이지로 들어가는

(디자인 종류-사이즈-를 결정하는) 방법은 다섯 가지다.

❶ 추천 디자인 기능 : 메인 화면 상단 메뉴인 **[추천 디자인 기능]**에 마우스 화살표를 올리면 아래와 같은 선택 메뉴들이 활성화된다. 자신이 만들고 싶은 디자인을 클릭하면 새로운 창이 뜬다.

로고를 예를 들어본다면 **[로고]**를 선택한다. 새로운 창이 뜨면 로고를 만드는 방법 설명과 함께 **[로고 제작하기]**와 **[템플릿 둘러보기]** 메뉴가 나타난다. **[로고 제작하기]**를 클릭하면 일반적인 로고 사이즈의 작업창이 다음과 같이 뜬다. 이 창에서 작업을 시작하며, 왼쪽에 제공되는 다양한 로고 템플릿을 검색해 클릭해서 사용해도 된다. **[템플릿 둘러보기 메뉴]**는 작업창이 나타나지 않고, 다양한 로고 템플릿들만 확인할 수 있는 메뉴다. 물론 원하는 템플릿을 클릭하면 작업창에 그 로고가 나타나고 바로 작업가능하다.

　우리는 책을 만들어야 하는데 아쉽게도 이 메뉴에는 책 디자인 템플릿과 판형별 작업창을 제공하지 않는다. 이는 당연한데 전자책이 아닌 종이책은 책날개-뒷표지-책등-앞표지-책날개로 구성되어 있기 때문에 기본 사이즈가 정해져 있지 않다. 책 페이지 수에 따라 책등 가로 길이가 수시로 변하기 때문이다.

　❷ 템플릿 : 메인 화면 좌측 메뉴인 [템플릿] 메뉴를 클릭하면 다양한 종류의 디자인 작업 사이즈와 샘플 이미지들을 선택할 수 있다.

　❸ 추천항목 : 메인 화면 가운데 메뉴인 [추천항목]을 통해서도 작업 사이즈를 선택할 수 있다. 화면에 보이지 않는 디자인 종류들은 우측 화살표를 클릭하면 확인가능하다.

　❹ 디자인 만들기, ❺ 맞춤형 크기 : 작업창을 여는 여러 메뉴들이 있지만 책 표지를 디자인 하려면 [디자인 만들기]나 [맞춤형 크기] 메뉴를 활용해야 한다. 다른 메뉴들은 직접 사이즈를 입력할 수 있는 기능이 없고, 미리 세팅되어 있는 사이즈에서 작업해야 한다. 그러나 [디자인 만들기]나 [맞춤형 크기] 메뉴는 작업할 사이즈를 입력할 수 있다. [디자인 만들기]와 [맞춤형 크기] 메뉴는 메인 화면 우측 상단에 있다. [디자인 만들기] 메뉴를 클릭하면 하단에 새로운 창이 열리는데 다양한 작업 사이즈를 선택할 수 있다. 우리는 책을 만들기 위해 사이즈를 입력해야 하기 때문에 하단에 있는 [맞춤형 크기] 메뉴를 클릭한다. [디자인 만들기] - [맞춤형 크기] 과정을 거치기보다 바로 [맞춤형 크기]를 입력하고 싶다면

❺번 위치에 있는 **[맞춤형 크기]** 메뉴를 클릭한다.

[디자인 만들기] 메뉴에서 **[맞춤형 크기]**를 선택하거나 **[맞춤형 크기]** 메뉴를 바로 선택하면 아래와 같이 동일한 창이 나타난다. 이 창에 가로 세로 길이를 입력해야 하는데 주의해야 할 부분은 단위를 픽셀(PX)이 아니라 mm로 수정해야 한다.

원하는 판형의 가로, 세로 사이즈를 입력하고, 단위도 mm로 변경했다면 하단의 **[새로운 디자인 만들기]** 버튼을 클릭하면 아래와 같이 새로운 작업창이 열린다.

앞의 작업 창은 책 표지 사이즈를 임의로 정해 만든 작업창이다. 판형 부분에서도 보았듯 책 표지는 책 날개, 앞 표지, 뒷표지, 책등 두께까지 모두 계산해서 입력해야 한다. 책등 두께는 부크크 플랫폼에서 계산가능하다.[4부. 3.2.1.5 페이지수와 책등 두께 p.216 참조] 이제 작업 창이 열렸다. 작업 창 좌측에 보면 다양한 샘플이미지(템플릿)들이 있는데, 캔바에서 동일한 사이즈의 이미지들을 맞춤식으로 제공해 준다. 이제부터 작업창을 활용하는 방법을 살펴보자.

3.2.3 작업 페이지

3.2.3.1 상단 메뉴

원하는 크기를 결정한 후 작업 창이 열리면 본격적으로 작업할 수 있는 화면이 뜬다. 실제 작업 페이지의 기능들을 알아보자.

❶ 홈 : 메인화면으로 돌아간다.

❷ 파일 : 작업하는 파일의 저장, 가져오기(열기), 설정, 복사, 다운로드, 제목 확인 및 변경을 할 수 있는 기능이다.

❸ Magic Switch : Pro 회원에게만 지원하는 기능으로 작업 중인 디자인을 유지하면서 다른 크기로 변경할 수 있는 기능이다. 무료회원은 처음 크기를 중간에 변경할 수 없다. 새로운 크기의 창을 다시 띄워야 한다.

❹ 왼쪽, 오른쪽 방향 화살표 : 왼쪽 방향 화살표는 작업 취소 기능으로 그 전 작업으로 되돌아가며, 오른쪽 방향 화살표는 취소했던 것을 다시 실행하는 기능이다.

❺ 변경 사항 저장 : 변경된 내용이 모두 저장되었는지 확인할 수 있는 기능이다.

❻ 제목 확인과 변경 : 작업 중인 파일의 제목을 확인하고 변경할 수 있는 기능이며, 현재 작업하는 창의 크기도 확인가능하다. 제목으로 파일 검색이 가능하기 때문에 적절한

제목을 붙이면 유용하다.

❼ Canva Pro 사용해 보기 : Pro 버전으로 변경할 수 있는 기능으로 30일 무료 사용 가능하다. 무료 회원일 경우만 활성화된다.

❽ +, 그래프 : [+]는 디자인을 공유할 수 있는 기능이며, [그래프]는 자신의 디자인을 얼마나 많이 조회했는지 분석할 수 있는 기능이다. [+] 기능을 사용해 디자인 공유를 위해 팀원을 초대하길 원한다면 단체 회원으로 변경해야 하지만 굳이 이 [+] 기능이 아니더라도 ❾ [공유] - [협업링크] 기능으로 얼마든지 협업 가능하다.

❾ 공유 : [+] 기능, 다운로드, 협업링크, SNS 공유 기능 등을 담고 있다. 작업을 완료한 후 파일을 다운로드(PDF, PNG, JPG)할 때 사용하는 아주 중요한 기능이다.

이 중 [❷ 파일], [❸ Magic Switch], [❾ 공유] 기능에 대해서 자세히 알아보자.

상단메뉴 중 [❷ 파일]을 클릭하면 하단으로 길게 메뉴가 나타난다. 가장 첫 메뉴로 작업하는 파일의 제목을 입력할 수 있다. 기본값은 '제목 없는 디자인'이라는 이름과 함께 작업 틀의 크기가 입력되어 있다. 연필표시를 눌러 원하는 파일명으로 변경할 수 있다.

[새로운 디자인 만들기]는 새로운 작업 페이지를 열 수 있으며 맞춤형 크기부터 다양한 사이즈의 추천 페이지를 볼 수 있다.

[파일 가져오기]는 기존에 가지고 있는 이미지가 있을 경우 업로드하는 기능이다. 캔바에서 제공하는 이미지가 아니라 본인이 소유하고 있는 파일을 이용하고 싶을 때 이 기능을 사용한다. 왼쪽 메뉴 중 [업로드 항목]과 동일한 기능으로

이미지를 드래그(끌어 놓기)해서 놓아도 되고, **[파일선택]**을 눌러 폴더를 찾아 이미지를 업로드할 수 있다.

[설정 보기] 기능은 책 표지 만들기에서 아주 중요한 기능이다. 책 표지를 만들 때 책 날개, 뒷 표지, 책 등, 앞 표지, 제본 시 재단 될 여백을 미리 가이드 선으로 그려 두어야 한다. 이 가이드 선이 없으면 이미지가 어느 위치에 자리할지 가늠하기 쉽지 않다. **3부. 1. 판형에 따른 표지 크기**에서 보았던 책 표지 전체 사이즈의 가로 세로 가이드 선이 있어야 책 표지 디자인이 가능하다. 이 가이드 선을 만들려면 **[눈금자 및 가이드 표시]**가 체크

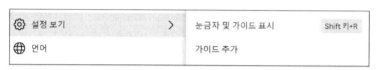

되어 있어야 한다. 체크되어 있지 않으면 가이드 선을

만들 수도 볼 수도 없다. **[가이드 추가]** 기능은 가로, 세로 가이드를 추가할 수 있는 기능이지만 이 기능으로 책 표지 가이드 선을 추가하기는 어렵고, 책 표지 만들기 실습에서 자세하게 살펴볼 것이다.

[저장 기능]은 굳이 사용할 필요가 없는데 캔바는 기본적으로 자동 저장 기능을 지원한다. 그럼에도 한번 더 확실하게 저장하고 싶다면 이 메뉴를 활용한다. **[폴더에 저장]**은 폴더를 만들어 폴더별로 저장할 때 활용할 수 있다. **[복사]**는 현재 작업 중인 창과 동일하게 그대로 복사해 새 창을 띄울 때 사용한다.

[다운로드]는 작업이 모두 끝난 후, 이미지를 다운로드할 때 사용하는 메뉴다. **[다운로드]**는 이 메뉴에서도 가능하고, 상단 메뉴인 **[❾ 공유] – [다운로드]** 메뉴에서도 가능하다. 상단 메뉴인 **[공유] – [다운로드]**를 클릭하면 **[파일] – [다운로드]**와 동일한 창이 열린다.

다운로드 파일 형식이 다양한데, 각 형식마다 특징이 있고, 템플릿에 따라 캔바에서 가장 적절한 형식을 '추천'한다. 그러나 꼭 '추천'한 파일 형식을 따를 필요는 없다. SNS나 웹페이지에 올릴 용도라면 **[PNG]**나 **[JPG]** 형식으로, 책 표지로 인쇄하기 위해서는 **[PDF 인쇄]** 형식을 선택한다.

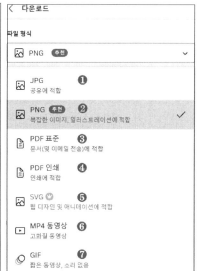

❶ JPG : PNG와 함께 사용되는 대표적인 이미지 파일 형식이다. JPG는 색상이 풍부한 고품질 디지털 사진을 효율적으로 저장하도록 설계되었는데 파일을 압축할 때 손실 압축 방식을 사용한다. 파일이 압축될 때 이미지의 일부 데이터를 영구적으로 삭제하는데 이를 통해 파일 용량은 작아지나 파일을 편집하고 저장할 때마다 데이터 손실로 파일 품질이 저하될 수 있다. 그러나 이런 방식 때문에 용량이 작아 색상이 풍부한 고품질 디지

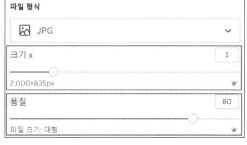

털 사진을 효율적이고 간편하게 저장, 업로드, 공유할 수 있다. 캔바에서 JPG를 설명할 때 '공유에 적합'이라고 적은 이유기도 하다. Pro회원은 파일의 크기와 품질을 선택할 수 있다. 크기는 다운로드 받은 이미지의 크기며, 품질 값이 높아질수록 해상도는 뛰어나다.

❷ PNG : PNG는 무손실 압축 방식을 사용하므로 이미지가 압축될 때 손실되는 데이터가 없다. 아무리 파일을 편집하고 저장해도 이미지 품질이 유지되고 이미지가 흐려지거나 왜곡되지 않는다. 이 때문에 선명한 로고나 수치가 많이 포함되는 그래프에 많이 사용한다. 그러나 무손실 압축 방식이기 때문에 용량이 크고, 저장 공간 문제나 웹페이지 반

응 속도도 느려진다. JPG와 달리 PNG는 투명배경을 지원한다. JPG는 색상을 넣지 않은 빈 공간은 모두 흰색으로 처리해 저장하나 PNG는 투명 배경으로 저장가능하다. PNG 파일형식의 장점 중 하나다. 아쉽게도 투명배경 지원은 Pro회원만 가능하다. 투명배경과 무손실 압축방식 덕에 PNG는 다양한 배경색과 잘 어울리며, 텍스트 중심의 그래픽에 적합하다. 로고의 경우 이미지가 작아 용량의 제한도 크지 않고, 다양한 배경색에 사용해야 하기 때문에 PNG가 더 적절한 방식이다.

❸ PDF 표준 : 컴퓨터나 스마트폰 화면으로 볼 문서를 저장할 때 선택한다.

❹ PDF 인쇄 : 작업한 이미지를 책으로 인쇄, 출력할 계획이라면 이 파일형식으로 저장해야 한다. PDF 인쇄는 다른 형식에 없는 RGB, CMYK 선택 기능이 하나 더 있다. PDF 표준은 화면으로 보기에 적합하기 때문에 RGB나 CMYK를 선택할 필요가 없다. 그러나 PDF 인쇄는 출력을 위한 것이기 때문에 RGB나 CMYK 중 하나를 선택해야 한다. CMYK로 저장해야 변환된 PDF 파일을 화면으로 보는 색상과 출력 후 색상 차이가 적

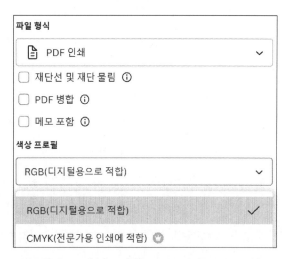

다. 물론 RGB로 저장해 CMYK와 비교해 보고 어떤 표지로 결정할지 선택해도 상관없다. 종이책 표지를 만들기 위해서는 화면으로만 보면 안 된다. 프린터로 꼭 출력해서 확인해야 한다. 프린터를 사용해 출력하는 방법은 뒤에서 살펴볼 것이다. CMYK 기능은 노란색 왕관 표시에서도 보이듯 Pro 회원에게만 제공한다.

❺ SVG : 벡터 이미지에서 설명했듯 확대나 축소해도 픽셀이 깨지지 않는 파일형식으로 저장하고 싶을 때 선택한다. 무료 회원에게는 제공되지 않는다.

❻ MP4 동영상 : 동영상 파일로 SNS에 올리고 싶을 때 이 파일형식으로 저장한다. GIF 파일 형식으로 올리면 움직이는 이미지로만 보인다.

❼ GIF : 움직이는 이미지 파일 형식이며, 소리는 제공되지 않는다. 동영상 파일을 만들고 싶다면 MP4 동영상을 선택해야 한다.

파일 형식을 선택했다면 저장할 페이지를 선택해야 한다. 작업을 하다보면 한 페이지에서만 작업하는게 아니라 여러 페이지를 만들어 작업할 수밖에 없다. 작업한 이미지를 파일로 저장할 때 여러 페이지들 중에 어느 페이지를 파일로 저장할지 선택해야 한다. 모든 페이지를 다 이미지 파일로 저장할 수도 있고, 내가 원하는 파일 하나만 저장할 수도 있다. 모든 페이지가 아닌 몇 개 페이지만 선택해 저장할 수도 있는데 이 경우 압축 파일로 저장되기 때문에 저장 후 압축을 풀고 사용해야 한다. 기본값은 '모든 페이지'기 때문에 선택 변경을 하지 않으면 작업한 모든 페이지가 파일로 저장된다.

❾ [공유] 기능은 [다운로드] 기능 외에도 요긴하게 활용할 수 있는 기능이 있는데 바로 [협업링크] 기능이다. 이 기능은 [본인만 액세스 가능] 이라고 초기 설정되어 있지만 오른쪽 화살표를 누르면 링크 주소로 접근하는 모든 사용자가 디자인에 접근가능한 링크 주소를

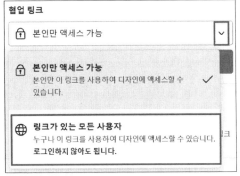

복사할 수 있다. 링크 주소를 받는 사람이 디자인을 편집할 수 없고 보기만 할 수 있는 **[보기 가능]**, 편집까지 가능한 **[편집 가능]** 메뉴가 있다. 협업으로 수정까지 하도록 하려면 당연히 **[편집 가능]**으로 설정해야 한다. **[보기 가능]**으로 변경하고 싶으면 메뉴 오른쪽 화살표를 눌러 **[보기 가능]**으로 수정한다. 이후 하단의 **[링크 복사]** 메뉴를 클릭하면 링크 주소가 복사된다. 이 주소를 다른 이들에게 보내면, 디자인에 접근가능하며, 편집도 가능하다.

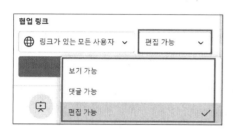

❸ **[Magic Switch]** 기능은 작업 페이지의 크기를 조정할 때 사용한다. 이 메뉴는 유료 회원만 사용가능하며 이전까지 **[크기 조정]**이라는 메뉴명이었으나 최근 바뀌었다. 새로운 기능을 추가하였는데 디자인 언어를 다른 언어로 번역하는 기능과 AI기능을 적용해 디자인을 언어화하여 요약하거나 블로그 게시물이나 노래가사로 변환해 주는 기능이 추가되었다. 그러나 책 표지를 만들 때 이런 기능이 많이 활용되지 않아 기존의 **[크기 조정]** 메뉴 위주로 설명하겠다. 작업 페이지를 만들 때 이미 작업 페이지의 크기를 결정하고 시작했지만 디자인 작업을 하다보면 작업한 내용은 유지하면서 작업 페이지 크기를 조정하고 싶을 때가 있다.

[Magic Switch] 메뉴 가운데 위치한 **[크기 조정]** 기능은 다양한 사이즈의 작업 틀을 제공하며, 하단에는 카테고리별로 묶어서 제공한다. 캔바에서 제공하는 사이즈 틀 중 원하

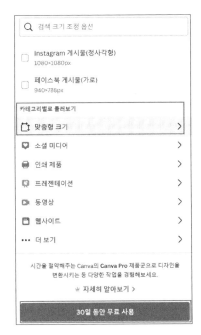

는 사이즈의 작업 틀이 없다면 맞춤형 크기를 선택해 사이즈를 직접 입력해야 한다. 이렇게 사이즈를 입력하거나 선택하면 기존 작업 틀 사이즈가 변경되어 적용된다. 즉, 따로 작업 페이지를 사이즈에 맞게 번거롭게 선택해 열지 않아도 된다. 그러나 무료 회원인 경우 왼쪽 그림처럼 **[30일 동안 무료 사용]**(기간에 따라 프로모션 할인을 할때도 있음)이라는 버튼만 보인다. 즉, 유료 회원일 경우만 이 메뉴가 이용 가능하다는 말이다. 무료 회원이더라도 굳이 이 메뉴는 필요 없는데 새로 작업페이지 크기를 선택하거나 입력해 창을 띄운 후 기존 작업물을 복사해 사용하면 된다.

　예를 든다면 로고 사이즈로 작업하다가 페이스북 커버 사이즈로 변경하고 싶다면, **[크기 조정]** 기능에서 페이스북 커버를 선택하고 하단의 **[복사 및 크기 조정]**을 클릭하면 새 창이 열리면서 변경된 사이즈에 원본 내용이 조정된다. **[복사 및 크기 조정]** 메뉴 아래 **[크기 조정]** 메뉴를 클릭하면 현재 작업 페이지에서 바로 사이즈가 변경된다. **[복사 및 크기 조정]**을 클릭하든, **[크기 조정]**을 클릭하든 작업하던 원본 내용은 그대로 유지되니 겁 먹을 필요없다.

사이즈가 잘못되었다면 상단 화살표를 사용해 이전 작업으로 되돌아가면 된다.

3.2.3.2 가운데 메뉴

작업 페이지의 가운데 메뉴는 내가 원하는 템플릿을 선택하면 작업할 수 있는 화면이다. 좌측에 있는 여러 템플릿들은 추천 템플릿으로 작업 크기에 맞는 템플릿을 추천해 준다. 템플릿이 마음에 들지 않으면 좌측 상단의 **[템플릿 검색]** 창에 원하는 이미지명을 입력해 검색가능하다. 추천 템플릿은 내가 지정한 크기에 맞는 템플릿 위주로 보여주기 때문에 더 다양한 템플릿을 보고 싶다면 캔바 홈으로 나와(왼쪽 상단 Canva 로고 클릭) 홈화면 가운데 검색 창에서 원하는 이미지명을 검색한다. 이 검색창에서 검색하면 모든 사이즈의 템플릿을 볼 수 있다. 원하는 템플릿을 마우스로 선택해 복사해 와서 기존에 작업중인 화면에 템플릿을 붙여도 된다. **[p.140 템플릿 고르기 참조]**

템플릿 선택이 끝나고 더 이상 템플릿 선택 부분을 보고 싶지 않다면 템플릿 선택 화면(검은색)과 페이지 화면(흰색) 사이 경계에 화살표가 있다. 화살표를 클릭하면 템플릿 선택 화면이 사라지고 작업 페이지가 크게 자리 잡는다. 다시 템플릿 선택 화면을 보고 싶다면 좌측 상단의 **[디자인]** 메뉴를 클릭한다.

작업화면으로 집중해서 본다면 하단의 **[+ 페이지 추가]** 기능은 말 그대로 페이지를 하나 더 추가하는 기능이다. 작업을 하다보면 다양한 템플릿을 사용해 보고 싶고 당연히 새 작업 페이지가 필요하기 때문에 그 때 이 기능을 사용한다. 페이지가 늘어나면 더 많은 기능이 상단에 활성화되기 때문에 상단부터 하나씩 설명하도록 하겠다. 작업할 페이지의 작업 틀을 클릭하면 아래와 같은 메뉴들이 나타난다.

❶ 배경 색상 : 디자인의 배경이 되는 색상을 나타낸다. 클릭해서 색상을 변경할 수 있다.

❷ 애니메이션 : 파워포인트 프로그램의 애니메이션과 동일 기능으로 페이지에 있는 여러 요소들의 움직임을 설정할 수 있다. 애니메이션 기능을 이용했다면 요소들의 움직임이 있다는 의미며, 움직이는 요소들을 저장하려면 MP4 동영상이나 움직이는 이미지가 가능한 GIF 파일로 해야 한다. 애니메이션에 대한 자세한 기능은 **[4.3.2 템플릿 편집하기]** – **[이미지 편집]**에서 다루겠다.

❸ 시간 : 애니메이션과 관련된 기능으로 **[시간]**은 요소들의 움직임을 몇 초 동안 진행할지 선택하는 기능이다.

❹ 위치 : **[위치]**는 각 요소들의 위치를 변경하거나 정렬을 맞출 때 사용한다. **[위치]**에

대한 자세한 설명은 **[4.3.2 템플릿 편집하기]** – **[이미지 편집]**에서 다루겠다.

❺ 스타일 복사 : **[4.3.2 템플릿 편집하기]** – **[이미지 편집]**에서 다루겠다.

❻ 배경 잠금 : 디자인 배경이 작업 도중에 움직이지 않도록 잠그는 기능이다.

❼ 페이지 1 - 페이지 제목 추가 : 페이지가 2장 이상일 때부터 보이는 기능으로 페이지마다 제목을 지정할 수 있다. 페이지가 1장 일 때는 보이지 않으며 상단 파란색 부분의 제목이 페이지의 제목이 된다. 이미지를 다운로드할 때 제목이 파일명으로 설정된다.

❽ 위, 아래 이동 : 작업페이지가 여러 개일 때 페이지 순서를 바꿀 수 있다. 아래에 있는 페이지를 위로 올리거나 위에 페이지를 아래로 내릴 때 사용한다.

❾ 페이지 잠금 : 작업 중인 모든 요소들의 이동, 편집이 불가능하도록 만드는 기능이다. 각 디자인 요소별로도 잠금이 가능하나, 본 기능은 전체 요소를 동시에 잠그는 기능이다. 여러 페이지를 열어두고 작업하다가 실수로 편집이 되지 않도록 할 때 사용한다.

❿ 페이지 복사 : 현재 작업 페이지를 아래 페이지에 동일하게 복사하는 기능이다. 아래에 똑같은 디자인의 새 페이지가 추가된다.

⓫ 페이지 삭제 : 작업 페이지를 삭제하는 기능이다.

⓬ 페이지 추가 : 새로운 작업 페이지를 추가하는 기능이다. **[+ 페이지 추가]**와 같은 기능이다.

⓭ 댓글 달기 : 작업에 대한 댓글을 추가하거나 언급할 수 있다.

⓮ 참고 : 캔바 디자인 화면을 프리젠테이션 모드로 바꾸어 실제 청중들을 대상으로 프리젠테이션도 가능하다. 이때 메모를 적을 수 있는 창이 열리는 기능이며, 발표시 메모는 발표자만 볼 수 있고, 청중이 보는 전체 창은 따로 열린다. **[⓲ 전체화면 프리젠테이션]**과 관련된 기능이다.

⓯ 페이지 수 보기 : 현재 페이지가 전체 페이지 중에 몇 번째 페이지인지 알리는 기능이다.

⓰ 화면 비율 조정 바 & 화면 비율 : 화면 비율 조정 바는 작업 페이지의 화면을 확대하거나 축소할 때 사용하며, 화면 비율은 현재 작업 페이지의 화면 비율을 보여주는 기능이다.

❼ 그리드 뷰 : 여러 장의 작업 페이지를 한 눈에 보여주는 기능이다.

❽ 전체화면 프리젠테이션 : 작업 페이지 전체를 모니터 전체화면 프리젠테이션으로 볼 수 있는 기능이다. 발표자만 볼 수 있는 메모를 달고 싶으면 [❹ 참고] 기능을 활용하면 된다.

❾ 도움말 : 캔바와 관련된 궁금한 점을 검색할 수 있다.

❿ 캔바 어시스턴트 : 원하는 디자인 요소를 단어로 검색할 수 있도록 돕는 기능이다. 파워포인트(ppt)의 [삽입] - [클립아트] 검색과 비슷한 기능이다.

3.2.3.3 왼쪽 메뉴

작업 페이지의 왼쪽 메뉴는 실제 작업 편집과 관련이 많은 기능들을 모아두었다. 다룰 내용이 많아 따로 한 장을 할애해 [4. Canva로 표지 디자인하기]라는 제목으로 편집 기능에 대해 설명하겠다. 필자가 주문형 출판으로 직접 출판한 『진로도 나답게』 책 표지를 샘플로 사용해 표지 편집 방법을 작업 페이지 왼쪽 메뉴와 함께 설명할 것이다.

4. Canva로 표지 디자인하기
4.1 작업 페이지 크기 정하기

모든 디자인이 그렇듯 책 표지를 디자인하려면 먼저 작업할 크기를 정해야 한다. 『진로도 나답게』 책은 일반 단행본 사이즈인 A5(국판) 크기다. 앞에서도 말했듯 책 표지를 펼치면 왼쪽부터 책 날개, 뒷표지, 책등, 앞표지, 책날개로 이루어진다. 책을 만들 때 잘려나가는 여백 3mm도 모두 수치를 계산해야 한다. 다음 그림과 같이 하나의 작업 페이지에 책 표지의 모든 것이 담겨있도록 만들어야 제본이 가능하다.

주황색 부분까지 표지 크기며 제본 때 상하좌우 3mm씩 제단되는 여백 남김

우리는 부크크라는 플랫폼을 활용할 것이기 때문에 부크크에서 제공하는 기본적인 사이즈를 입력해 계산한다. 여백(3mm), 책 날개(앞, 뒤 각각 100mm), 책 표지(앞, 뒤 각각 148mm, A5 국판 가로 사이즈)는 이미 정해져 있다. 그러나 페이지 수에 따라 책 두께가 달라지기 때문에 책등은 페이지 수에 따라 수치가 달라진다. 책등 두께는 부크크 사이트에서 페이지수를 입력하면 자동으로 확인할 수 있다. 부크크를 통해 책등 두께 확인 방법은 부크크를 다루는 장에서 설명하겠다. **[4부. 3.2.1.5 페이지수와 책등 두께 p.216 참조]** 『진로도 나답게』는 243페이지로 부크크를 통해 확인한 책등 두께(종이에 따라 달라진다.)는 14.965mm(23년 10월 기준)로 15mm로 하겠다. 책등 두께를 포함한 책 표지의 전체 가로 길이는 517mm(3mm+100mm+148mm+15mm+148mm+100m+3mm) 전체 세로 길이는 216mm(3mm+210mm+3mm)다. 세로 길이는 A5(국판) 사이즈가 이미 정해져 있기 때문에 그 길이에 아래 위 여백을 더한 길이다.

이제 이 가로, 세로 길이를 캔바 작업 페이지 크기로 입력한다. 캔바 메인 화면 상단 우측의 **[디자인 만들기]** - **[맞춤형 크기]**를 클릭해 수치를 입력한다. 단위는 픽셀로 기본 세팅되어 있어 꼭 mm로 변경한 후 입력해야 한다. 수치 입력이 끝난 후 **[새로운 디자인 만들기]**를 클릭하면 새로운 작업 페이지가 나타난다.

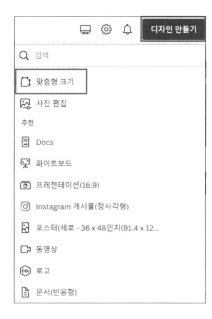

전자책에 필요한 표지를 만들어야 할 수도 있는데 전자책은 앞 표지만 있기 때문에 표지 펼침면 전체를 만들 필요가 없다. 제본할 필요도 없으니 여백 3mm를 더할 필요도 없다. A5 판형이라면 앞 표지 사이즈인 가로 148mm, 세로 210mm 그대로 작업 페이지를 설정해 표지를 만든다.

4.2 가이드 선 그리기

입력한 가로, 세로 길이만큼 작업 페이지가 열리면 반드시 먼저 해야 할 일이 있다. 바로 '가이드 선 그리기'다. 작업 페이지는 전체 크기만 제공되기에 여백, 책날개, 책표지,

책등이 어느 위치에 자리 잡을지 미리 가이드 선을 그려둬야 한다. 상단 메뉴의 **[파일]** – **[설정 보기]** – **[눈금자 및 가이드 표시]**를 클릭한다. 이 작업 후 작업 페이지 가로 세로부분에 mm가 표시된 눈금자가 나타난다.(설정하기 전과 후의 작업 페이지 화면을 비교해 보라.) 이 눈금자가 표시된 작업 페이지 위에 마우스 포인트를 올려두고 오른쪽 버튼을 누르면 아래와 같이 **[#가이드]** – **[수평 가이드 추가, 수직 가이드 추가]**라는 기능이 표시된다.

수평 가이드는 가로 선이며, 수직 가이드는 세로 선이다. **4.1 작업 페이지 크기 정하기**의 책 판형 사이즈 그림에서 볼 수 있듯이 수평 가이드인 가로 선은 2개, 수직 가이드인 세로 선은 6개가 필요하다. 먼저 **[수평 가이드 추가]**를 클릭하면 다음과 같이 가로 선이 하나 나온다. 이 선을 마우스로 움직여 가이드 선의 위치를 조정한다. 눈금자 수치가 세밀하게 보이지 않으면 하단 확대 바를 오른쪽으로 움직여 눈금자를 최대한 확대한 후 사용하면 훨씬 수월하고, 정확한 위치에 가이드 선을 둘 수 있다. 가이드 선 위치가 정확하지 않으면 글자나 이미지가 제 위치가 아닌 엉뚱한 곳(특히 책등)에 자리 잡을 수 있으니 가이드 선 그리기는 아주 중요하다.

아래 왼쪽 눈금자는 55% 수준의 눈금자다. 한 칸당 20mm 눈금자이기 때문에 3mm를 확인할 수 없다. 오른쪽 눈금자는 최대 확대 크기인 500% 수준으로 한 칸당 2mm다. 붉은 색 선이 위치한 곳이 1mm다. 이처럼 가이드 선을 설정하기 위해선 하단에 있는 작업 페이지 확대 조정 바를 오른쪽으로 움직여 최대 크기 500%로 확대한 후 세팅해야 정확하다.

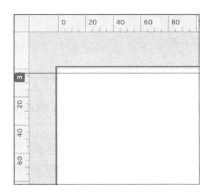 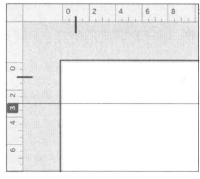

상단 여백 3mm 가이드 선에 이어 이제 남은 하단 여백 3mm 가이드 선을 더 만든다. 같은 방식으로 [수평 가이드 추가]를 클릭하면 가로 선이 하나 더 생성된다. 우리는 상단 3mm, 하단 3mm 선이 필요한데, 주의해야 할 점은 mm 시작점이 상단 왼쪽부터 측정된다. 그렇기 때문에 하단 3mm 선은 상단 여백 3mm + 책 세로길이 210mm인 213mm에 와야 한다. 세로 총 길이가 216mm이기 때문에 213mm에 가이드 선이 위치하면 하단에서 3mm 위쪽 지점에 위치한다.

수평 가이드인 가로 선은 끝났다. 이제 수직 가이드인 세로 선을 그어야 한다. 같은 방식으로 **[수직 가이드 추가]**를 클릭한다. 여백 3mm 세로 가이드 선을 먼저 만든다. 다음에는 뒷 책날개가 와야 하니 책 날개 길이 100mm 가이드 선을 두어야 하는데 기존 여백 3mm를 더한 103mm에 와야 정확히 책날개가 끝나는 지점에 가이드 선이 만들어진다. 그리고 뒷 표지가 148mm기 때문에 가이드 선은 여백 3mm + 책 날개 100mm를 더한 251mm에 두어야 뒷 표지가 끝나는 지점에 가이드 선이 위치한다. 책등은 15mm기 때문에 251mm에서 15mm를 더한 266mm에 두어야 한다. 여기에 앞 표지 148mm를 더하면 앞표지가 끝나는 지점은 414mm, 앞 책날개 100mm까지 더하면 끝나는 지점은 514mm다. 자연스럽게 마지막 여백 3mm는 남는다.

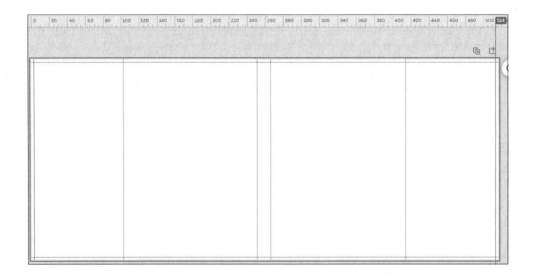

이제 책 표지를 만들기 위한 모든 가이드 선이 완성되었다. 한 눈에 책등이 어디 있는지, 앞표지와 책날개가 어디 있는지 확인가능하다. 그런데 작업을 하다보면 가이드 선을 삭제해야 하거나 아니면 한번 정한 가이드선이 움직이지 않도록 고정해야 할 때가 있다. 이 경우 **[수평 가이드 추가]**, **[수직 가이드 추가]**를 위해 마우스 오른쪽 버튼을 눌러 메뉴를 불러온 것과 동일하게 클릭하면 이전에 보이지 않는 새로운 기능이 보인다. 이 기능은 가이드 선이 생기면 보이는 기능인데 바로 **[가이드 삭제]**와 **[가이드 잠금]**이다. **[가이드 삭제]**

를 클릭하면 모든 가이드가 삭제된다. **[가이드 잠금]**을 클릭하면 모든 가이드가 그 지점에서 잠겨 움직이지 않는다. 디자인 작업을 하다보면 수시로 가이드 선을 건드려 움직일 때가 있는데 이를 막기 위해 **[가이드 잠금]**은 반드시 해 두는 게 좋다. **[가이드 잠금]**을 해제하고 싶으면 동일한 과정을 거쳐 **[가이드 잠금 해제]**를 클릭한다. **[가이드 잠금 해제]**는 **[가이드 잠금]**된 상태에서만 활성화된다. 그리고 화면 상단에 **[제목없는 디자인 - 517mm × 216m]** 라는 제목을 원하는 제목으로 수정해도 된다. '캔바로 표지 디자인하기'라고 수정해 보자. 이제 본격적인 디자인 작업에 들어가는데 제목부터 제대로 입력하고 시작하자.

4.3 템플릿 고르기와 편집하기

4.3.1 템플릿 고르기

작업 페이지 크기와 가이드 선 지정이 끝났으면 디자인할 판이 마련되었다는 뜻이다. 이제 이 하얀 작업 페이지에 책 표지 디자인을 만들어야 한다. 그런데 디자인 툴을 처음 접하는 이들에겐 이 하얀 작업 페이지를 채울만한 실력이 없다. 걱정하지 말자. 바로 이를 위해 템플릿이라는 것이 있다.

템플릿은 누군가가 이미 만들어 놓은 디자인으로, 파워포인트(PPT)를 만들 때 누군가가 만들어둔 배경을 고르는 것과 동일한 개념이다. 캔바에서는 다양한 템플릿을 제공한다. 이 템플릿을 잘 검색해서 이용하면 굳이 전문가급의 디자인 지식이 없어도 상관없다. 템플릿은 전체가 통으로 만들어진 것이 아니라 다양한 사진과 요소들로 구성되어 있어 추가, 삭제, 변형이 가능하다. 이를 잘 활용하면 자신이 원하는 책 표지를 어느 정도 구현할 수 있다. 템플릿을 고를 때 중요한 부분이 있는데 그냥 무턱대고 템플릿을 검색하거나 추천 템플릿을 보기보다 먼저 자신이 쓴 책과 비슷한 종류의 책들이 어떤 표지들을 사용하고 있는지 확인하는 것이다. 다양한 책 표지들을 많이 보면 볼수록 책 표지에 대한 안목이 높아져 디자인할 때 참고하기 좋다. 처음부터 새로운 디자인을 만든다는 건 너무 많은 시간과 노력을 요구하는 일이다.

템플릿을 제대로 활용하기 위해서는 화면 좌측에 있는 작업 메뉴들을 이해해야 한다.

❶ 디자인 : 템플릿을 검색하고, 확인할 수 있는 기능이다. 템플릿 관련한 모든 기능은 이 메뉴를 클릭해야 한다.

❷ 템플릿 검색 : 캔바는 작업 페이지 왼쪽에 사이즈에 맞는 템플릿을 추천한다. 그러나 원하는 템플릿이 없을 경우 단어를 입력해 템플릿을 검색할 수 있다.

❸ 템플릿 : 추천 템플릿 확인 기능이다.

❹ 스타일 : 색상 배치(배색)를 전문적으로 도와주는 기능이다. 기존 템플릿에 사용된 색상을 다른 색상으로 교체하고 싶을 때 서로 잘 맞는 색상들을 배치해 준다.

❺ 템플릿 검색 추천 단어 : 클릭하면 단어에 맞는 템플릿을 추천해 준다.

❻ 추천 템플릿 : 추천된 템플릿을 나열해 보여주는 창이다.

[디자인] 메뉴는 사용자가 미리 정한 사이즈에 맞춘 템플릿을 검색해서 보여주기 때문에 종류가 많지 않아 종이책 표지 작업을 할 때는 사이즈에 맞는 템플릿을 검색하기보다 다른 방법을 사용해야 한다. 바로 캔바가 가지고 있는 모든 종류의 템플릿 중에서 검색하는 방법인데 작업하던 작업 페이지 창은 그대로 두고 새 창에 메인화면을 띄워 검색한다. 로

그인 상태가 계속 유지되기 때문에 캔바 새 창을 띄워도 다시 로그인할 필요는 없다.

『진로도 나답게』 책 표지에는 구름을 두고 싶었다. 진로를 나답게 찾아가려는 이들이 구름에 가려 잘 보이지 않는 자신의 진로를 발견해 가면서 구름이 점점 걷히는 의미를 표지에 담고 싶었다. 이런 템플릿은 직접 만든 책 표지 사이즈에서는 아무리 검색해도 나오지 않았다. 때문에 메인 화면의 검색창에 '구름 책표지'라는 단어로 검색했다. 아주 다양한 종류의 템플릿들이 검색 결과로 나왔으며 그중에 원하는 템플릿을 하나 선택했다.

원하는 템플릿을 클릭하면 새 창이 열리고 화면 오른쪽 **[이 템플릿 맞춤 편집]**을 클릭하면 새로운 작업 페이지가 나타난다. 이 템플릿 이미지를 책 표지 작업페이지로 옮기면 되는데 템플릿을 전체 복사(Ctrl + A 한 후 Ctrl + C)해 열려있는 책 표지 작업 페이지에

붙이면(Ctrl + V) 된다. 아래 그림은 작업 페이지에 복사해 붙인 표지 디자인이다. 작은 작업 페이지에서는 구름의 일부만 보였지만 실제 구름은 더 큰 이미지였다.

4.3.2 템플릿 편집하기

4.3.2.1 배경 이미지 만들기

내가 원하는 템플릿을 찾아 작업 페이지에 복사해 붙였지만 작업 페이지 사이즈 차이로 인해 가져온 이미지 크기가 맞지 않는다. 작은 사이즈에 맞춘 이미지들이기 때문에 이 이미지를 편집해야 한다. 그냥 가져온 이미지를 늘리면 되지 않겠느냐 생각하겠지만 캔바 이미지는 옆으로만 늘이거나, 아래로만 늘일 수 없다. 이미지를 늘이면 대각선 방향으로 이미지 전체가 늘어난다. 특히 가져온 이미지는 배경이 그라데이션34으로 되어 있기 때문에 대각선 방향으로 전체 이미지가 늘어나면 내가 원하는 색감을 얻을 수 없다. 이런 이유로 배경이미지만 여러 장 복사해 붙였으나 문제가 생겼다. 배경이미지에 테두리가 있어 겹칠 경우 검은 테두리선이 보였다. 이 테두리선은 제거가 안되는데, 테두리선 제거를 해

도 이미지 자체에 검은선이 있기 때문에 제거가 불가능했다. 그냥 포기할 것인가. 그럴 필요 없다. 바로 **[자르기]** 기능이 있기 때문이다. 자를 이미지를 마우스로 클릭하면 눈금자 상단에 여러 편집 메뉴들이 등장한다.

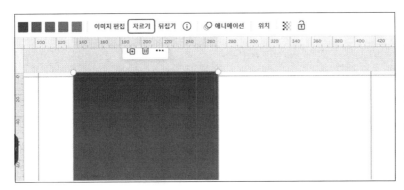

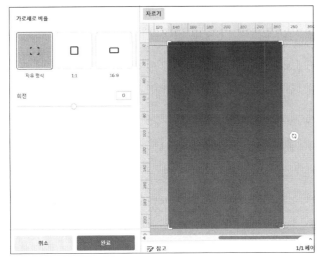

[자르기] 기능을 활용해 선이 보이는 외곽 테두리만 자를 것이다. 그러면 잘린 단면엔 테두리선이 없기 때문에 이어 붙여도 상관없다. **[자르기]**를 클릭하면 왼쪽 화면이 나타난다. 우리는 정해진 비율이 아닌 직접 자를 계획이기 때문에 **[자유 형식]** 메뉴를 선택해 오른쪽 그림의 흰색 모서리 4개를 활용해 자를 것이다.

하단 확대 바를 이용해 페이지를 확대해 테두리 선이 있는 부분만 제외하고 흰색 모서리를 안쪽으로 조금 옮겨둔다. 이후 좌측 하단에 **[완료]** 버튼을 누르면 바깥쪽 부분은 잘려 나간다. 너무 많이 자르면 안되는데, 제본시 잘려 나갈 아래 위 여백보다 배경 크기가 작으면 표지에 흰색이 보이기 때문이다. 가능하면 아래 위 3mm 여백 안으로 들어오게 잘라야 한다. 자른 후 배경화면을 복사해 이어 붙이면 테두리 없는 말끔한 배경이 만들어진다. 테두리 선이 있던 배경과 비교해 보라. **[자르기]** 기능은 이미지의 원하는 부분만 잘라 쓸 때 유용하다.

이제 이 배경 위에 원래 있던 구름만 복사해서 붙이면 된다. 그런데 구름이 같은 색상이 아니어서 앞 표지에 조금 더 흰색을 배치하고 싶어 구름 이미지의 좌우 바꾸고 싶었다. 이럴 경우 구름 이미지를 클릭하면 상단에 **[뒤집기]** 기능이 나온다. 이 기능을 클릭하면 **[수평 뒤집기]**와 **[수직 뒤집기]** 기능이 나오는데 좌우를 바꾸고 싶으면 **[수평 뒤집기]**를 클릭한다. 상하를 바꾸고 싶으면 **[수직 뒤집기]**를 클릭한다.

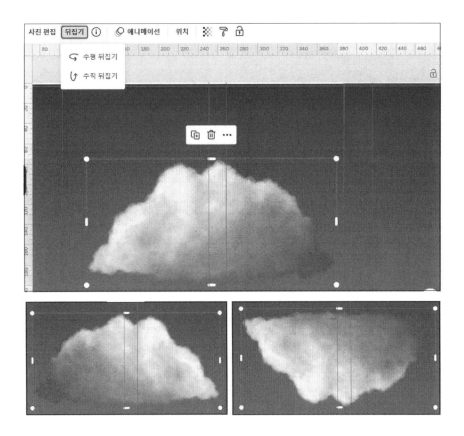

뒤집기 마무리 후 구름 크기 조정 뒤 자리를 잡으면 표지 배경화면은 끝난다. 여기서 주의해야 할 부분이 있다. 배경 전체를 같은 색으로 통일할지 아니면 책 날개는 흰색으로 남길지 결정해야 한다. 책 날개를 깔끔한 흰색으로 남기면 훨씬 더 눈에 잘 들어온다.

책 날개와 앞, 뒷 표지가 만나는 부분에 딱 맞추어 배경을 두기보다 책날개 쪽으로 조금 더 배경이 튀어 나가도록 배치하는게 좋다. 가이드 선에 정확하게 배경을 맞추면 책을 만든 후 책 날개 부분을 꺾을 때 정확하게 라인이 맞지 않으면 책 날개 흰색부분이 표지에 보이는 일이 벌어지기 때문이다. 그래서 여유를 두고 배경이 책 날개 쪽으로 더 튀어 나오도록 둔다. 이제 여기에 제목, 소제목, 출판사명, 책 소개, 저자소개를 입력하면 책 표지 작업은 어느 정도 마무리 된다. 그러나 이게 편집 기능의 끝이 아니다. 템플릿 편집 기능에 대해 좀 더 알아보자. 템플릿 편집은 **[이미지 편집]**과 **[사진 편집]**으로 나뉜다.

4.3.2.2 이미지 편집하기

배경 이미지를 클릭하면 상단에 여러 메뉴가 나타나는데 **[자르기]**와 **[뒤집기]**는 앞에서 설명했고, 설명하지 않은 메뉴 위주로 살펴보자.

❶ 이미지편집 : 이미지를 다양한 필터로 효과를 줄 수 있는 기능이다.

❷ 정보 : 현재 이미지를 만든 저작자의 정보를 알려주며, 동일한 저작자가 만든 다른 이미지도 확인할 수 있다.

❸ 색상 : 클릭한 이미지에서 사용된 색상을 보여준다. 색상 하나를 클릭하면 왼쪽에 새로운 창이 뜬다. 다음 그림을 보면 클릭한 이미지에 총 5가지 색상이 쓰였다. 5가지 색상 중 아무 색상이나 마우스를 가져가면 #으로 시작하는 기호가 나온다. 이 기호는 헥스(HEX) 컬러 코드로 RGB 색상 코드 표기법이다. 5가지 색상 중 가운데 색상에 마우스 가져가면 #33678f임을 알 수 있다. 색상을 눈으로 보며 헥스 컬러 코드기호를 확인하려면 왼쪽의 + 표시로 된 **[새로운 색상 추가]** 기능을 누른다. 원하는 색상을 클릭하면 그 색상의 코드 기호를 확인할 수 있다. 이 기능은 다양한 색상을 눈으로만 어림해 확인할 것이

아니라 코드기호를 알면 정확하게 그 색상을 상단 검색창에서 검색할 수 있고, 원하는 곳
에 색상을 바꿀 수 있다.

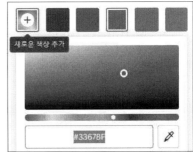

다른 색상을 클릭하면, 원래 색상
에서 클릭한 색상으로 변경된다. 다
시 [색상] 메뉴로 돌아와 설명을 계
속해보면, 가운데 [사진 색상]이라는
기능이 있는데 [사진 색상]은 구름
의 색상을 뜻한다. 함께 사용된 구
름은 이미지가 아니라 사진이라는
의미다. 사진의 색상코드도 동일하게 확인 가능하다.

❹ 테두리 스타일 : 이미지에 테두리를 넣을 수 있는 기능이다. 테두리 종류, 두께를 조
정할 수 있으며, 모서리를 둥글게 할 수 있는 기능도 있다.

❺ 애니메이션 : 애니메이션은 페이지 전체의 이미지나 개별 이미지를 움직일 수 있도
록 하는 기능이다. [페이지 애니메이션] 기능은 페이지 내에 있는 전체 이미지들을 움직일
수 있도록 하는 기능이다. [요소 애니메이션]은 해당 이미지를 클릭해야만 설정가능하며,
그 이미지나 요소만 움직일 수 있도록 하는 기능이다. 애니메이션이 제대로 저장되려면
움직임을 나타낼 수 있는 파일인 MP4나 GIF 파일로 저장해야 한다.

❻ 위치 : **[위치]** 기능은 이미지나 사진의 위치를 정렬할 때 사용하는데 **[정렬]**과 **[레이어]** 기능으로 나뉜다. 먼저 **[정렬]** 기능은 클릭한 이미지를 몇 번째 순서에 둘지, 그리고

페이지 어느 위치에 둘지 결정하는 기능이다. 여러 종류의 이미지들을 사용하다 보면 이미지가 겹친다. 『진로도 나답게』 책 표지를 예로 든다면, 여러 장의 배경이미지와 한 장의 구름이미지가 함께 작업페이지에 나타난다. 작업을 하다보면 구름 이미지 위에 다른 이미지가 올라와 구름이 가릴 수 있다. 이 경우 구름 이미지를 모든 이미지들 중 가장 앞에 두고 싶을 때 **[맨 앞으로]** 기능을 클릭하면 구름 이미지가 모든 이미지들보다 앞에 온다. 즉 이 기능으로 이미지들의 배열 순서를 변경할 수 있다. 물론 이 기능을

사용하지 않고, 이미지들을 떼어낸(Ctrl + X) 후 붙여넣기(Ctrl + V)해 순서를 재정렬 할 수도 있다.

하단 **[고급]** 기능은 이미지들의 가로 세로 크기를 알려주며, 특히 **[회전]** 기능은 각도를 입력하면 그 각도에 맞게 이미지가 회전된다. 이미지를 편집할 때 아주 유용한 기능이다.

[레이어] 기능은 작업 페이지에 있는 모든 이미지들을 한 눈에 볼 수 있게 한다. 이 기능

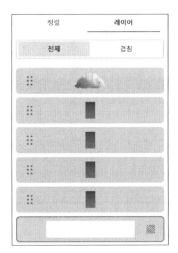

은 포토샵 프로그램의 레이어 기능과 비슷하다. 레이어 기능은 편집할 때 아주 유용한데 이미지의 위치 순서를 상하로 바꾸면 레이어 위치도 따라서 앞, 뒤로 변경된다. 가장 아래 이미지가 화면으로 볼 때 가장 뒤에 있는 이미지며, 가장 위의 이미지는 화면으로 볼 때 가장 앞에 있는 이미지다. 이 위치를 조정하면 이미지들의 겹치는 순서가 변경되어 가려서 앞으로 이동하고 싶은 이미지는 레이어 위치를 변경하며 수정할 수 있다. 또한 겹쳐 있는 이미지 때문에 원하는 이미지를 클릭하지 못할 때 이미지를 확인해 선택할 수 있도록 한다.

❼ 투명도 : 현재 클릭한 이미지의 투명도를 조절할 수 있는 기능으로, 투명도가 낮을수록 색상이 옅어지다가 투명도가 0이 되면 흰색이 된다.

❽ 스타일 복사 : 이미지의 스타일을 복사하고 싶을 때 사용하는 기능이다. 모든 이미지를 그대로 복사한다기 보다 그 이미지의 배경이나 전체 스타일을 복사한다. 먼저 원하는 이미지나 사진을 클릭한 후 **[스타일 복사]**를 클릭한다. 그러면 페인트 롤러 부분이 검은색으로 바뀌는데 스타일을 복사했다는 뜻이다. 이제 이 복사한 스타일을 붙여 넣을 공간을 찾아 클릭하면 스타일이 복사된다.

❾ 잠금 : 이 메뉴에서 잠금은 클릭한 이미지 하나만 잠그는 기능이다. 작업 페이지 전체를 잠그려면 작업 페이지 우측 상단에 있는 자물쇠를 클릭하면 된다.

4.3.2.3 사진 편집하기

표지의 배경이 이미지기 때문에 이미지를 클릭하면 상단에 **[이미지 편집]**이 뜨지만 구름을 클릭하면 구름은 사진이기 때문에 상단에 **[사진 편집]** 기능이 뜬다. **[사진 편집]** 기능엔 **[효과]**, **[조정]**, **[자르기]** 기능이 있다.

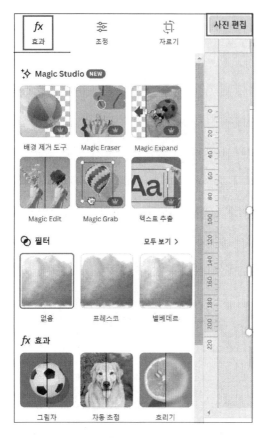

먼저 [효과] 기능은 [Magic Studio], [필터], [효과] 기능으로 나누어진다. [Magic Studio] 기능엔 [배경제거도구], [Magic Eraser], [Magic Expand], [Magic Edit], [Magic Grab], [텍스트 추출] 기능이 있다. 아쉽게도 [Magic Edit] 기능 외에 다른 기능은 모두 유료회원에게만 제공된다. [배경 제거 도구] 기능은 포토샵이나 일러스트레이트에서 '누끼따기'라는 이름으로 많이 사용하는 기능인데 캔바에서도 제공한다. [Magic Eraser] 기능은 특정 부분만 지울 수 있는 기능이다. [Magic Edit]는 특정 사진을 편집하는 기능이며, [Magic Grab]은 원하는 사진의 대상을 클릭하면 그 대상만 그대로 따서 다른 곳에 붙일 수 있도록 제공하는 기능이다. [텍스트 추출] 기능은 제시된 사진을 AI가 텍스트로 변환해 주는 기능이다. [사진 편집] 기능 중 [효과] 기능은 표지 작업에서 상당히 요긴하게 활용할 수 있는 여러 기능들을 제공한다. 여러 [효과] 기능 중 [배경 제거 도구], [Magic Eraser], [Magic Grab] 위주로 자세히 살펴보자.

[배경 제거 도구] 기능은 캔바 Pro회원에게만 제공한다. 무료로 한달간 Pro 버전을 사용해 보라는 것도 Pro 회원들에게만 제공되는 이런 기능들을 먼저 사용해 보고 결정해보라는 말이다. 무료회원으로 남을지, Pro 회원으로 업그레이드를 할지 다양한 유료 기능들을 사용해 보면서 결정하면 된다. [배경 제거 도구] 기능 사용법은 샘플 이미지인 가로등 사진을 보면서 설명하겠다. 다음 사진의 가로등이 마음에 들어 추출해 사용하고 싶다. 그

런데 가로등만 원해 배경을 제거하려고 한다. 먼저 캔바 작업창에 불러온 사진을 클릭한다. 클릭하면 앞 페이지에서 살펴보았듯 상단 좌측에 [사진 편집]이라는 메뉴가 나타난다. 이 메뉴를 클릭하면 좌측에 [효과] - [배경 제거 도구]가 나타난다.

[배경 제거 도구]를 클릭하면, 아래와 같이 배경이 제거되고 가로등과 일부 전선만 보인다. 이 정도로 충분하다면 그대로 복사해서 작업 중인 페이지에 붙이면 되고, 전선까지 제거하고 싶다면 [배경 제거 도구] 메뉴를 한번 더 클릭한다. 다음 페이지에서 보는 바와 같이 전에 없던 [지우기]와 [복원하기] 메뉴가 나타난다. 이 메뉴는 배경을 조금 더 세세하게 지우기 원하는 이들을 돕는 기능이다. 우리는 전선을 더 지우기를 원하기 때문에 [지우기] 기능을 클릭한다. [지우기] 기능은 브러시 크기를 조절할 수 있는데 세밀한 작업을 하고 싶다면 사진을 확대(마우스 가운데 롤을 앞 뒤로 움직이면 화면이 축소, 확대된다)한 후 브러시 크기를 가장 작은 '1'로 설정한다. 잘못 지워 다시 복원하고 싶다면 [복원하기]를 클릭해 복원할 수 있다. [복원하기]도 브러시 크기를 조정하면서 사용한다. 작업이 모두 끝나면 상단 좌측의 [배경 제거]를 누르면 작업 페이지로 돌아간다.

이 과정을 거치면 최종 작업물인 원하는 가로등 사진을 다음과 같이 얻을 수 있다.

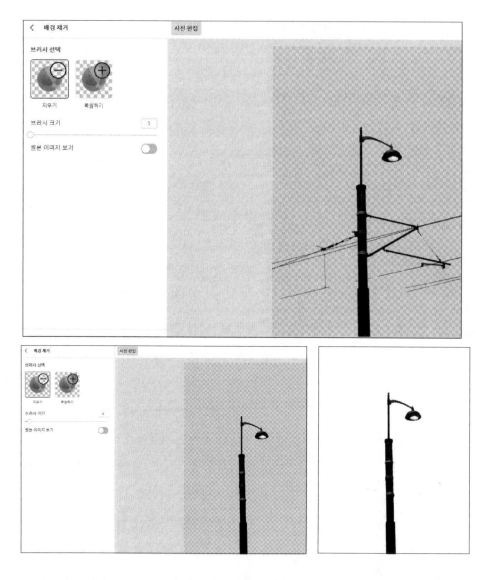

그러나 모든 이미지를 이렇게 깔끔하게 얻지 못할 수 있다. 원본 사진 이미지 자체에 다양한 요소들이 있다면 한번의 배경 제거로 깔끔하게 원하는 이미지를 얻지 못한다. 이 경우에는 이미지를 확대한 후 **[지우기]**와 **[복원하기]**를 이용해 제법 시간을 들여 꼼꼼하게 작업해야 할 수도 있다. 사진이 아닌 일부 이미지 중 **[이미지 편집]** 메뉴를 클릭하면 **[배경 제거 도구]**가 나타나는 이미지들도 있다. **[사진 편집]** 메뉴의 **[배경 제거 도구]**와 동일하게 진행하면 된다.

[Magic Studio]의 두 번째 메뉴로 [Magic Eraser]가 있는데 이 기능은 이미지 일부를 지우는 도구다. 앞에서 보았던 **[배경 제거 도구]**에도 **[지우기]** 기능이 있었지만 **[배경 제거 도구]**의 **[지우기]** 기능은 배경 제거를 한번 거친 경우에만 가능하고 배경을 완전히 삭제하는 기능이다. 그러나 **[Magic Eraser]** 기능은 삭제할 이미지 뒤의 배경색을 Canva 프로그램이 스스로 고려해 적절한 색상을 남겨둔다. 특별한 사용방법은 따로 없고 브러시 크기를 조절해 원하는 이미지만 지운다. 아래 사진에서 왼쪽 건축물이 배경과 어울리지 않아 **[Magic Eraser]**로 지운다고 하자. 지우고 나면 배경 부분 색상과 적절하게 조화가 이루어지도록 색상을 남겨둔다.

[Magic Studio]의 다섯 번째 메뉴로 [Magic Grab]이 있는데 이 기능은 분리 불가능한 사진 속 특정 이미지를 캡쳐해 활용할 수 있도록 한다. **[Magic Grab]** 기능을 사용하면 다음 사진에서 사람만 따로 떼낼 수 있다. 원래 한덩어리로 된 사진이기 때문에 특정 이미지만 분리해 낼 수 없지만 **[Magic Grab]**을 활용하면 사진에서 사람만 분리가능하다. 오른쪽 사진은 사람만 떼어내 활용한 사진이다. **[배경 제거 도구]**와 같은 기능이 아니냐 할 수 있지만 **[배경 제거 도구]**를 활용하면 제거된 배경은 흰색으로 바뀌고 그 사진 전체가 한 이미지가 된다. 즉 흰색으로 된 배경이 계속 따라다니며 저장된다. 그러나 **[Magic Grab]**은 배경 따로 원하는 사진 따로 떼어내 사용할 수 있다.

[효과] 메뉴의 두 번째 메뉴인 **[필터]** 기능은 클릭한 사진에 필터 효과를 주어 사진의 분위기를 바꿀 수 있도록 한다. **[효과]** 기능은 그림자, 자동초점, 흐리기, 이중톤 효과를 제공한다.

[사진 편집]의 두 번째 기능인 **[조정]** 기능은 사진의 화이트 밸런스(온도, 색조), 라이트(밝기, 대비, 하이라이트, 그림자, 화이트, 블랙), 색상(생동감, 채도), 텍스처(선예도, 선명도, 비네팅-사진의 외곽이나 모서리가 어둡게 나오는 현상)를 조정할 수 있다.

4.3.3 마우스 오른쪽 버튼 기능 활용하기

템플릿 이미지에 마우스 포인터를 두고 마우스 오른쪽 버튼을 클릭하면 왼쪽과 같은 메뉴가 나타난다. **[복사]**는 이미지를 복사하는 기능이며, **[스타일 복사]**는 상단 메뉴인 롤러 표시의 **[스타일 복사]**와 같은 기능이다. **[붙여넣기]**는 복사된 이미지를 붙이는 기능이다. **[복제]**는 클릭한 이미지를 바로 복사해 붙여주는 기능이다. 복사와 붙여넣기 과정 필요 없이 클릭 한번으로 복사와 붙이기를 할 수 있다. **[삭제]**는 클릭한 이미지를 삭제하는 기능이다.

메뉴 가운데에 있는 **[레이어]**와 **[페이지에 맞춤]** 기능은 상단 메뉴의 **[위치]**와 동일한 메뉴다.

4.4 그래픽 요소 활용하기

요소는 디자인 작업시 필요한 다양한 디자인 관련 소스를 모아둔 공간이라고 보면 된다. 선 및 도형, 그래픽, 스티커, 사진, 동영상, 오디오, 차트, 표, 프레임, 그리드, 컬렉션 종류가 있으며, 이를 잘 활용하면 책 표지뿐만 아니라 책 내지에도 사용가능한 풍성한 이미지들을 얻을 수 있다.

4.4.1 도형

다양한 종류의 선과 도형 요소를 제공한다. 선(라인) 종류를 선택하면 작업 페이지에 선이 만들어진다. 선을 클릭하면 상단에 메뉴가 활성화된다. 상단 첫 메뉴는 **[선 색상]** 기능

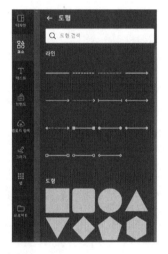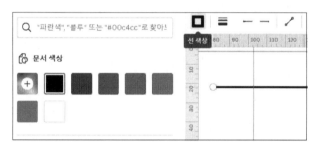

으로 선 색상을 변경할 수 있다. 두 번째 메뉴는 **[선 스타일]** 기능으로 선의 두께와 종류를 변경할 수 있다. 끝부분을 둥글게 만드는 기능도 제공한다. 세 번째 메뉴는 **[선 시작]**과 **[선 끝]** 메뉴로 선의 시작 부분과 끝부분을 다양한

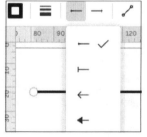

도형으로 변경할 수 있다. 화살표, 네모, 동그라미, 마름모와 같이 여러 형태의 시작 부분과 끝 부분을 만들 수 있다.

마지막 메뉴는 [줄 유형] 으로 기존의 줄을 직선으로 할지, 꺾인 선으로 할지 정할 수 있다. 꺾인 선은 다양하게 꺾을 수는 없고, 다음과 같이 여러 방향으로 90도로 형태로 꺾인 선을 제공한다.

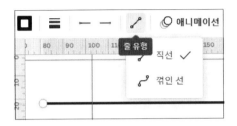 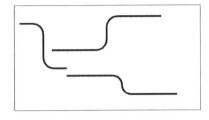

[도형]을 선택하면 아래와 같이 선택된 도형이 작업 페이지에 나타난다. [도형] 메뉴는 [선] 메뉴와 약간 다른 기능들을 제공하는데 도형을 클릭하면 상단에 새로운 메뉴가 활성화된다. 첫 번째 메뉴인 [도형]을 선택하면 왼쪽에 다양한 도형들이 등장하며, 이 도형을 클릭하면 작업 페이지에 있는 도형이 변경된다.

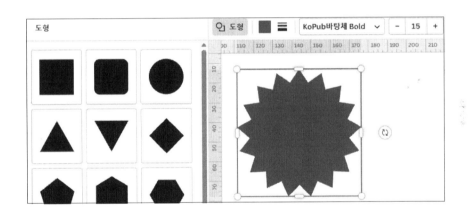

두 번째 메뉴인 [색상]은 선과 동일하게 도형의 색상을 변경할 수 있는 기능이다. 세 번째 메뉴인 [테두리 스타일]은 도형의 테두리선의 종류와 두께를 변경할 수 있으며, 도형의 모서리를 둥글게 만드는 기능도 제공한다.

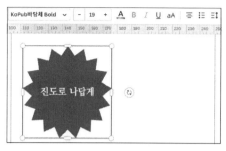

네 번째 메뉴인 글꼴 변경과 글꼴 크기 변경은 선에는 없는 도형에만 있는 기능이다. 도형 안에 글자를 입력할 수 있기 때문이다. 선택한 도형을 한번 더 클릭하면 도형 내부에 커서가 움직이면서 글자를 입력할 수 있다. 캔바에서 글자를 입력하고 활용하는 방법은 이어질 **[텍스트]** 메뉴에서 다룰 것이다.

[도형] 메뉴는 아주 복잡한 형태의 이미지를 만들 용도로 사용하기보다 간단하게 쓸 목적으로 활용하면 좋다. 캔바에서는 이미 만들어진 다양한 이미지들과 요소들이 있기 때문에 검색을 통해 활용하면 된다.

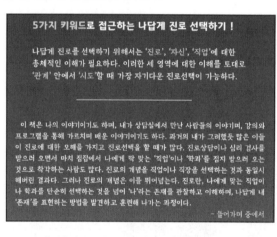

『진로도 나답게』에서는 책 뒷 표지 소개글 내용의 구획을 나누는 용도로 선을 활용했다.

[도형] 메뉴는 배경화면을 만들 때도 도움이 된다. 실제 표지 디자인 작업시 기존 템플릿에 있는 배경을 가져와 사용하고 싶은데 배경 자체가 템플릿에 고정되어 있거나 사이즈 조절이 어려울 경우가 있다. 이 경우 원하는 도형을 클릭해 만들고 **4.3.2.2 이미지 편집하기 – 색상** 부분에서 언급한 방식으로 헥스(HEX) 컬러 코드를 활용해 기존 템플릿에 있던 색상과 동일한 색상을 찾아 만들 수 있다.

4.4.2 그래픽과 스티커

그래픽은 그림과 관련된 요소들을 모아 놓은 공간이다. [그래픽] 메뉴를 클릭하면 [자동 추천], [기능], [그라데이션]과 같은 기능을 제공하지만 [그래픽] 메뉴는 보통 검색창에 원하는 키워드를 입력해 이미지를 찾는 방식을 가장 많이 활용한다. 다음과 같이 검색창에 '사람'이라고 입력하면 다양한 종류의 사람 이미지가 검색되며, 검색창 바로 아래에는 '서 있는 사람', '걸어가는 사람', '대화하는 사람'과 같은 관련 검색어도 제공한다. 검색된 이미지 하단에 노란 색 왕관은 유료회원만 이용 가능하다. 원하는 이미지를 클릭하면 작업 페이지에 이미지가 나타나며, 이미지를 한번 더 클릭하면 다음과 같이 편집할 수 있는 메뉴가 상단에 활성화된다. 이미지의 색상 변경을 비롯해 다양한 편집 기능을 제공한다. 그러나 사진의 경우 이미지와 달리 색상 변경은 불가능하다.

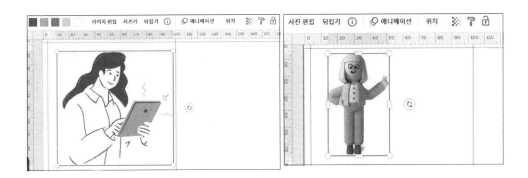

[그라데이션] 기능은 컬러의 단계적 차이를 표현하는 이미지다. 감성적인 분위기를 연출하는데 효과적이며, 『진로도 나답게』 책표지 배경도 그라데이션으로 표현되었다.

[스티커] 메뉴는 움직이는 이미지들이다. [애니메이션] 기능에서 이야기했듯이 [스티커]도 MP4나 GIF로 다운로드해야 움직임까지 저장된다. 이 파일형식이 아닌 다른 형식으로 다운로드 받으면 캔바 프로그램에서는 움직이던 이미지들이 저장된 파일을 열면 그대로 멈춰있는 일이 벌어진다.

4.4.3 사진과 목업(Mockups)

사진 이미지도 [그래픽] 기능처럼 검색창을 이용한 검색을 많이 활용한다. 캔바가 무료 이미지 사이트인 펙셀스와 픽사베이를 인수했기 때문에 캔바 사이트에서는 이들 사이트에서 제공하는 사진도 검색해 이용할 수 있다. 키워드로 검색할 때는 원하는 단어 하나만 찾아보고 없다고 포기할 것이 아니라 상위개념, 하위개념, 관련어 등 연관 키워드로 검색해 보길 권한다. 노란색 왕관 표시가 된 사진은 당연히 유료 회원만 이용가능한 사진이다.

원하는 사진을 클릭하면 사진이 작업 페이지에 뜬다. [사진 편집] 기능은 이미 템플릿 메뉴에서 다루었기 때문에 본 장에서는 앞에서 다루지 않았던 내용 위주로 살펴보겠다.

먼저 컬러 사진을 흑백으로 바꾸는 방법이다. 작업 페이지에 있는 사진을 클릭하면 상단에 메뉴가 활성화된다. 메뉴 중 [사진편집]을 클릭하면 왼쪽에 새로운 메뉴 창이 뜨고

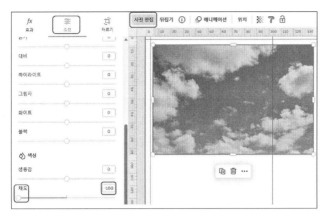

[효과], [조정], [자르기] 메뉴 중 [조정] 메뉴를 클릭한다. 이 메뉴 하단으로 내려가 보면 [채도] 메뉴가 있는데 이 채도는 숫자로 '0', 바 형태로는 가운데 세팅되어 있다. 이를 '-100'으로 설정하거나 바를 왼쪽 끝까지 옮기면 흑백으로 색상이 바뀐다.

다음으로 목업기능인데 목업(mockup)이란 실제 제품을 만들기 전에 제품과 동일한 크기 혹은 사이즈를 줄인 크기로 만든 모형을 뜻한다. 예를 든다면 내가 원하는 이미지가 들어간 티셔츠, 병, 쇼파 쿠션 따위를 만들고 싶을 때 미리 느낌이나 분위기를 확인해 볼 수 있는 모형이다. 목업기능을 활용하려면 먼저 내가 원하는 사진(이미지가 아닌 사진이라고 했다.)을 선택해야 한다. 예를 들어 가로등이 들어간 티셔츠를 만들고 싶어 목업으로 만들어 미리 확인하려 한다고 가정해보자. 내가 원하는 가로등 사진을 검색하고 클릭해 오른쪽 작업창에 띄운다. 작업창에 띄운 가로등 이미지를 클릭하면 상단에 새로운 메뉴가 활성화되는데 [사진편집] 메뉴를 클릭한다. 왼쪽에 새로운 메뉴가 나타나는데 그중 [효과] 메뉴 하단에 있는 [Mockups] 메뉴를 클릭한다.

다양한 목업이미지가 나타날 것이다. 이 목업이미지 중에 우리는 티셔츠를 만들기 원하기 때문에 티셔츠를 입고 있는 모델을 클릭한다. 그러면 작업창에 클릭한 목업이미지가 나타난다. 그 전에 작업창에 띄워둔 가로등 이미지와 티셔츠를 입고 있는 모델 목업이미지가 하나의 작업창에 띄워진 것이다. 내가 원하는 사진을 티셔츠에 넣는 방법은 간단하다. 가로등 사진을 마우스로 클릭한 채로 목업이미지인 티셔츠쪽으로 가져가 놓으면 자동으로 목업이 만들어진다. 티셔츠뿐 아니라 병, 엽서, 쿠션과 같이 다양한 목업이미지를 활용해 제품을 만들기 전에 확인할 수 있다.

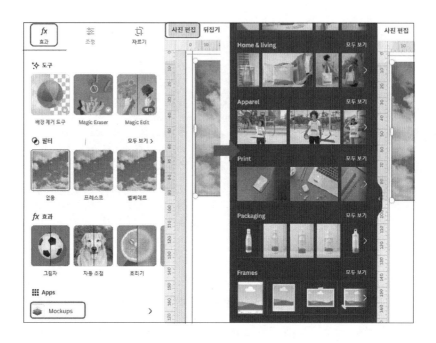

이런 방식으로 목업 작업을 한번 실행하면 왼쪽 메뉴 하단에 전에 보이지 않던 **[Moc
kups]** 메뉴가 만들어진다. 즉, 향후 목업작업을 계속하고 싶다면 이제 이 메뉴를 클릭해
서 사용하라는 의미다. 굳이 사진을 띄우고 **[사진편집]** 메뉴로 들어가 [Mockups] 메뉴를
찾지 말고 한번 클릭으로 목업작업을 할 수 있다. 이 메뉴를 사용하면 순서가 약간 바뀌
는데 먼저는 원하는 목업을 선택해 작업창에 띄우고, 목업에 넣어보기 원하는 이미지를
이후에 선택해 목업에 끌어다 두면 완성된다. 이 방식을 사용하면 사진이든 이미지든 모
두 목업에 넣어 확인가능하다.

캔바에서 제공하는 사진이나 이미지가 아닌 외부 이미지도 활용할 수 있는데 외부 이미
지를 업로드 하는 부분은 다음 장에서 살펴보겠다. 목업을 잘 활용하면 책 표지나 책 내
지에 쓸 이미지로도 만들 수 있다.

4.4.4 동영상

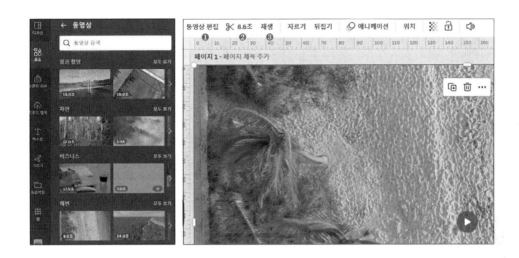

캔바는 간단한 동영상 편집기능도 제공한다. **[동영상]** 메뉴를 클릭하면, 왼쪽 메뉴에 항공 촬영, 자연, 비즈니스, 해변, 하늘과 같이 주제별로 다양한 영상을 제공한다. 주제별 영상 외에도 상단에 있는 동영상 검책 창에 직접 검색어를 입력해 동영상을 검색할 수 있다. 사용방법은 먼저 원하는 동영상을 클릭한다. 동영상 파일이 오른쪽 작업 페이지에 뜬 후 동영상을 클릭하면 아래와 같이 상단에 새로운 메뉴들이 활성화된다.

❶ 동영상 편집

[동영상 편집] 메뉴는 **[효과]**와 **[조정]** 메뉴로 구성된다. **[효과]** 메뉴는 **[동영상 배경 제거]** 메뉴와 **[필터]** 메뉴를 제공한다. **[동영상 배경 제거]** 기능은 사진 배경 제거와 동일하게 동영상의 배경을 제거하는데 사용한다. 노란색 왕관에서 알 수 있듯 유료회원만 이용가능한 메뉴다. **[필터]** 메뉴는 다양한 필터를 사용해 동영상의 분위기를 색다르게 연출할 때 사용한다. **[조정]** 메뉴는 사진 편집의 **[조정]**과 마찬가지로 색조, 밝기, 대비, 채도와 같은 부분을 조정할 수 있는 기능이다.

 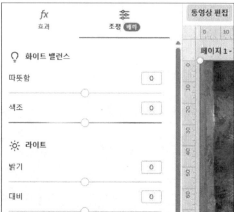

❷ 동영상 시간 편집

상단 가위 모양을 클릭하면 영상의 길이를 조정할 수 있다. 다음 영상은 총 8.6초 분량의 영상인데 왼쪽과 오른쪽의 보라색 부분에 마우스 커서를 두면 화살표가 뜬다. 화살표를 좌우로 움직이면 영상 길이를 조절할 수 있다.

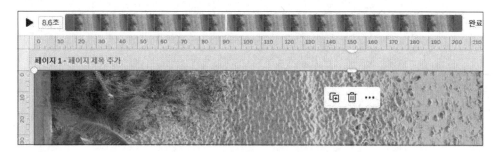

❸ 재생

동영상 속도를 몇 배속으로 진행할지 설정하는 기능과 작업페이지의 동영상 연속 재생여부와 자동 재생여부를 설정할 수 있는 기능이다. 전체 동영상 편집이 끝나면 다운로드시 파일형식이 자동으로 MP4 동영상형식으로 설정되어 있다. 동영상이기 때문에 이미지 파일로 다운로드하면 안되며, MP4 형식으로 다운로드 받아야 한다.

4.4.5 오디오

[오디오] 메뉴는 동영상이나 이미지에 음악을 삽입할 수 있는 기능을 제공한다. 노란색 왕관이 붙은 음악은 유료회원에게만 제공된다. 이미지처럼 음악도 상업적 용도로 사용할 수 있다. 그러나 가공없이 그대로 자신이 만든 것인양 재판매하거나 재배포하면 안된다. [오디오] 메뉴를 클릭하면 왼쪽에 여러 주제별 음악들을 볼 수 있다.

먼저 음악을 넣을 이미지를 작업 페이지로 불러온다. 작업 페이지에 이미지를 두고 [오디오] 메뉴 중 원하는 음악을 클릭하면 작업 페이지 하단에 편집 창이 나타난다. 음악 파일을 클릭할 때 이미지를 클릭하지 말고, 음악 제목 부분을 클릭해야 한다. 음악 이미지를 클릭하면 음악만 재생되고, 음악이 작업 페이지에 나타나지 않는다. 하단 창에 나타난 메뉴 중 오디오와 관련된 기능은 크게 세 가지다.

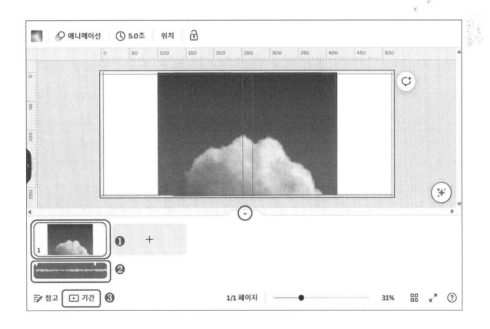

❶ 전체 페이지 보기 : 작업할 페이지들을 모두 보여주는 창이다. 이 창은 오디오 기능에서만 나타나는 것이 아니라 작업 페이지 하단의 화살표(붉은 원)를 누르면 언제든 활성화된다. 전체 작업 페이지를 한눈에 볼 수 있는 창이다. 오디오 작업을 할 때는 내가 음악을 넣을 작업 페이지들을 한눈에 볼 수 있는 역할을 한다.

❷ 음악 편집 : 실제 음악을 편집할 수 있는 기능이다. 클릭하면 상단에 음악 편집 메뉴가 나타난다. **[오디오 효과]**, **[조정]**, **[Beat Sync]**, **[볼륨]** 메뉴가 나타나는데 이 메뉴는 하단의 **[음악 편집]** 메뉴에 마우스 커서를 두고 오른쪽 버튼을 클릭하면 나오는 메뉴의 일부다. 음악 편집 작업은 상단의 메뉴보다 이 하단의 메뉴를 활용하는 것이 편하다.

❷-1. 조정 : **[조정]** 메뉴를 클릭하면 이전에 보이지 않던 음악 파일 전체 파형이 등장한다. 여기에 마우스 커서를 두면 화살표가 나오는데 이 화살표를 움직여 음악의 원하는 부분을 결정할 수 있다. 긴 음악 중 원하는 부분이 따로 있을 경우 그 부분만 선택해서 넣을 수 있는 기능이다. 색칠된 부분 안으로 들어온 음악만 플레이된다.

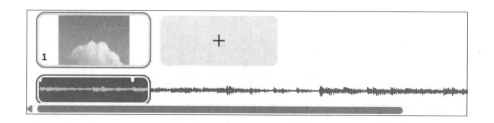

❷-2. 오디오 효과 : 음악에 페이드인과 페이드아웃 효과를 줄 수 있다. 페이드인은 소리가 점점 더 커지는 효과로 주로 음악시작 시점에 많이 활용한다. 반대로 페이드아웃은 소리가 점점 더 작아지는 효과로 주로 음악마무리 시점에 적용한다. 이 기능

으로 페이드인, 페이드아웃 시간을 설정할 수 있다.

❷-3. Beat Sync : 작업 페이지와 요소들이 음악에 자동으로 맞춰지는 동기화 기능으로 유료회원에게만 제공된다.

❷-4. 볼륨 : 이미지에 삽입될 음악의 볼륨을 조절하는 기능이다. 삽입될 음악의 볼륨을 작게 할지, 아니면 크게 할지 조정한다.

❷-5. 오디오 분할 : 전체 음악을 여러 개로 분할하는 기능이다.

❷-6. 트랙 복제와 삭제 : 기존 트랙 밑에 동일한 트랙을 복제하는 기능과 트랙을 삭제하는 기능이다. 기존 음악 외에 다른 음악 파일을 선택하면 기존 트랙 아래에 새로 선택한 음악 트랙이 추가로 생성된다. 오디오를 분할해 전혀 다른 음악을 트랙 사이에 집어넣을 수도 있다.

❸ 기간 : 이미지에 입힌 음악을 실제 플레이할 수 있는 기능이다. 클릭하면 플레이 표시가 왼쪽에 나타나고 오른쪽엔 플레이 시간이 나타난다. [기간] 메뉴를 한번 더 누르면 이전의 화면으로 되돌아간다. 한 이미지에 할당된 플레이 시간을 더 늘리고 싶다면 하단에 있는 이미지(❷음악 편집 기능 위에 있는 이미지)를 클릭하면 상단에 시계 형태의 시간 메뉴가 나온다. 이 메뉴를 통해 전체 플레이 시간을 변경할 수 있다.

4.4.6 차트

[차트] 기능은 다양한 차트(그래프)를 제공한다. 다음 그림과 같이 제공되는 차트의 형태를 선택하면 작업 페이지에 항목과 수치를 입력하여 만들 수 있는 그래프가 나타난다. 엑셀로 차트나 그래프를 만들어 본 경험이 있는 사람들은 쉽게 이해할 수 있는 기능들이 나타난다. 어떤 차트를 선택하든 작업창에 활성화되는 메뉴는 동일하다. 상단 왼쪽부터 하나씩 설명하도록 하겠다.

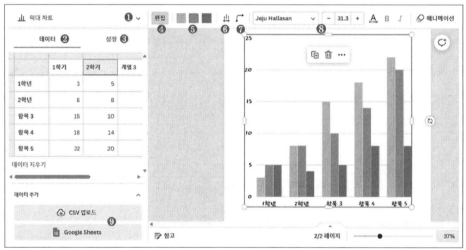

❶ 차트 종류 : 화살표를 클릭하면 모든 차트(그래프) 종류가 나타난다. 기존에 선택한 차트 대신 다른 차트로 변경하고 싶을 때 활용하는 기능이다. 변경할 차트를 선택하면 기존에 입력되어 있던 수치는 그대로 적용되기 때문에 시각적으로 전달력이 좋은 차트 종류를 확인해 볼 때 유용하다.

❷ 데이터 : 차트를 만들려면 수치들이 있어야 한다. 행과 열의 명칭을 적고 각 데이터 수치들을 입력하는 창이다. 수치가 입력되거나 변경될 때마다 오른쪽 그래프가 동시에 변

경된다.

❸ 설정 : 차트의 설명 문구를 수정할 수 있는 기능이다. 범례 표시는 일반적으로 차트

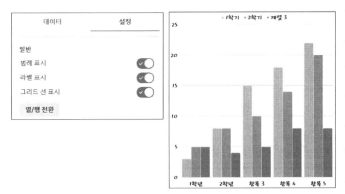

상단에 표시되며, 개개 그래프의 종류를 알려 준다. 라벨 표시는 차트의 x축과 y축의 명칭을 표시할지 말지 설정할 수 있는 기능이다. 그리드 선 표시는 수치를 눈으로 확인하기 쉽도록 제시해 주는 선을 설정할 수 있는 기능이다.

❹ 편집 : 왼쪽 편집 창을 열거나 닫는 용도로 사용하는 기능이다. **[편집]** 메뉴를 클릭하지 않고 차트(그래프)를 직접 클릭해도 왼쪽에 편집 창이 나타난다.

❺ 색상 : 각 그래프의 색상을 변경할 수 있는 기능이다. 색상을 클릭하면 그래프에 사용된 색상이 왼쪽 창에 나타나는데, 원하는 색상을 클릭하면 그래프에 반영되어 색상이 수정된다.

❻ 간격 : 그래프 사이의 간격을 수정할 수 있는 기능이다.

❼ 둥근 정도 : 그래프의 끝부분 모서리를 어느 정도 곡률을 줘 둥글게 할지 결정하는 기능이다.

❽ 글꼴 및 크기 : 차트에 사용된 글꼴과 크기를 변경할 수 있는 기능이다.

❾ 외부 파일 업로드 : 외부에서 다른 프로그램으로 작성한 데이터를 업로드할 수 있는 기능이다. CSV 파일(문자와 쉼표로 만들어진 파일)과 구글 Sheets(엑셀 파일의 일종)를 업로드 할 수 있으며, 업로드되면 오른쪽에 차트(그래프)가 생성된다.

4.4.7 표

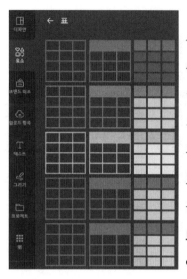

[요소] - [표] 메뉴를 클릭하면 화면 왼쪽에 다양한 색상의 표가 나타난다. 이 표 중에 하나를 선택하면 오른쪽 작업 창에 표가 나타난다. 표는 기능이 간단한데 클릭하면 아래 그림과 같이 상단 메뉴가 나타난다. 가장 첫 번째 기능은 표의 색상을 수정할 수 있는 메뉴며, 두 번째 기능은 테두리 선 종류 수정, 세 번째 기능은 표 간격을 조정하는 기능이다. 나머지 기능들은 글꼴과 글꼴 크기, 글자색, 줄간격을 조정하는 기능인데 **[텍스트]** 메뉴에서 다시 다룰 것이다. 표 안에 텍스트를 적어야 하기 때문에 이런 기능들도 중요하다.

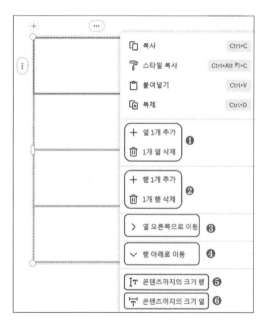

표 작업을 하다보면 셀끼리 병합(합치기)해야 하거나 열이나 행을 추가해야 할 수 있다. 이런 작업을 위한 메뉴는 상단에 나타나지 않고 마우스 커서를 표 안의 빈칸에 두고 오른쪽 버튼을 클릭하면 새로운 메뉴가 나타난다. 이 메뉴를 활용하면 표를 더 상세히 편집할 수 있다.

❶ 열 추가 : 클릭한 칸 기준 오른쪽에 열이 1개 추가된다. 삭제할 때는 클릭한 칸이 있는 열이 삭제된다.

❷ 행 추가 : 클릭한 칸 기준 아래쪽에 행이 1개 추가된다. 삭제할 때는 클릭한 칸이 있는 행이 삭제된다.

❸ 열 오른(왼)쪽으로 이동 : 클릭한 칸 기준 옆 오른쪽이나 왼쪽으로 열 전체가 한 칸 이동한다.

❹ 행 아래(위)로 이동 : 클릭한 칸 기준 아래나 위쪽으로 행 전체가 한 칸 이동한다.

❺ 콘텐츠까지의 크기 행 : 칸 속에 적은 글자 크기만큼 행 크기가 조정된다.

❻ 콘텐츠까지의 크기 열 : 칸 속에 적은 글자 크기만큼 열 크기가 조정된다. 굳이 ❺, ❻ 기능이 아니라도 마우스로 직접 표 테두리선을 클릭해 칸 크기를 조절할 수도 있다.

4.4.8 프레임

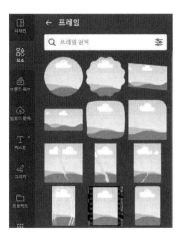

프레임은 액자라고 생각하면 된다. 프레임 안에 사진을 넣을 수 있는 기능이다. 사용할 사진이나 동영상을 작업 창에 불러온 후 사진이나 동영상을 마우스로 끌어 프레임과 겹치면 사진이 프레임 안으로 들어간다. 아래 사진을 예로 들어본다면 먼저 원하는 프레임을 클릭하면 작업 창에 프레임이 나타난다. 이 후 원하는 사진(촛불 사진)을 클릭하면 작업창에 사진이 나타난다. 이 사진을 마우스로 클릭해 프레임 쪽으로 끌고 가면 자동으로 사진이 프레임 안으로 들어간다.

프레임 안에 들어간 사진을 편집하고 싶으면 프레임을 클

릭하면 상단에 **[사진 편집]** 메뉴가 나타난다.

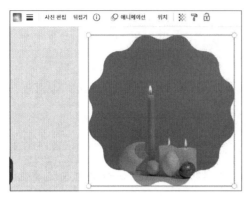

그리고 이미 작업한 사진을 프레임에서 분리해 다시 작업을 하고 싶으면 마우스 커서를 프레임에 두고 오른쪽 버튼을 클릭하면 메뉴가 나타난다. 이 메뉴에서 **[이미지 분리하기]** 라는 메뉴를 클릭하면 프레임과 사진이 다시 분리된다.

%%% 이미지 분리하기

4.4.9 그리드

그리드는 사진의 레이아웃을 잡을 때 활용한다. 프레임과 동일하게 원하는 그리드를 클릭해 작업창에 띄우고, 사진이나 동영상을 불러온다. 불러온 사진이나 동영상을 마우스로 끌어 그리드 칸 안으로 넣으면 프레임처럼 그리드 칸 안에 사진이 들어간다. 쉽게 생각하면 사각 프레임을 여러 개 붙여둔 것이라 보면 된다. 그리드 내의 사진편집은 프레임과 동일하게 작업하면 된다.

지금까지 **[요소]** 메뉴를 활용하는 방법들을 살펴보았다. 요소 메뉴에 있는 다양한 사진, 그래픽, 동영상, 오디오 파일로 작업하다 보면 지금 당장 사용하지는 않아도 마음에 드는 파일을 저장해 두고 싶을 때가 있다. 이럴 땐 저장해두는 기능이 있는데 원하는 사진이나 그래픽, 동영상, 오디오 이미지에 마우스를 두면 오른쪽 상단에 세 개의 점이 나타난다. 이 점을 클릭하면 정보가 나타나는데 그 정보 중 **[별표 표시]** 메뉴를 클릭하면 저장 가능하다. 저장된 별표 파일들은 왼쪽에 **[별표 표시됨]** 이라는 새로 생성된 메뉴를 클릭하면 저장된 모든 별표 파일들을 볼 수 있다.

4.5 브랜드

[브랜드] 메뉴는 캔바 유료회원에게만 제공되는 기능이다. [브랜드] 메뉴는 크게 브랜드 템플릿과 브랜드 키트로 구성되어 있고, 팀으로 작업할 때 일관성을 유지할 수 있도록 템플릿, 로고, 글꼴, 사진, 그래픽, 아이콘을 등록해 사용할 수 있도록 한다. 실제 작업에서는 [브랜드] 기능 중 [브랜드 키트]의 글꼴 추가 기능을 가장 많이 활용한다. 캔바에서 글꼴을 제공하지만 원하는 글꼴이 모두 제공되는 것은 아니다. 이 경우 [브랜드 키트]의 글꼴 추가 기능을 통해 가지고 있는 글꼴을 등록해 사용할 수 있다. 앞서 글꼴에서도 이야기하였지만 꼭 글꼴 저작권을 확인하고 사용해야 한다. 등록하려는 글꼴을 상업적으로 사용해도 되는지,

비영리 목적으로만 사용가능한지 확인해야 한다. 내가 등록해 사용하는 글꼴까지 캔바가 책임지지 않는다.

[브랜드 허브]를 클릭하면 왼쪽에 창이 나타나고 [브랜드 키트] 메뉴 아래 [글꼴] 메뉴가 있다. [브랜드 글꼴 추가]를 클릭하면 오른쪽에 새 창이 나타난다.

우리는 로고나 색상이 아닌 글꼴을 추가할 계획이기 때문에 글꼴 오른쪽에 [+ 새 항목 추가] 메뉴를 클릭한다. [글꼴] 메뉴 하단에 제목, 부제목과 같은 입력란이 있는데 무시해도 상관없다.

[+ 새 항목 추가]를 클릭하면 바로 아래 메뉴가 나타난다. [텍스트 스타일 추가], [글꼴 업로드], [가이드라인 편집]이라는 세 개 메뉴가 나타나는데 이 중에 가운데 있는 [글꼴 업로드]를 클릭한다. [글꼴 업로드]를 클릭하면 [업로드된 글꼴]이라는 새 창이 나타난다. 한번이라도 업로드한 글꼴이 있다면 이 창에서 모두 확인가능하다. 새 글꼴을 추가하기 위해서는 바로 이 창에서 [+ 새 항목 추가]를 클릭한다. [+ 새 항목 추가]를 클릭하면 업로드할 글꼴을 불러

올 파일 창이 열린다. 내 컴퓨터에 저장되어 있던 글꼴을 업로드할 폴더와 파일을 지정하라는 것이다.

[눈누] 사이트에서 원하는 글꼴을 다운로드 받은 후 바로 추가하는 방식을 예로 들면 [눈누] 사이트 상단 오른쪽에 검색하고 싶은 글꼴을 입력한다. '명조'로 입력해서 '부크크 명조'를 선택했다고 하자.

부크크 명조 창이 나타나고 상단 오른쪽에 **[다운로드 페이지로 이동]** 이라는 버튼이 보인다. 이 버튼을 클릭하면 글꼴을 다운로드 받을 수 있는 사이트로 이동한다. 부크크 명조체는 부크크에서 제공하는 글꼴로 부크크 사이트의 글꼴 다운로드 페이지로 이동한다.

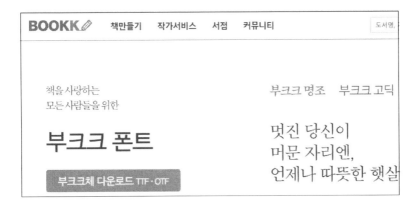

부크크 명조체와 부크크 고딕체가 함께 압축파일로 다운로드 폴더에 다운로드 된다. 압축파일이기 때문에 압축을 풀고 다운로드 폴더에 그대로 두던지, 아니면 C드라이브의 윈도우 폴더 내 Fonts 폴더에 저장한다. 이 후 다시 캔바로 돌아와 브랜드 키트의 글꼴 업로드 창을 열어 글꼴 파일을 업로드한다.

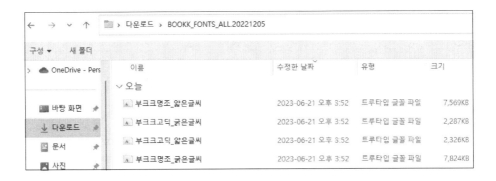

파일을 마우스로 선택해 업로드가 끝나면 아래와 같이 새로 업로드한 글꼴을 확인할 수 있다. 글꼴이 업로드 되면 글꼴을 변경할 수 있는 창에서 부크크체를 찾아 변경가능하다.

이때 주의할 부분이 있는데 캔바에 업로드할 때는 한글 이름 이었지만 캔바에 업로드된 이후에는 다른 파일명으로 등록 될 수 있다. 부크크체도 한글명 으로 된 파일들이었지만 캔바에 업로드 한 이후엔 영어로 표기된 글꼴로 등록된다.

4.6 업로드 항목

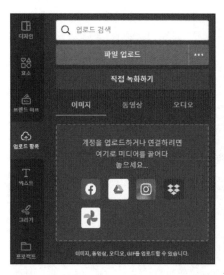

[업로드 항목] 메뉴는 개인이 가지고 있는 이미 지, 동영상, 오디오 파일을 직접 캔바에 저장해 사용할 수 있도록 지원하는 기능이다. 파일을 마 우스로 끌어다 점선으로 이루어진 칸 안에 놓거 나 [파일 업로드] 메뉴를 클릭해 파일을 업로드한 다. 업로드한 파일은 마우스로 더블클릭하거나 작업 페이지에 직접 마우스로 끌어와도 된다. 한 번 업로드 한 파일은 캔바에 저장되기 때문에 [업로드 항목] 메뉴로 들어오면 언제든지 활용할 수 있다. 페이스북, 인스타그램, 구글드라이브, 구글포토, 드롭박스 계정과 캔바를 연동시킬 수도 있다.

4.7 텍스트

[텍스트] 메뉴는 작업 페이지 내에 텍스트를 넣을 때 활용하는 기능이다.

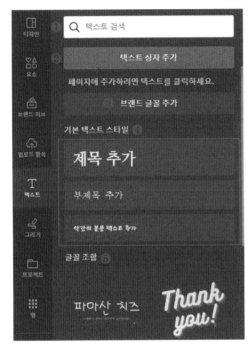

❶ 텍스트 검색 : 검색창에 글꼴명을 검색할 수 있고, 글꼴 스타일(예. 명조체) 검색도 가능하다.

❷ 텍스트 상자 추가 : 클릭하면 작업 페이지에 텍스트를 입력할 수 있는 창이 나타난다.

❸ 브랜드 글꼴 추가 : [브랜드 허브] 내에 있던 [브랜드 키트]의 브랜드 글꼴 추가와 동일한 기능이다.

❹ 기본 텍스트 스타일 : 글자 크기가 이미 세팅된 텍스트 상자가 자동으로 생성되는 기능이다.

❺ 글꼴 조합 : 다양한 글꼴 조합을 샘플로 제공한다. 클릭하면 여러 종류의 텍스트가 그룹으로 묶여 제공된다. 원하는 스타일과 크기로 변경해서 사용하면 된다. 주의할 점은 글꼴 조합의 샘플 중에 가로쓰기를 세로쓰기로 변경해도 세로쓰기로 변경되지 않는 샘플도 있음을 알고 사용하자. 텍스트 세로쓰기 방법은 아래 메뉴에서 설명할 것이다.

[텍스트] 메뉴를 활용해 작업 페이지에 텍스트가 삽입되면 텍스트를 편집할 수 있는 새로운 메뉴가 상단에 나타난다. 다양한 텍스트는 단순히 글을 쓰는 것을 넘어 디자인에서 아주 중요한 역할을 하기 때문에 텍스트 편집 기능을 하나씩 알아보자.

❶ 글꼴 : 글꼴의 종류를 선택할 수 있다. 텍스트 작업을 하다가 글꼴을 바꾸고 싶을 때 클릭하면 왼쪽에 다양한 글꼴을 선택할 수 있는 메뉴가 나타난다. 원하는 글꼴을 검색 창에 입력해 찾을 수 있고, 업로드한 글꼴을 따로 모아 제공해 주기도 한다. 왼쪽 글꼴 메뉴 구성은 1. 글꼴 검색, 2. 최근 사용 글꼴 3. 업로드한 글꼴 4. 캔바에서 제공한 모든 글꼴 훑어보기 순서로 제공된다.

❷ 글꼴 크기 : 글자 크기를 변경하는 기능이다.

❸ 텍스트 색상 : 텍스트의 색상을 변경하는 기능이다.

❹ 글자 두께 : 글자를 두껍게 하는 기능으로 두껍게 할 수 있는 글꼴과 없는 글꼴이 있어 글꼴에 따라 활성화되기도 하고, 비활성화되기도 한다.

❺ 기울임 꼴 : 텍스트를 기울이는 기능으로 글꼴에 따라 활성화되기도 하고, 비활성화되기도 한다.

❻ 밑줄 : 텍스트에 밑줄을 적용하는 기능이다.

❼ 대문자 : 영문 텍스트 전체를 소문자나 대문자로 변경하는 기능이다.

❽ 정렬 : 텍스트를 좌측, 우측, 중앙 정렬로 변경하는 기능이다.

❾ 목록 : 문단 시작부분에 번호나 점으로 목록을 만드는 기능이다.

❿ 간격 : 글자 사이 간격과 줄 사이 간격을 조절하고, 텍스트 위치를 텍스트 상자내 어디에 고정할지 선택한다. 한글 프로그램에서 이야기했듯이 글자 사이 사이 간격은 자간, 줄과 줄 사이 간격은 행간이라고도 한다. **[텍스트 상자 고정]**은 텍스트에 따라 **[수직 정렬]**이라는 메뉴로 바뀌기도 하며, 윗 정렬, 가운데 정렬, 아래 정렬로 이해하면 된다.

⓫ 세로 텍스트 : 텍스트를 세로쓰기로 변경한다.

⓬ 효과 : 텍스트에 여러 효과를 적용하는 기능이다. 그림자, 테두리, 네온, 배경, 곡선과 같이 강조하고 싶을 때 활용한다. 텍스트에 너무 많은 효과를 사용하면 전체적인 느낌이 산만해지기 때문에 강조할 부분만 적용하는 것이 좋다.

4.8 그리기

[그리기] 메뉴라고 이름이 붙었지만 아주 간단한 그리기 정도만 가능한 기능이다. 펜 종류를 선택한 후, 하단에 있는 색상 선택과 펜의 두께를 선택하고 작업 페이지에 그림을 그릴 수 있다. 가운데 분홍색 이미지는 지우개 기능으로 클릭한 후 작업 페이지에 그렸던 그림을 지울 때 사용한다.

4.9 표지 출력해 보기

책 표지의 이미지 작업과 텍스트 입력까지 마치면 작업은 거의 마무리된다. 그런데 작업한 책 표지가 실제 인쇄물로 출력되면 표지 텍스트의 크기나 이미지가 적절한지 의문이 생긴다. 글자 크기가 너무 커도 보기 싫고, 너무 작아도 읽기 어렵다. 책 표지의 텍스트 크기와 이미지 색상은 책 디자인에서 아주 중요한 역할을 한다. 그러나 책 표지 텍스트의 실제 크기를 모니터로 확인하기는 매우 어렵다. 책 표지 파일을 실제 책 크기만큼 확대해 모니터로 비교해 볼 수는 있지만 정확하게 확인하려면 출력해서 보는 방법밖에 없다. 전문기기가 아닌 일반 프린터로 실제 책 표지 크기만큼 어떻게 출력해서 확인할 수 있을까? 앞에서 한번 다루었던 알PDF나 아크로뱃 리더 프로그램으로 가능하다.

책 표지는 책 날개 - 뒷 표지 - 책등 - 앞 표지 - 책 날개가 한 덩어리로 구성되어 있기 때문에 일반 프린터로 이 정도 사이즈 출력물을 출력할 수 없다. 결국 여러 장을 출력해 중복되는 부분을 붙여서 비교해야 한다. 번거롭지만 가장 간단하면서도 아주 효과 좋은 방법이다.

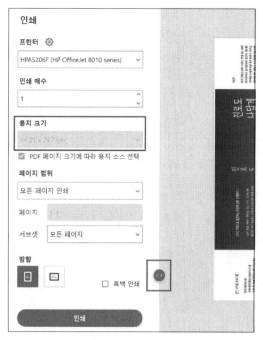

먼저 알PDF를 보자. 디자인이 끝난 책 표지 PDF 파일을 열어 상단 왼쪽에 있는 **[파일]** - **[인쇄]** 메뉴를 클릭한다. **[인쇄]** 창이 뜨면 기본적인 용지 크기인 A4용지로 설정되어있다. 대부분의 프린터가 A4용지 기준이니 이 설정값은 그대로 두면 된다.

인쇄 메뉴 오른쪽에 출력할 이미지가 보이는데 용지 크기가 A4로 설정되어 있기 때문에 책 표지가 축소되어 나타난다. 이대로 출력하면 A4 용지에 축소된 채로 인쇄되기 때문에 표지의 실제 글자 크기를 확인할 수 없다. 다른 메뉴는 그대로 두고 하단을 보면 인쇄 메뉴와 미리보기 창 사이에 붉은 색 원이 있다. 붉은색 원 안에 양쪽 화살표가 있는데 이 버튼을 클릭하면 숨어있던 메뉴가 나타난다.

새로 나타난 메뉴 중 **[인쇄 모드] - [사이즈]** 메뉴로 들어가면 출력할 이미지의 사이즈를

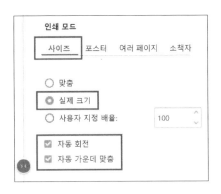

조정할 수 있다. 우리는 표지 그대로 출력해 글자 크기를 확인하고 싶기에 **[실제 크기]**를 선택한다. 프린터 기본 용지 사이즈가 A4기 때문에 **[실제 크기]**로 변경하면 미리보기 화면에 표지의 일부만 보인다. 미리보기에서 보이는 그 일부만이라도 출력해서 표지의 실제 글자 크기가 충분히 확인된다면 바로 **[인쇄]** 버튼을 누르면 된다. 그러나 책 날개의 저자 소개, 책등과 책표지의 제목, 뒷 표지의 책 소개와 ISBN 바코드 크기까지 모두 확인하고 싶다면 여러 부분을 출력해야 한다. 알PDF 인쇄기능 중에는 원하는 부분만 선택해 출력하는 기능은 없지만 위의 그림에서 보는 것처럼 **[자동 회전]**, **[자동 가운데 맞춤]**이라는 기능이 있다. 이 기능을 활용하면 출력할 부분을 어느 정도 구분해 출력

할 수 있다. 먼저 위 그림에서 보이는 그대로 메뉴를 세팅하고 출력하면 왼쪽과 같은 책 표지가 출력된다.

책 앞표지, 책등, 뒷표지까지 보이지만 뒷 책 날개와 앞 책 날개가 보이지 않는다. 이대로 출력해도 표지 글자 크기를 확인하는데 문제 없다면 상관없지만 책날개 부분까지 확인하고 싶다면 앞의 그림에 있던 메뉴에서 **[자동 가운데 맞춤]** 선택을 해제한다.

[자동 가운데 맞춤] 기능을 해제하면 오른쪽과 같이 책 앞 날개 부분이 인쇄된다. 뒷 날개 부분까지 출력해서 글자 크기를 확인하고 싶다면 **[인쇄 모드]**에서 **[자동 회전]** 메뉴까지 선택해제한다. 출력하면 아래 같이 책 뒷 날개 부분이 인쇄된다.

여러 장의 책 표지가 출력되면 한 장씩 따로 확인해도 되지만 가장 좋은 방법은 중복된 부분을 이어붙여 실제 책표지처럼 구성해 한 눈에 들어오도록 만드는 방법이다. 그저 A4 용지에 출력해 볼 때와 달리 책표지처럼 만든 후 책등과 책 날개 부분을 접어서 실제 책 표지처럼 입체감 있게 만들어 보면 훨씬 더 책표지의 분위기를 확인할 수

있다.

알PDF 프로그램을 통해 책 표지의 실제 글자 크기를 확인하는 방법을 알아보았다. 알PDF뿐만 아니라 어도비 아크로뱃 리더 프로그램으로도 동일하게 책 표지 실제 글자 크기를 확인할 수 있다. 어도비 아크로뱃 리더프로그램으로 책 표지 PDF 파일을 연 후 상단의 **[인쇄]** 메뉴를 클릭한다. 아래와 같은 인쇄 메뉴가 열리면 알PDF와 동일하게 **[실제 크기]**로 세팅하고 **[방향]** 메뉴에서 **[자동]**, **[세로 방향]**, **[가로 방향]**을 설정해 가며 출력한다. 어도비 아크로뱃 리더는 알PDF와 달리 더 자세한 설정은 어렵지만, 앞 뒷표지와 책등, 뒷 책날개까지 출력해 확인가능하다.

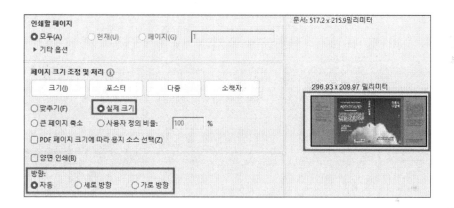

지금까지 캔바를 활용해 책표지를 만드는 기본적인 방법을 살펴보았다. 그런데 3부에서 빠진 부분이 있는데 종이책의 경우 뒷 표지에 ISBN 바코드를 추가해야 한다. 이 방법을 설명하기 전에 ISBN에 대한 이해가 있어야 하기에 구체적인 방법은 **[4부. 4.1. 3 뒷 표지에 ISBN 바코드 추가하기 p. 248]**에서 다룰 것이다. 종이책 표지를 만드는 기준으로 설명했지만 전자책 표지도 표지 크기만 다르지 동일한 방법으로 만들 수 있다. 캔바 활용 능력은 결국 계속 해보면서 늘어날 수밖에 없다. 여기까지 잘 따라왔다면 이제 캔바와 관련한 어떤 책이나 영상도 소화가 가능한 수준이 되었다. 이 책은 특히 『세상에서 가장 쉬운 SNS 콘텐츠 디자인 with 캔바』(강민영, 비제이퍼블릭)[35] 라는 책의 도움을 많이 받았다.

제4부

부크크 플랫폼으로 출판하기

1. 출판과 유통에 대한 이해

이제 모든 부분이 준비되었다. 원고, 내지편집, 표지디자인을 거쳐 만들어진 파일을 인쇄소에 넘겨 책으로 만들면 된다. 그런데 인쇄소를 접촉하고, 내지와 표지 종이 재질을 선택하고, 서점에 유통하는 일까지 직접 나서야 하는가? 바로 이 부분을 해결해 주는 플랫폼들이 있다. 대표적인 플랫폼으로 부크크와 교보문고 POD 주문형 출판('바로출판'이라 부른다.)이 있는데 플랫폼을 살펴보기 전에 출판의 종류와 책 유통에 대한 이해가 있어야 한다. 책을 만들고 유통 · 판매하겠다면서 전체적인 출판-유통 시스템을 모르면 안 된다. 먼저 출판의 종류부터 살펴보고, 출판된 책이 어떻게 유통 · 판매되는지 알아보자.

1.1 출판 종류

출판 종류는 구분하기에 따라 여러 방법이 있다. 각 출판 방법들을 명확하게 선 그어 구분하기는 어렵지만 가장 많이 출판하는 방법 5가지 정도를 보도록 하겠다.

첫째, 기획출판으로 가장 많은 책들이 출판되는 방법이다. 대부분의 출판사들이 이 방법으로 책을 출판한다. 기획이라는 말에서 알 수 있듯이, 출판사에서 저자와 함께 책을 기획하는 출판이다. 저자는 이미 유명한 작가일수도 있고, 무명의 작가일수 있다. 출판사가 먼저 기획해 작가에게 써달라고 요청할 수도 있고, 작가가 자신의 원고를 출판사에 투고하는 경우도 있다. 공모전이라는 형식을 빌려 당선된 글을 출판하는 방식도 기획 출판에 해당된다. 어떤 방법이든 출판사가 출판과 관련된 모든 비용을 부담한다. 유명한 작가라면 계약할 때 책이 출판되기도 전에 선인세로 얼마를 먼저 주고 원고를 부탁하기도 한다. 그러나 대부분의 기획출판은 책이 모두 만들어진 후 한권 팔릴 때마다 저자에게 10% 내외의 인세를 주는 것으로 계약한다. 계약하기에 따라 10%에 훨씬 못 미치는 인세를 받기도 하고, 유명한 작가는 훨씬 많은 인세를 받기도 한다.

기획출판은 모든 작가가 꿈꾸는 출판 방법이다. 자신의 원고를 알아보는 출판사를 만나 출판과 유통 전 과정동안 비용을 하나도 지불하지 않고 책을 출판하는 방법이다. 원고 교정교열과 편집, 내지와 표지 편집, 서점 유통, 책 홍보, 재고까지 모두 알아서 떠맡는다. 그러나 이런 방법을 통해 책을 출판하는 작가는 많지 않다. 수십군데 출판사에 원고를 투고했는데 단 한곳에서도 연락을 받지 못한 작가들이 수두룩하다. 이런 경험이 있는가? 전혀 실망할 필요 없다. 나도 그중에 하나였고, 그게 기회가 되어 주문형 출판으로 직접 책을 만들게 되었다. 책 팔아 떼돈 벌 생각 아니라면 다른 출판 방법들이 얼마든지 있다.

두 번째 방법은 자비출판이다. 말 그대로 책 출판부터 유통까지 모든 비용을 자비로 진행하는 출판 방법이다. 자비출판 전문업체는 출판 비용 전액을 작가로부터 받아 책을 제작한다. 작가가 모든 비용을 대고 출판사는 제작과 유통까지 대행해주는 방식이다.

세 번째 방법은 반기획출판이다. 기획출판과 자비출판 방식을 혼합한 방식이며, 분담출판이라고 하기도 한다. 어떤 계약을 하느냐에 따라 약간 다를 수 있지만 작가가 출판 일부 비용을 부담하는 방식이다. 반기획출판으로 출판해 줄 출판사를 정하고 출판사와 협의해 몇 부를 만들 것인지 결정한다. 출판사에서 정해 둔 부수가 있을 수 있고, 저자가 부수를 선택할 수도 있다. 예로 1천부로 계약하면 작가가 몇 백만원의 초기 비용을 지불하고,

만든 책의 50~60%인 500~600부를 받는다. 이 책은 작가가 알아서 판매하거나 나눠줄 수 있는 책이다. 나머지 400부는 책을 만든 출판사가 판매하며, 판매 후 인세는 작가에게 주지 않는다. 출판사도 책을 만들고 유통하는 과정에 비용이 들기 때문에 400부 판매에 대한 수익은 출판사가 그대로 가져가는 것이다. 그럼 처음 만든 1천부 책이 모두 팔리고 나면 어떻게 하는가? 출판사와 작가가 계약을 어떻게 했는지에 따라 달라진다. 2쇄나 3쇄를 찍을 때부터 비용은 출판사가 전적으로 부담하고 판매되는 수익의 몇 %를 인세로 받는 방식도 있다. 계약하기 나름이다. 반기획출판은 정해진 방식이 있는게 아니라 작가와 출판사가 어떤 계약을 하느냐에 따라 달라진다. 따라서 반기획출판은 자비출판보다 비용은 적게 들고, 계약에 따라 많이 팔릴 경우 출판 비용 부담없이 인세를 받을 수 있다.

네 번째 방법은 독립출판이다. 독립출판은 1인 출판이라는 이름으로도 많이 알려진 방식이다. 작가가 출판사를 직접 차리고 사업자등록하여 책을 출판하는 방식이다. 그러나 독립출판은 말처럼 쉽지 않다. 출판사 등록과 사업자등록이야 누구나 쉽게 할 수 있다. 그러나 책을 한권 만들어 판매하는 과정을 모두 홀로 진행해야 한다. 교정교열, 내지와 표지 디자인, 인쇄업체 선정, 책 유통업체 선정(창고에 책을 보관하고 있다가 주문 들어오면 각 서점으로 보내주는 업체), 홍보, 서점 영업까지 혼자 감당해야 한다. 내지 편집, 표지 디자인과 교정교열을 작가가 직접 할 수도 있고, 전문가를 찾아 비용을 주고 진행할 수도 있다. 출판, 인쇄, 유통에 대한 지식이 없는 작가라면 독립출판은 여러 걸림돌이 많다. 책을 출판해 판매한다 하더라도 시중 서점에 바로 입고할 수 없다. 이름도 생소한 신생 출판사 책을 어떻게 알고 주문해 서점 매대에 진열해 주겠는가? 결국 작가가 발로 뛰며 서점 영업을 해야 가능하다. 이런 이유로 독립출판은 자비출판보다 더 많은 비용과 시간, 노력이 들어갈 수 있다. 준비없이 독립출판으로 뛰어들었다가 큰 낭패를 볼 수 있다. 책은 수 천권 인쇄했는데 홍보-유통-판매가 어려워 재고로 쌓아두는 일이 벌어진다. 독립출판의 성공한 사례 중 하나가 베스트셀러인 『언어의 온도』다. 이기주 작가는 자신의 책을 기획출판으로 출판하는 대신 직접 출판사를 차려 책을 출판했다. 이 책을 들고 1년 동안 200여 곳의 전국 서점을 누비고 다니면서 영업했다는 전설 아닌 전설이 있다. 독립출판은 출판사 사장이 직접 서점에 홍보하고 계약하거나 보도자료를 만들어 언론사에 뿌리는 방식이 아니면 책이 서점에 진열될 수 없다. 그 누구도 대신해 주지 않는다.

　다섯 번째 방법은 주문형 출판이다. 주문형 출판은 자비출판이나 독립출판과 비슷하면서도 다른 출판 방식이다. 책 출판에서 유통까지 모든 비용을 감당해야 하는 부분에서는 자비출판이나 독립출판과 동일하다. 그러나 자비출판은 출판에서 유통까지 자비출판 업체에서 감당하지만 독립출판과 주문형 출판은 모두 홀로 감당해야 한다. 주문형 출판은 이 부분에서 자비출판과는 다르고 독립출판과 비슷하다. 그러나 주문형 출판이 자비출판이나 독립출판과 달리 주문이 들어오면 그때 책을 만들어 판매하는 시스템이다. 주문형 출판이라는 용어에서도 알 수 있듯이 책을 미리 만들어 재고로 쌓아두고 판매하는 것이 아니라 주문이 들어오면 그때 한부씩 인쇄해 판매하는 방식이다. 영어로 Publish On Demand라고 하며 줄여 POD라고 부른다. 자비출판이나 독립출판은 미리 책을 500부, 1,000부 인쇄한 후 계약한 유통업체 창고에 보관하고 있다가 주문이 들어오면 발송한다. 그러나 주문형 출판은 주문이 들어오면 그때 책을 인쇄해서 발송(3~5일 소요)한다. 때문에 주문형 출판은 독자가 책을 주문해 손에 쥐기까지 시간이 더 걸린다. 주문을 받은 후 책을 만들어 발송해야 하기 때문이다.

　대부분의 출판사나 인쇄소는 주문형 출판을 진행하기 어렵다. 주문형 출판으로 이윤을 남기려면 다양한 종류의 책이 수시로 판매되어야 한다. 그렇기 때문에 주문형 출판을 전문적으로 하는 업체가 몇 안되는데 그 중에 대표적인 업체가 부크크와 교보문고다. 이 두 업체는 준비된 원고만 있다면 온라인 플랫폼에서 무료로 책을 출판할 수 있는 시스템을 갖추고 있다. 물론 교정교열, 내지 편집, 표지 디자인까지 모두 끝난 원고가 있어야 한다. 이 업체에서 교정교열을 봐주거나, 편집이나 디자인을 해주지 않는다. 이 부분까지 원하면 비용을 더 지불하면 된다. 그러나 이 모든 부분이 준비되어 있다면 출판까지 무료다. 심지어 인터넷 서점 유통까지 무료로 대행해 준다. 이 책은 바로 이런 방식으로 무료로 책 출판과 유통까지 가능하도록 돕기 위해 쓴 책이다. 창고에 재고로 책을 쌓아둘 필요도 없고, 창고 사용료를 낼 필요도, 책을 서점으로 발송하는 유통 대행사에 수수료를 낼 필요도 없다. 인터넷 서점이든 오프라인 서점이든 주문이 들어오면 주문형 플랫폼에서 알아서 책을 만들어 발송까지 해주고, 수익은 정산해서 통장으로 입금해 준다.

물론 시중 오프라인 서점까지 책을 진열하지는 못한다. 주문형 출판이라는 말처럼 주문을 받아야 책을 만들어 발송하기 때문에 판매를 예측하고 책을 미리 만들어 서점에 비치할 수 없기 때문이다. 서점 입장에서도 알려지지 않은 책을 미리 주문해 매대에 진열하는 수고를 누가 하고 싶어하겠는가. 주문형 출판이 이런 단점이 있지만 원고를 책으로 만들어 세상에 내고 싶다면 주문형 출판만큼 비용이 들지 않는 방법은 없다. 주문형 출판으로 출판과 유통에 어느 정도 지식이 쌓이고, 책을 판매하면서 어느 정도 경쟁력이 있겠다는 감이 오면 주문형 출판을 독립출판 방식으로 바꿀 수 있다. 주문형 출판은 언제든지 판매를 종료할 수 있기 때문에 출판사를 만들어 500부, 1,000부 정도를 인쇄해 [언어의 온도] 이기주 작가와 같이 서점에 홍보하는 식으로 판매 가능하다. 제2의 이기주 작가가 나오지 말라는 법이 있는가? 무작정 독립출판 방식으로 책을 만들기보다 주문형 출판을 거쳐 독립출판으로 나가는 것도 하나의 방법이다. 주문형 출판을 통해 교정교열, 내지와 표지편집, 종이의 재질, 인쇄와 유통 전반에 대한 이해가 쌓이면 위험부담이 좀 더 낮은 독립출판이 가능하다.

이 책은 마지막 방법인 주문형 출판을 위한 책이다. 그리고 주문형 출판을 돕는 플랫폼 중에 부크크를 선택했다. 교보문고 POD 출판을 이용해도 상관없다. 우리나라 대표적인 주문형 출판 플랫폼으로 부크크와 교보문고 POD(바로출판)가 있는데 인터넷 서점을 통해 판매 시 교보문고가 부크크보다 인세를 조금 더 준다. 그러나 교보문고 POD는 교보문고 인터넷 서점에서만 판매되며, 부크크는 교보문고, 알라딘, 예스24와 같이 우리나라 대형 인터넷 서점에서 모두 판매 가능하다. 이런 부분들을 잘 확인하고 선택하면 된다.

1.2 유통과 판매

어떤 방법을 통해서든 책을 출판했다고 하자. 기획출판이든, 독립출판이든, 주문형 출판이든 모든 출판은 동일한 과정을 거쳐 책이 유통된다. 주문형 출판이라고 해서 다른 방식으로 책이 판매되지 않는다. 책만 잘 만드면 끝나는게 아니라 결국 독자들의 손에 들려야 하기 때문에 출판 후 책이 인터넷 서점이든 오프라인 서점이든 유통되어 판매되는 과정을 이해할 필요가 있다.

책이 인쇄소에서 모두 만들어지면 이 책들이 전국 서점이나 인터넷 서점으로 바로 갈 수 없다. 주문도 하지 않은 책을 어떤 서점이 받아 줄 것인가? 결국 인쇄소에서 만들어진 책은 주문이 들어와 판매될 때까지 보관될 창고가 필요하다. 창고는 그냥 출판사 한 켠에 두면 되지 않겠느냐 생각할 수 있다. 물론 출판 종수가 적을 때는 주문이 들어오면 바로 출판사에서 책을 포장해 택배로 보낼 수 있다. 그러나 그것도 한 두 번이지 택배 발송 업무와 반품되는 책 정리, 서점과 지속적인 연락은 출판한 책이 한 두권일 때야 감당가능하지 지속적으로 하기 어렵다. 이 때문에 인쇄소에서 만들어진 책을 창고에 보관해 주고 서점에서 주문이 들어오면 배송해 주는 일을 대행해 주는 업체들이 있다. 이런 유통업체들을 물류대행사, 배본사라고 부른다.

물류대행사나 배본사들은 자체 물류 창고를 가지고 있다. 인쇄소에서 책을 다 만들면 어디로 발송할지 출판사로 연락한다. 몇 백부에서 몇 천부나 되는 책을 어디로 배송할지 알려달라는 것이다. 출판사에서는 이 책들을 거래하고 있는 물류대행사(배본사) 창고로 보내달라고 한다. 이제 갓 출판사를 창업한 사람이라면 책이 인쇄를 끝내기 전에 미리 이 물류대행사(배본사)를 결정해 계약을 해 두어야 한다. 물론 자신의 출판사 창고에 책을 두고 직접 서점에 판매하겠다면 이런 과정은 필요없다. 그러나 책 한 두권 만들어 팔다가 폐업할 출판사가 아니라면 대부분의 출판사는 이 물류대행사(배본사)가 필요하다.

물류 창고로 책이 입고되면, 서점에 판매할 준비가 모두 끝났다. 그런데 어떤 책이 출판되었다는 사실은 서점이 어떻게 알고 주문하는가? 출판사에서 발로 뛰며 서점을 찾아다니지 않는 이상 그 누구도 책의 존재를 모른다. 대형서점 담당 MD를 만나야 하고, 인터넷 서점 담당자에게 보도자료를 메일로 보내거나 책의 존재를 알려야 한다. 지역서점은 직접 사장님을 만나야 할 수도 있다. 홍보없이 서점에서 알아서 책을 주문하지 않는다. 책 홍보까지는 이 책의 범위가 아니므로 관련 책36을 추천하는 정도에서 넘어가자.

책의 존재를 알고 서점에서 출판사로 연락해 책을 주문한다고 하자. 그러면 출판사에서는 그 책을 보관하고 있는 물류대행사(배본사)로 연락한다. 물류대행사(배본사)에서는 주문받은 책을 물류 창고에서 포장해 주문한 오프라인 서점으로 직접 발송하거나 인터넷 서점 물류창고로 보낸다.(이런 이유로 대부분의 물류대행사 물류창고와 인터넷 서점 물류창고가 파주에 몰려있다. 가까이 있어야 유통시간과 비용을 줄일 수 있기 때문이다.) 출판사-물류대행사(배본사)-서점이 이런 방식으로 연결된다. 물류대행사(배본사)는 창고에 책을 보관하는 보관비, 책 발송에 들어가는 배송비, 포장비, 반품된 책을 받아 정리하는 비용, 시스템 유지비까지 모두 합산해 출판사에 비용을 청구한다. 출판사 입장에서는 책을 만들고 홍보하는데 전념할 수 있는 시스템이다. 이 비용이 아까워 초기에는 출판사에서 이 모든 걸 진행할 수 있겠지만 출판 종수가 늘어나면 이 유통시스템을 사용하는 게 훨씬 유리하다. 대표적인 물류대행사(배본사)로 날개, 북플러스, 문화유통북스, 한국도서유통, 고려출판물류, 행복한수레, 해피데이, 코업로지스 등이 있다.

물류대행사(배본사)는 출판사로부터 주문받은 책을 서점까지 배송하는 과정만 책임진다. 서점이 물류대행사(배본사)와 직접적으로 연락할 필요가 없다. 서점이든 물류대행사(배본사)든 모든 업무가 출판사를 통해서 연결된다. 그런데 이마저도 출판사가 위탁하는 경우가 있는데 보통 총판이라고 부르는 도매업체가 이 업무를 담당한다. 총판은 출판사가 서점에서 주문받아 물류대행사(배본사)에 다시 연락해 서점으로 책을 배송하는 과정을 줄여 서점이 바로 총판과 연락해 책을 주문하고 받는 방식이다. 즉 총판은 출판사가 하는 출고관리와 함께 물류대행사가 하는 배송관리까지 한꺼번에 진행한다. 총판을 활용하면 출판사가 서점과 계속 연락할 필요없이 총판이 알아서 서점의 주문을 받아 배송까지 하는 장점을 누릴 수 있다. 총판 중에 일부는 거래처 오프라인 서점에 책을 보내 영업까지 대행해주기도 한다. 대부분의 총판은 서점에서 주문이 들어와야 배송하므로 총판을 이용한다 하더라도 서점에 지속적으로 책을 홍보하는 건 어디까지나 출판사 몫이다. 대부분의 총판이 그 일까지 대신해주지 않는다. 총판은 출판사가 하던 업무(서점 주문을 받아 물류대행사로 연락하는 일)까지 대신해 주는 것이니 당연히 비용을 더 받는다. 총판은 보통 책 정가의 50~60%를 주고 책을 가져가며, 이후 서점과 계약 시 70%내외의 공급률(서점에 판매하는 정가대비 비율)로 판매한다. 총판이 책 정가의 10~20%를 관리비용으로 가져간다고 할 수 있다.

이런 총판도 단점이 있는데 물류대행사(배본사)의 경우 출판사가 모든 주문을 받아서 물류대행사로 주문하기 때문에 실시간으로 서점에 책이 얼마나 공급되고 있는지 파악할 수 있다. 그러나 총판은 주문부터 배송까지 직접 관리하기 때문에 전국 서점에 얼마나 공급되고 있는지 출판사가 실시간으로 파악하는 것은 불가능하며 책 대금 입금도 상당히 느릴 수밖에 없다.

총판은 '일원화'라는 용어도 사용하는데 여러 총판(도매업체)을 통해 서점에 책을 공급하는게 아니라 한 곳의 총판이 독점해 책을 공급하는 것을 말한다. 총판을 언제 활용하는 것이 좋을지 정확한 시기가 정해진 건 아니지만 신생 출판사라면 물류대행사(배본사)로 충분하며, 중견 출판사로 성장한다면 대형서점과는 물류대행사(배본사)를 통해서 진행하고, 지역서점은 총판을 통해 관리하는 게 적절하다. 대표적인 총판(도매업체)으로 전국을 대상으로 하는 북센, 북플러스(물류대행과 총판을 함께 함), 한국출판협동조합이 있으며, 지역 총판으로 한성서적(부산), 한일서적, 세원출판유통(대구), 중부서적(대전)이 있다.

주문형 출판은 책을 미리 만들어 재고로 쌓아둘 필요가 없기 때문에 물류창고가 필요없다. 물류창고가 필요없기 때문에 물류대행사(배본사)가 필요없다. 주문형 출판 플랫폼에서 인터넷 서점과 계약해 책을 판매할 수 있도록 진행하기 때문이다. 작가는 책을 만들기만 하면 고객이 인터넷 서점을 통해 주문하고, 이 주문은 주문형 플랫폼으로 전달되어 바로 책을 만들기 시작한다. 바로 이런 시스템 때문에 주문형 출판으로 만들어진 책은 창고에 재고로 쌓아둔 책과 달리 시간이 좀 더 걸린다. 책 주문 - 발송 - 정산까지 주문형 플랫폼에서 모든 과정을 진행한다. 예로 부크크에서는 만든 책을 인터넷 서점인 교보문고, 예스24, 알라딘에 판매할 수 있도록 연결하며, 총판인 북센을 통해 전국 지역 서점으로도 판매할 수 있도록 한다. 부크크는 전국의 오프라인 지역서점들이 가장 많이 이용하는 총판인 북센과 계약해 지역서점에서 책이 필요할 때 북센을 통해 주문할 수 있도록 시스템을 만들었다. 고객이 인터넷 서점을 통해 주문하면 바로 부크크로 주문이 넘어와 책을 만들어 인터넷 서점 물류센터로 보낸다. 인터넷 서점 물류센터에서는 그 책을 고객에게 발송한다. 고객이 지역서점을 통해 주문하면, 서점 – 북센 – 부크크로 연결되어 책을 만들어 다시 역순(부크크 – 북센 – 서점)으로 발송한다. 드문 일이긴 하지만 주문형 출판도 홍보만 잘 되면 오프라인 지역서점을 통해서도 판매가 가능하다는 말이다. 다만 주문형 출판 도서는 할인율이 낮아 지역서점이 가져가는 마진이 많지 않다. 이 때문에 지역서점을 통해 주문형 출판 책을 판매하기가 쉽지 않다.

2. 기본적인 저작권에 대한 이해

2.1 저작물이란?

모든 글꼴과 이미지엔 저작권이 있다고 했다. 다만 저작권자가 자신의 저작물을 누구든 사용할 수 있도록 공유했기 때문에 무료 글꼴을 다운로드 받아 쓸 수 있고, 무료 이미지 사이트를 통해 이미지를 활용할 수 있다. 무료로 사용할 수 있다고 해서 저작권자가 없다는 말이 아니다. 출판을 준비한다면 저작권에 대해서는 필히 알아야 한다. 글꼴, 이미지뿐만 아니라 다른 이들이 쓴 글의 일부를 인용할 때도 적절한 기준에 맞추어 인용해야 한다. 그렇지 않으면 저작권 침해이거나 표절이다. 이 장에서는 전반적인 저작권과 인용, 글꼴 사용과 관련된 내용을 다룬다.

저작권법 제2조 제1호에서는 저작물을 '인간의 사상 또는 감정을 표현한 창작물'이라고 정의한다. 저작물이 아니면 저작권 자체가 발생하지 않기 때문에 다툼의 여지도 없다. 따라서 저작물인가 아닌가를 먼저 정의해야 저작권에 대해 이해할 수 있다. 저작권법 제2조 제1호를 정리하면, 저작물이 되기 위해서는 첫째, 인간이 만들어야 하고, 둘째, 외부로 표현되어야 하며, 셋째, 창작성이 있어야 한다. 이 세가지 요소를 충족하지 못하면 저작물로 인정받을 수 없다.[37]

인간이 만들어야 한다는 말은 무엇일까? 이와 관련해 아주 유명한 사례가 있는데, 2011년 영국의 사진작가 데이비드 슬레이터는 인도네시아에 원숭이를 찍으러 갔다. 그런데 우연히 원숭이가 이 사진작가의 카메라로 셀카를 찍었다. 데이비드 슬레이터가 사진을 찍는 중에 원숭이 한 마리가 다가와 카메라를 빼앗아 가서는 셀카 사진을 찍은 것이다. 슬레이터는 인도네시아에서 돌아온 후 이 사진을 발견하고 돈을 받고 사진을 판매했는데 인터넷을 통해 이 사진은 급속도로 퍼졌다. 슬레이터는 인터넷에서 그 사진을 내려 달라고 했지만 원숭이가 직접 찍은 사진은 저작물에 해당하지 않는다고 올린 이들이 거부했다. 슬레이터는 그 사진의 저작권이 자신에게 있다고 주장했지만 오히려 이 사건으로 동물보호단체는 슬레이터가 원숭이의 저작권을 침해했다고 고발했다. 결국 긴 법정 공방 끝에 인간이 아닌 원숭이가 찍은 사진에는 저작권이 없음으로 동물보호단체의 고발도 데이비드 슬레이터의 저작권도 기각되었다. 저작물로 인정받으려면 '인간'이 만들어야 한다.

둘째로 저작물로 인정받기 위해서는 외부로 표현되어야 한다. 아무리 좋은 생각이 있더라도 다른 사람들이 확인할 수 있을 정도로 표현되지 않으면 저작물로 인정받을 수 없다. 우리나라는 특정한 매체에 고정되어 있지 않아도 저작물로 인정한다. 즉, 글로 적거나 동영상으로 촬영한 것이 아닌 다른 사람들이 확인할 수 있는 말로 사상과 감정을 표현했다면 저작물로서 기본적인 요건은 갖춘 것이다. 예로 강연에서 강사가 한 말이 사상과 감정을 표현한 것이라면 글로 적은 것도 아니고, 녹음한 것도 녹화한 것도 아니더라도 일단 기본적인 저작물의 요건은 갖춘 셈이다. 그렇다고 다 저작물로 인정받는다는 말이 아니다. 세 번째 요소가 있기 때문이다.

마지막으로 저작물로 인정받기 위해서는 창작성을 갖춘 창작물이어야 한다. 다른 사람 것을 그대로 베껴 놓은 것은 저작물이 될 수 없다. 저작자가 직접 만든 것이어야 하며, 저작자의 창조적인 개성이 표현되어야 한다. 그런데 창작성의 범위를 어디까지 주장할 수 있을까? 누구라도 그렇게 밖에는 표현할 수 없는 내용은 창작물이 아니다. 과거부터 이미 존재하던 표현이나 통상적인 표현도 마찬가지다. 그리고 문구가 짧고 의미가 단순한 것도 창작물로 인정받을 수 없다. 법원에서 일관되게 판결하는 것도 책이나 영화, 노래 제목은 창작적 표현으로 보지 않아 창작물로 인정받지 못한다.

저작물이 되기 위한 요건들을 살펴보았는데, 이 요건이 중요한 이유가 있다. 저작권은 아이디어나 노하우 자체를 보호하지 않는다. 위의 요건처럼 저작권의 보호 대상은 '표현'이지 사상이나 감정이 아니다. 특정 아이디어를 담고 있는 책이나 논문의 '표현'된 내용은 저작권의 보호대상이지만 아이디어 자체는 보호 대상이 아니다. 대표적인 예가 레시피인데 저작권법상 요리 레시피는 아이디어기 때문에 보호될 수 없다. 요리 레시피가 '표현'된 책의 내용이나 이미지는 보호받을 수 있겠으나 레시피 '아이디어' 자체로는 저작권법의 보호받을 수 없다. 아이디어를 보호받으려면 특허권을 신청해야 한다. 그러나 특허권은 아이디어와 함께 자세한 제조과정도 등록해야 하는데 특허출원을 받은 후 20년이 지나면 특허권이 소멸되기 때문에 레시피를 특허 등록해 자세하게 공개하는 것을 꺼리게 된다. 코카콜라가 특허를 받지 않고 레시피를 공개하지 않는 이유도 이 때문이지 않을까.

참고로 특허권은 등록해야 권리가 발생하지만 저작권은 등록할 필요가 없다. 저작물로 인정받기 위해 어떤 기관에 등록할 필요도 없고 저작물의 창작과 동시에 부여된다. 물론 외부로 표현되어 타인이 인지할 수 있는 창작이어야 한다.

2.2 저작물의 종류와 보호 기간

저작권법 제4조(저작물의 예시)는 저작물의 종류를 다음과 같이 예시하고 있다.

1. 소설·시·논문·강연·연설·각본 그 밖의 어문저작물
2. 음악저작물
3. 연극 및 무용·무언극 그 밖의 연극저작물
4. 회화·서예·조각·판화·공예·응용미술저작물 그 밖의 미술저작물
5. 건축물·건축을 위한 모형 및 설계도서 그 밖의 건축저작물
6. 사진저작물(이와 유사한 방법으로 제작된 것을 포함한다)
7. 영상저작물
8. 지도·도표·설계도·약도·모형 그 밖의 도형저작물

9. 컴퓨터프로그램저작물

출판은 어문저작물만 관련 있을 듯 하지만 책 내용에 포함된 그림, 사진, 설계도, 도표와 같은 저작물은 미술저작물, 사진저작물, 건축저작물, 도형저작물로 분류될 수 있다.

저작물의 보호기간은 저작권법 제39조(보호기간의 원칙)에 따라 저작자가 생존하는 동안뿐 아니라 사망한 후 70년간 존속한다. 공동저작물(공동으로 저작해 누가 어느 부분까지 저술했는지 명확하게 나눌 수 없는 저작물)은 가장 마지막으로 사망한 저작자가 사망한 후 70년간 존속한다. 물론 공동저작자들이 생존하는 동안도 포함된다. 여러 명의 저자가 참여했더라도 어떤 저작자가 어디까지 저술했는지 명확하게 확인되는 저작물은 공동저작물이 아닌 결합저작물이라 부르며, 결합저작물은 그 저자가 쓴 부분에 대해서 개별적으로 저작물 보호기간을 적용한다. 저작권 보호기간이 지나면 권리가 소멸되고 누구나 저작물을 이용할 수 있다. 저작권 보호 기간을 계산할 때는 저작자가 사망한 다음 해부터 계산을 시작한다. 예로 저작자가 2020년 5월 30일에 사망했다면 그 다음해인 2021년 1월 1일부터 70년간 저작권이 지속된다. 해외 고전 작품이 여러 출판사에서 번역되어 쏟아져 나오는 이유가 바로 여기에 있다. 저작권이 소멸되었거나 저작자가 저작권을 포기한 저작물을 자유 이용 저작물, 공유저작물, 퍼블릭 도메인(public domain)이라 부른다. 독립출판사 중에는 해외 퍼블릭 도메인을 전문적으로 번역해 출판하는 출판사들도 있는데 저작권료를 지불하지 않아도 되기 때문이다.

2.3 표절과 인용

표절이란, 다른 사람의 아이디어, 논문, 문학작품, 사진과 같은 창작물을 출처 명시나 허락없이 몰래 가져가 자신의 것으로 발표하는 행위를 말한다. 표절에도 여러 종류가 있다. 가장 대표적인 표절이 텍스트 표절로 저작자의 허락이나 인용없이 자신의 것으로 가져가 사용하는 것을 말한다. 모자이크 표절은 다른 저작자의 텍스트를 여기 저기서 가져와 조합하거나 추가, 삭제하는 방식으로 사용하면서 출처를 밝히지 않는 표절이다. 아이디어 표절은 말 그대로 아이디어를 처음 만들거나 제공한 이를 밝히지 않고 아이디어를 도용한 표절이다. 자기 표절은 자신이 이전에 만든 저작물을 출처 표기 없이 다시 사용한 표절을 의미한다.

표절과 저작권 침해는 비슷한 듯 하지만 표절이 더 폭 넓은 개념이다. 앞서 말했듯이 아이디어는 저작권의 보호를 받지 못한다. 아이디어 도용은 명확한 표절이지만 저작권 침해부분은 다투어 보아야 한다. 저작권 침해가 아니라 판단되더라도 도덕적, 윤리적 비난은 받을 수밖에 없다. 또한 자기 표절의 경우도 저작권이 저작자 본인에게 있기 때문에 저작권 침해에 해당될 수 없다. 그러나 저작권 침해는 아니더라도 학문적, 도덕적 비난은 피할 수 없다.

표절과 저작권 침해를 피하면서 다른 저작자의 저작물을 사용할 수 있는 방법이 있다. 바로 이용허락과 인용이다. 이용허락은 말 그대로 저작자에게 허락을 받아서 사용하는 것이다. 출판을 예로 든다면 그 글을 쓴 저작자나 출판사에 연락해 서면으로 허락을 받으면 된다. 구두가 아닌 서면으로 허락을 받을 필요가 있다. 구두로 받은 허락은 후에 그 사실을 증명할 기록이 없다. 그런데 한 권의 책을 쓰면서 어떻게 모든 저작자에게 연락해 이용허락을 받을 수 있겠는가? 이는 불가능하다. 바로 이 부분을 해결할 방법이 있는데 바로 인용이다.

인용과 관련해 기억에 남는 일이 하나 있다. 페이스북을 보다가 유명한 인플루언서 한 명이 쓴 글이 눈에 들어왔다. 본인이 최근 책을 한권 출판할 예정인데 책의 내용 중 자신이 존경하는 분의 글 일부를 인용했다는 것이다. 그런데 인용하기 위해서는 허락을 받아야 하는데 직접 그분에게 연락해 인용허락을 받았다고 올린 글이었다. 물론 틀린 것은 아니다. 이렇게 타인의 저작물을 이용하기 위해 직접 허락을 구하고 사용해도 된다. 그러나 굳이 이 방법이 아니더라도 인용이라는 방법이 있다. 인용이란, 타인의 저작물 중 일부를 이용함에 있어 그 출처를 명확하게 밝히는 것이다. 글을 쓰다보면 자신의 주장과 생각의 근거가 필요할 때가 있다. 에세이나 소설, 시와 같은 문학류가 아니라면 어떤 주제의 전문가나 객관적 데이터, 이미지들을 통해 근거를 제시하면, 훨씬 더 자신의 주장과 생각에 힘이 실리기 때문이다. 이 인용은 저작권법에서도 분명하게 명시하고 있다.

저작권법 제28조(공표된 저작물의 인용)에서는 "보도·비평·교육·연구 등을 위하여는 정당한 범위 안에서 공정한 관행에 합치되게 이를 인용할 수 있다."고 제시한다. 저작권법에서는 '보도·비평·교육·연구'의 영역을 구체적으로 제시하지 않고, 뒤에 '등'이라는 문구로 포괄적으로 제시하고 있기 때문에 일반적인 책의 원고는 대부분 이 조항에 포함된다. 그럼 이 조항에서 '관행에 합치되게' 인용한다는 것은 어떤 의미인가? 저작권법에서는 구체적인 관행을 기술하지 않고 있다.

먼저는 인용하고 하는 부분의 출처를 명확하게 밝혀야 한다. 저작물명, 저작자명, 인용하고자 하는 내용의 위치(페이지수), 출판사나 잡지명, 출판년도와 같은 항목들이다. 출처는 각주나 미주, 참고문헌을 통해 밝히는데 이 부분은 앞서 한글프로그램을 활용하는 부분에서 다루었기 때문에 생략하겠다. 두 번째로, 인용한 부분은 누구나 알 수 있도록 표시해야 한다. 큰 따옴표(" ") 안에 둘 수도 있고, 다른 글보다 더 들여쓰기를 하거나 글꼴 크기를 작게 만들어 표현할 수도 있다. 한 가지 방법으로 정해진 것은 없으며, 누가 보더라도 저작자 본인이 쓴 글과 차이가 나도록 표시하며, 인용한 내용 뒤에 주석 번호를 붙여 꼭 출처를 밝혀야 한다. 셋째로 '일부분'을 인용해야 한다. 그렇다면 일부분의 분량은 어느 정도인가? 정해진 것은 없다. 일부분이라는 분량보다 더 중요한 지점이 있는데, 자신이 인용한 내용이 자신의 주장의 근거나 더 자세한 이해를 돕기 위해 사용되어야 한다. 자신의 생각이나 주장은 없고, 타인의 저작물을 그대로 베껴와 붙여둔 것은 인용이 아니라 표절이다. 아무리 출처를 밝혔더라도 표절이다. 인용은 자신의 생각과 주장을 뒷받침하거나 자세한 이해를 돕기 위해 타인의 저작물을 이용하는 것이지 자신의 생각은 없고 타인의 것을 여기저기 가져와 붙이는 것이 아니다. 모자이크 표절이 이와 관련 있는데 글을 쓰다보면 자신의 생각이나 주장은 없고, 여기저기서 가져와 짜깁기해 책을 쓰는 이들이 있다. 한때 이런 방식으로 책을 여러 권 출판한 유명작가들이 뭇매를 맞은 적이 있다.

책을 쓰다보면 다른 저작물을 그대로 인용하는 방법도 있지만 저작물을 요약, 정리해 인용하는 방법도 있다. 앞의 방법을 직접인용이라 하며, 뒤의 방법은 간접인용이라고 한다. 간접인용은 인용할 책의 내용을 그대로 가져오지 않기 때문에 따옴표나 들여쓰기로 구분하지 않는다. 간접 인용의 예를 든다면, 아래와 같다.

이운우는 『진로도 나답게』에서 자기이해는 자기관찰을 통해서 가능하며, 온전한 자기이해를 위해서는 자기표현을 통해 검증해야 한다고 했다. 그리고 자기표현을 지속적으로 훈련한 이들만이 나다움을 자연스럽게 드러낼 수 있다고 했다.

간접인용은 인용한 사람이 다시 요약, 재정리 한 것이 때문에 저자명과 서명만 밝히고, 자신이 요약 정리한대로 적으면 된다. 그리고 간접인용도 인용이기 때문에 반드시 각주나 미주를 통해 그 출처를 자세하게 밝히고, 간접인용한 전체 페이지를 적고, 요약 정리한 것임을 아래와 같이 적어야 한다.

이운우, 『진로도 나답게』, 공간나다움, 2022, 100~107쪽 참고하여 재정리.

다시 유명 인플루언서 이야기로 돌아가보자. 존경하는 작가의 글을 인용하기 위해 직접 연락해 인용허락을 받았다는 인플루언서와는 페이스북 친구가 아니어서 그럴 필요가 없다는 내용을 직접 댓글로 남기기 어려웠다. 그래도 한번은 알려야 할 듯해 내 페이스북 페이지에 저작자와 굳이 직접 연락하지 않아도 인용한 후 출처만 밝혀도 된다고 글을 적었다. 그가 그 글을 읽고 '좋아요'를 눌렀는데, 의외로 여러 블로그나 인터넷 글 중에 인용하려면 반드시 원 저작자나 출판사와 연락해 허락을 받아야 한다는 글을 많이 본다. 그런 방식이면 책 한권 출판하기 위해 얼마나 많은 저작자나 출판사와 연락해야 하겠나?

2.4 글꼴 저작권

글꼴(서체)은 컴퓨터프로그램저작물이다. 글꼴이 사용된 출력물은 저작물로 인정받지 못한다. 글꼴 모양 자체도 저작물로 인정받지 못한다. 글꼴 파일만 컴퓨터프로그램저작물로 인정된다. 이 말은 글꼴은 프로그램 파일로 존재할 때만 저작물로 인정받는다는 말이다. 그렇기 때문에 글꼴 파일을 복제한 것이 아니라 글꼴을 보고 똑같이 따라 만들었거나 글꼴 출력물은 저작물로 인정하지 않는다. 오직 글자체를 디지털화한 글꼴 파일만 컴퓨터

프로그램저작물로 저작권법상 보호 대상이다.

컴퓨터로 다양한 작업을 할 때 사용하는 모든 글꼴 파일은 컴퓨터프로그램저작물이다. 누구나 무료로 영리/비영리 목적으로 사용할 수 있도록 배포한 글꼴이 아니라면 그 파일을 컴퓨터에 설치해 영리목적의 책을 만드는 행위는 저작권 침해다. 오피스 프로그램(한글, 워드, 엑셀, 파워포인드)에 처음부터 설치되어 있던 글꼴이 아닌 인터넷을 통해 다운로드 받을 수 있는 글꼴을 영리 목적에 마음대로 사용할 수 있다고 생각하면 큰일난다.

앞서 2부에서 '눈누' 사이트를 통해 글꼴을 다운로드 받아 사용할 수 있는 방법을 설명했다. '눈누'에서 제공하는 글꼴뿐만 아니라 모든 인터넷 사이트에서 제공하는 글꼴은 꼭 라이선스 관련 문구를 확인해야 한다. 라이선스 확인 시 가장 중요하게 보아야 할 부분은 글꼴의 사용범위와 사용자범위다. 개인뿐 아니라 기업에서도 사용가능한지, 비영리 목적으로만 제한하는지 영리 목적의 사용도 허용하는지 확인해야 한다. 또한 책, 브로슈어, 출판용 인쇄물과 같은 인쇄에 사용가능한지, 웹사이트, 영상, 포장지, 로고에도 사용가능한지 확인해야 한다. 어느 사이트에서 제공하는 글꼴은 모두 무료라는 이야기만 듣고 무턱대고 사용하다가는 누구도 책임지지 않는다. 여기저기 글꼴을 옮겨 둔 사이트 말고 꼭 그 글꼴을 만든 회사 사이트에서 제공하는 라이선스 정보를 확인하고 사용해야 한다.

3. 부크크 플랫폼 사용법

이제 부크크를 활용해 책만들기 방법을 살펴보겠다. 부크크 플랫폼에서는 종이책과 전자책 모두 만들 수 있다. 종이책은 예스24, 알라딘, 교보문고 3개 인터넷 서점으로 유통되며, 오프라인 서점으로 책을 유통할 수 있는 도매업체인 북센과도 연결해 준다. 이 플랫폼 하나로 종이책 출판과 유통, 판매까지 가능하다. 다만 전자책은 부크크 플랫폼에서 운영하는 부크크 인터넷 서점에만 유통되며, 외부 인터넷 서점으로 유통하려면 따로 다른 유통업체를 구해야 한다. 이 부분까지 본 장에서 모두 다루어 보겠다. 부크크 플랫폼을 제대로 활용하려면 당연히 회원가입을 해야 한다. 지금부터 설명하는 부크크 플랫폼은 회원가입 후 로그인된 상태의 화면을 기초로 한다.

3.1 부크크 플랫폼 전체 구성

❶ 책 만들기 : 종이책, 전자책을 만들 수 있는 메뉴다. 출판된 책이 얼마나 팔렸는지, 인세로 얼마가 지급되었는지 확인할 수 있다. 부크크에서 자체적으로 만든 글꼴인 부크크체도 이 메뉴에서 다운로드 받을 수 있다.

❷ 작가 서비스 : 부크크에서는 표지 디자인, 내지 디자인, 교정교열 전문가를 직접 연결해 주기도 한다. 모든 과정을 혼자 준비해 출판할 수도 있지만 각 전문가들을 활용하고 싶다면 이 메뉴를 이용하면 된다. 이미 완성된 다양한 표지 디자인을 제공하고 있으며 8만원에서 18만원에 이르는 금액대의 다양한 표지를 구입할 수 있다. 내지디자인과 교정교열은 원고 분량과 요청사항에 따라 견적을 내준다.

❸ 서점 : 부크크에서 자체적으로 운영하는 인터넷 서점이다. 부크크를 통해 만든 모든 도서는 이 서점에서 구매가능하다. 인터넷 서점을 통해 책이 판매될 때 저자가 받는 인세가 15%라면, 부크크 서점을 통해 판매되는 책의 인세는 35%다. 부크크가 인터넷 서점으로 주는 유통비를 줄일 수 있으니 인세가 더 많아지는 구조다. 자신이 출판한 책을 부크크 서점에서 구매할 경우 받을 인세를 미리 제한 가격으로 계산한다.

❹ 커뮤니티 : 공지사항, 자유게시판, 작가 노하우, 자주 묻는 질문, 고객센터 메뉴로 구성되었으며, 다양한 질문과 답을 얻을 수 있다. 앞서 책을 출판한 작가들의 노하우도 얻을 수 있는 공간이다. 특히 한글프로그램이나 워드로 책을 많이 만들기 때문에 실제적인 편집방법을 얻을 수 있다.

❺ 검색 : 부크크 서점에서 판매되는 책을 검색할 수 있다. 도서명, 저자명, ISBN 번호로 검색 가능하며, 띄어쓰기를 정확하게 해야 검색된다.

❻ 알림 : 부크크에서 제공하는 모든 서비스에 대한 알림을 확인할 수 있는 메뉴다. 알림은 설정하기 따라 이메일이나 카카오톡, 문자로도 받을 수 있다. 책이 판매될 때마다 알림서비스를 제공하고, 택배발송, 책 승인여부도 알려준다.

❼ 도서 찜 목록 : 마음에 드는 표지디자인이나 디자이너, 교정교열 전문가를 찜할 수 있고, 책도 찜할 수 있다. 찜한 목록을 한번에 볼 수 있는 메뉴다.

❽ 장바구니 : 구매하지 않고 장바구니에 담은 상품을 볼 수 있는 메뉴다.

❾ 결제, 주문 내역 : 부크크를 통해 결제, 주문한 모든 내역을 제공하는 메뉴다. 종이도서, 전자도서, 작가서비스, 기타로 나뉜다. 작가서비스는 표지디자인 구입, 디자이너나 교정교열 전문가 서비스 구매를 확인할 수 있다. 기타는 파일교체비 결제, 주문내역을 확인할 수 있다. 부크크에서는 책 구입(부크크 서점을 통해 구입하거나 책 만든 후 저자가 구입) 후 인터넷에 후기인증을 하면 택배비 지원을 받을 수 있다. 후기인증을 남길 때 본 메뉴를 이용한다. 택배비 지원 후기인증을 받는 방법은 다음과 같다.

❾-1. SNS(페이스북, 인스타그램, 블로그)에 부크크와 책에 대한 후기를 남긴다.

❾-2. 부크크 사이트에서 결제, 주문 메뉴를 클릭한다.

❾-3. 택배비 지원 받을 주문정보를 선택한다.

<table>
<thead>
<tr><th>주문일</th><th>주문정보</th><th>결제방식</th><th>결제단계</th><th>배송단계</th><th>결제금액</th></tr>
</thead>
<tbody>
<tr>
<td>08.31
2023</td>
<td>종이도서 PV2023083109282125
주문형 출판(POD)으로 무료 출판 따라하기
(소장) 외 1종 (총 4개)
총주문액 46,970원 배송금액 2,500원 (선불)</td>
<td>신용카드</td>
<td>● 결제완료</td>
<td>● 발송완료</td>
<td>49,470 원</td>
</tr>
</tbody>
</table>

❾-4. 새로 열리는 창 우측 하단에 **[후기인증 참여하기]** 버튼을 클릭한다.

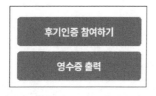

❾-5. **[후기인증]** 메뉴란에 후기 남긴 사이트 주소, 택배비 지원받을 계좌, 전화번호를 적고 **[인증완료]** 버튼을 클릭한다.

❿ 우측메뉴 활성화 : 상단 메뉴 중 자주 이용하는 메뉴들만 모아 우측 메뉴로 활성화해서 보여주는 기능이다. 개인정보 수정, 장바구니, 주문/결제목록, 결제 수단 등록, 수익금(인세) 입금 계좌 등록, 배송지 등록, 후기 인증(인증에 참여한 내역을 확인할 수 있다.), 고객센터와 로그아웃 기능이 제공된다.

부크크에 회원가입 후 수익금(인세) 입금 계좌는 꼭 등록해야 한다. 책이 팔린 후 수익금(인세)을 받으려면 등록된 계좌가 있어야 입금 가능하다. 개인일 경우 원천세를 떼고 입금해주며, 출판사 등록한 사업자일 경우 전자계산서를 발급해 주어야 부크크에서 입금 가능하다. 출판사 등록한 사업자일 경우 다른 장에서 따로 모아 한꺼번에 살펴보겠다.

⓫ 파일교체 정기 일정 안내 : 도서가 승인된 후 원고와 표지 내용을 교체하고자 할 때 파일교체가 가능하다. 그러나 파일교체는 원할 때 할 수 있는 것이 아니라 부크크에서 한 달에 2회, 매달 2, 4주 금요일에만 진행한다. 이 일정 안내뿐 아니라 파일교체를 할 수 있는 메뉴로 바로 연결하거나 이용방법 안내 게시판으로 링크를 걸어 둔 메뉴다.

3.1.1 책 만들기

책 만들기 메뉴는 여러 하위 메뉴로 구성되었다. 종이책과 전자책 만들기는 따로 다른 장에서 다룰 것이므로 이 장에서는 실제로 책 만드는 메뉴를 제외한 기능을 살펴보겠다.

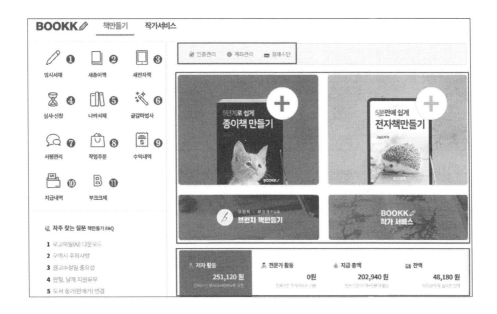

❶ 임시서재 : 부크크에서 책 만들기 과정을 진행 중에 저장해 둔 내용을 볼 수 있다. 부크크에서는 브런치 플랫폼 저자들이 자신의 글을 책으로 만들고 싶을 때 부크크 플랫폼을 활용할 수 있다. 브런치 글로 책을 만드는 경우 [브런치] 탭을 누르면 저장된 내용을

확인할 수 있다.

❷, ❸ 새종이책, 새전자책 : 책을 만드는 메뉴로 본 메뉴는 따로 설명할 것이다. 화면 중앙에 위치한 네모 메뉴로도 책만들기 메뉴를 제공하고 있다.

❹ 심사, 신청 : 책 출판 과정을 모두 끝내면 부크크에서 심사를 통해 최종 출판 여부를 알려준다. 출판 심사요청, 유통신청, 판매중지, 파일교체 신청과 같은 진행과정을 확인할 수 있는 메뉴다. [최초심사] 메뉴는 책을 처음으로 심사요청 했을 때 진행사항을 알려주는 메뉴다. [유통신청] 메뉴는 다 만들어진 책을 실제 서점에 유통할 수 있도록 신청했을 때 진행사항을 확인할 수 있는 메뉴다. [판매중지] 메뉴는 현재 서점에서 유통되고 있는 책을 판매 중지 신청했을 때 진행사항을 확인할 수 있다. [파일교체] 메뉴는 현재 판매 중인 책의 표지나 내지(내용) 변경을 위해 원고 파일을 교체했을 때 진행사항을 확인할 수 있다. 다만 파일교체는 원할 때마다 가능한 것은 아니며, 오타나 큰 변경이 없는 수정은 원고 파일 교체가 가능하나 표지를 완전히 바꾸거나 내용을 수정해야 하는 변경은 ISBN 번호까지 수정해야 하는 전혀 다른 책이 되기 때문에 최소 1년이 지난 책만 가능하다. 그리고 파일교체는 한 달에 2회, 정해진 날짜에만 가능하다.

[샘플우편]은 책을 만들기 전 내지나 표지 샘플을 받아 볼 수 있는 메뉴로, 그 진행사항을 확인할 수 있다. [브런치이벤트] 메뉴는 브런치 글을 책으로 만들 때 이용할 수 있는 메

뉴다. 고급표지 제작 이벤트로 부크크를 통해 출판 진행 중에 있는 도서의 표지제작 진행 사항을 확인할 수 있다.

❺ 나의 서재 : 출판된 책의 목록을 확인할 수 있는 메뉴다. 서점으로 유통되어 판매되고 있는 책뿐만 아니라 소장용으로 출판한 책도 확인 가능하다. 하단의 **[수익내역]**과 **[유통관리]** 메뉴는 각 책의 판매 수익과 어떤 서점을 통해 유통되고 있는지 확인할 수 있다.

[유통관리]는 책의 판매량 확인, 입점서점 확인, 유통관련 사항을 변경할 수 있는 중요한 메뉴로 하위메뉴로 **[등록정보]**, **[판매현황]**, **[유통관리]**, **[서점정보]**가 있다.

❺-1 **[유통관리]** – **[등록정보]** 메뉴는 해당 책의 총 판매 부수, 누적 정산 금액, 책이 판매되고 있는 입점서점명, 책의 기본적인 정보(제목, 부제목, 저자명, 주제, 출판사명, 판매가, 판매일, 페이지수, 규격, 표지와 내지 종류)를 제공한다.

❺-2 **[유통관리]** – **[판매현황]** 메뉴는 매월 어떤 서점에서 얼마나 판매되었는지 1년 동안의 자료를 그래프와 차트로 제공한다.

❺-3 **[유통관리]** – **[유통관리]** 메뉴는 현재 외부유통 판매상태를 알려주며, 자신의 책이 부크크 서점에서만 판매되는지, 외부유통사를 통해 판매되고 있는지 확인 가능하고, 변경 신청도 가능하다.

❺-4 **[유통관리]** – **[서점정보]** 메뉴는 판매되고 있는 인터넷 서점의 책 정보를 변경하고 싶을 때 사용할 수 있다. 변경가능한 내용은 도서소개, 목차, 저자소개다. 부크크 서점은 바로 변경되며, 외부유통(교보문고, 예스24, 알라딘, 북센)의 경우 시간이 더 걸린다. 표지변경은 이 메뉴에서 불가능하며, 파일교체가 필요한 작업이기에 **[심사, 신청]** 메뉴의 **[파일교체]** 메뉴를 활용해야 한다.

❻ 글감마법사 : 작가들의 집필활동에 영감과 소재를 주기 위한 기능으로 글감을 모아 저장할 수 있는 기능이다.

❼ 서평관리 : 부크크 서점에서 판매되는 자신의 도서에 달린 도서평을 확인하고 답변을 달 수 있는 기능이다.

❽ 작업주문 : **[작가서비스]** 메뉴를 이용해 표지디자인, 내지디자인, 교정교열 서비스를 이용할 경우 진행사항을 확인할 수 있는 메뉴다.

❾ 수익내역 : 판매되고 있는 책의 수익을 확인할 수 있는 메뉴다. 책이 어느 유통사(서점)를 통해 판매되었는지, 수익금은 얼마인지 확인할 수 있다. 도서판매 때마다 카카오톡으로도 발송되는 판매내역은 이 메뉴와 연결되어 있다.

| | | | 총 **242,360**원 |
| | | | 96개 기준 |

날짜	번호·종류	도서명	정산건수	총수익액
07월 06일 정산대기	159544 종이도서	**[159544] 진로도 나답게 판매인세 수익발생** 교보문고 도서 판매수익(쿠페이 발생하였습니다. 축하합니다. 😊	**10** 건 각 2,190 원	**21,900** 원
06월 27일 정산대기	159544 종이도서	**[159544] 진로도 나답게 판매인세 수익발생** 부크크 도서 판매수익(쿠페이 발생하였습니다. 축하합니다. 😊	**8** 건 각 5,110 원	**40,880** 원
06월 26일 정산대기	159544 종이도서	**[159544] 진로도 나답게 판매인세 수익발생** 예스24 도서 판매수익(쿠페이 발생하였습니다. 축하합니다. 😊	**1** 건 각 2,190 원	**2,190** 원

❿ 지급내역 : 책이 판매되었다고 그때마다 인세(수익금)를 저자에게 입금하지 않는다. 한달씩 모아 지급하는데 얼마를 지급했는지, 받아야 할 인세가 얼마 남았는지 확인할 수 있는 메뉴다.

⓫ 부크크체 : 부크크에서 자체적으로 만든 글꼴을 다운로드받을 수 있는 메뉴다. 부크크 명조체와 부크크 고딕체를 제공한다.

가운데 메뉴 중 책 만들기(종이책 만들기, 전자책 만들기) 메뉴 아래 위에 있는 붉은색 테두리 메뉴는 이미 다른 메뉴에서 제공하고 있는 메뉴를 따로 빼서 제공하고 있다. **[인증관리], [계좌관리], [결제수단]**은 상단 가장 오른쪽 메뉴(우측메뉴 활성화 메뉴)와 동일한 메뉴다. 인세를 정산받기 위해서는 이 메뉴들을 모두 작성해야 한다. 아래 붉은색 테두리 메뉴는 판매된 책의 인세를 알려주는 메뉴로, 총 인세, 지급된 인세, 지급될 인세로 구성되어 있다.

3.1.2 작가서비스

작가서비스는 전문가들을 활용해 책을 만들고 싶을 때 부크크에서 연결해 주는 메뉴다. **[고급표지], [표지디자이너], [내지디자인], [교정교열]** 메뉴로 나뉜다.

❶ 고급표지 : 표지를 직접 디자인할 수 없을 때 구입가능하며, 다양한 표지 샘플들을 제공한다. 금액은 8만원에서 18만원까지 다양하다. 원하는 표지 샘플을 클릭하면, 제목, 부제목, 저자명, 뒷표지 문구가 어떻게 표지에 자리하는지 확인할 수 있다. 작업 관련 문의는 표지를 만든 디자이너와 메일로 연락 가능하다.

❷ 표지디자이너 : 이미 만들어진 표지를 구매하지 않고 처음부터 표지디자이너와 조율해 표지를 만들고 싶을 때 이용할 수 있는 메뉴다. 여러 명의 표지디자이너들이 자신들의 포트폴리오를 올려두어 디자이너들의 특징을 확인할 수 있도록 제공한다. 이미 만들어 둔 표지가 아니기 때문에 금액은 20~40만원대로 훨씬 비싸다.

❸ 내지디자인 : 내지에는 글자만 있으면 된다고 착각할 수 있다. 내지에는 표제지, 판권지, 목차, 장 표제지에서 사용되는 다양한 디자인이 필요하다. 뿐만 아니라 내용을 좀 더 명료하게 알리기 위해 다양한 디자인 요소를 활용할 수 있다. 이런 디자인요소를 전문가를 통해 얻고 싶을 때 활용할 수 있는 메뉴다. 일반적인 내지 편집 금액은 한 페이지당 2,000원(A5 기준)이며, 책 크기가 이보다 클 경우 4,000원으로 금액은 올라간다. 다양한 내지 디자인 샘플을 확인할 수 있다.

❹ 교정교열 : 교정교열(맞춤법, 오탈자, 문법에 맞지 않는 글자를 바로잡음), 윤문(교정교열을 넘어 더 좋은 표현과 문장으로 다듬음), 리라이팅(글의 맥락 속에서 모든 문장을 검토해 문장과 문단 재구성, 삭제, 추가) 전문가들을 연결해 주는 메뉴다. 10페이지당 금액임을 명심하자.

3.2 종이책 만들기

부크크 플랫폼의 기본적인 메뉴를 살펴보았고, 본격적으로 책만들기 과정을 보도록 하자. 종이책이든 전자책이든 부크크 메인 화면 상단의 **[책 만들기]** 메뉴를 클릭한다. 새로운 창이 뜨면 왼쪽 메뉴에서 **[새종이책]** 혹은 **[새전자책]** 메뉴를 클릭한다. 왼쪽 메뉴가 아니더라도 화면 중앙에 **[종이책 만들기]**나 **[전자책 만들기]** 메뉴를 클릭해도 책 만들기 과정이 진행된다. 종이책 만들기부터 먼저 살펴보자.

3.2.1 도서 형태 선택

부크크 플랫폼의 책 만들기 과정은 크게 5가지 과정을 거친다. 가장 먼저 결정해야 할 부분은 도서형태다. 도서형태는 내지 컬러 여부 선택, 책 규격, 표지 재질, 책날개 선택으로 구성되어 있다.

3.2.1.1 내지 컬러 선택

책 표지는 선택할 필요없이 모두 컬러 표지다. 그러나 내지는 흑백으로 할 것인지, 컬러로 할 것인지 선택해야 한다. 이미지가 거의 없고, 있더라도 굳이 컬러로 표현할 필요가 없을 때는 내지에 사용되는 색은 흑백으로 선택한다. 그러나 사진이나 이미지가 많아 컬러로 표현하는 것이 적절하다면 컬러를 선택한다. 당연히 내지에 사용되는 색상이 컬러일 경우 책의 가격은 흑백보다 올라간다. 내지를 흑백으로 할 때와 컬러로 할 때 정확한 가격 차이는 오른쪽 메뉴의 전체 페이지 수를 입력하여 확인할 수 있다.

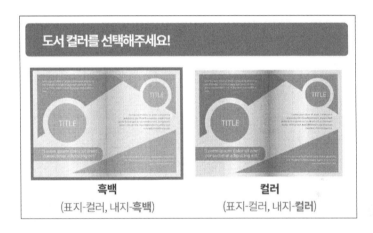

내지를 흑백으로 할 것인지, 컬러로 할 것인지 결정하면 자동으로 내지 재질이 결정된다. 흑백 내지에 미색모조지 100g을 사용하지만 B5와 A4판형에 한해 200페이지가 넘을 때부터 미색모조지 80g으로 변경된다. 더 얇은 종이 재질로 바뀐다. 뒤에 g은 종이의 무게로 수치가 높을수록 당연히 두껍고, 뒷 페이지 글이 비치지 않는다. 컬러 내지는 흑백과 두께는 동일하고 종류만 백색모조지로 변경된다. 인쇄 가능한 내지 종류가 여러 가지지만 부크크 플랫폼에서는 흑백과 컬러 내지 종류를 각각 하나씩 정해 두었다. 컬러 내지에 미색이 아닌 백색모조지를 사용하는 이유는 컬러의 색감을 조금 더 명확하게 표현할 수 있기 때문이다. 이미지가 많은 책을 실수로 내지를 미색 모조지에 인쇄하는 바람에 색감이 많이 떨어졌다는 사례도 있는데 컬러는 백색모조지가 구현력이 뛰어나다.

B6(시집)와 A5(대중적인 일반단행본) 판형은 흑백과 컬러 내지의 단가 차이가 크지 않지만 B5(잡지나 문제지)와 A4 판형은 흑백과 컬러 내지의 단가 차이가 상당하다. 따라서 B5와 A4 판형으로 책을 만든다면 흑백과 컬러 내지 선택에 단가를 꼭 확인해야 한다. 예로 A5 판형으로 250페이지 기준 흑백 내지(날개 포함)로 인쇄하면 14,800원, 컬러 내지(날개 포함)로 인쇄하면. 17,000원이다. 그러나 B5 판형으로 250페이지 기준 흑백 내지(날개 포함)로 인쇄하면 20,000원이지만 컬러 내지(날개 포함)로 인쇄하면 46,500원이다. 엄청난 차이가 발생한다. 이 때문에 판형에 따라 내지를 컬러로 인쇄할지 고민을 해야 한다. 독자들에게 책 가격은 상당히 중요한 구매 요소기 때문이다.

3.2.1.2 책 규격 선택

책 규격은 이미 앞서 설명했다. 일반적인 시집 사이즈는 46판, 일반 도서 사이즈는 A5,

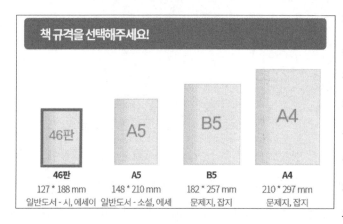

잡지와 문제집 정도의 사이즈는 B5, 가장 큰 사이즈는 A4 사이즈다. 부크크 책 규격을 정확하게 알고 싶다면 주변에 있는 책 한 권을 꺼내 자로 가로, 세로 길이를 재어 확인해 보면 좋다. 원하는 규격을 선택하면 되나 책 규격이 커질수록 당연히 책 가격이 높아진다. 사용될 표지와 내지사이즈가 모두 커지기 때문이다. 책 규격을 수정하면 오른쪽에 제공되는 책 가격이 변경된다.

3.2.1.3 표지 재질 선택

부크크에서는 표지 재질을 세 종류로 제시한다. 크게 무광코팅과 유광코팅으로 나뉘는데 책 표지를 불빛에 비추어 보면 반질반질하게 빛을 반사시키는 표지가 유광코팅이다.

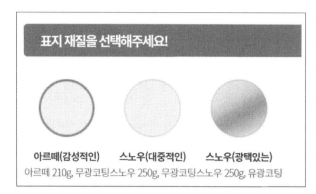

부크크에서 유광코팅 표지 재질은 스노우지를 사용하며, 무광코팅 표지 재질은 스노우지와 아르떼지를 사용한다. 같은 스노우지라도 유광코팅과 무광코팅으로 나뉜다. 무광코칭 표지는 아르떼지와 스노우지가 있는데 스노우지는 좀 더 명료하고, 아르떼지는 은은한 색감을 연출한다. 세 종류의 표지 재질을 직접 실물로 보고 싶다면 세 종류 표지를 모두 샘플로 받고 싶다고 주문하면 된다.(**3.2.1.7 종이샘플 요청** 참조) 물론 비용은 지불해야 한다. 가장 좋은 방법은 완성한 표지를 세 종류 표지에 앉혀 보내달라고 하는 방법이다.(부크크에서는 표지 테스트라고 부른다.) 표지 재질 샘플만 보면 내가 만든 표지 디자인이 세 종류의 표지에 어떤 느낌으로 앉힐지 확인이 어렵다. 표지 종이 샘플을 볼 때와 내 표지디자인이 들어간 표지 종이를 볼 때 느낌이 전혀 다를 수 있기 때문이다. 내가 만든 표지 디자인이 세 종류 표지 재질에 따라 느낌이 어떻게 달라지는지 직접 보고 결정하면 좋다. 표지 한 장당 2,500원 인쇄비에 택배비까지 계산하면 된다. 아니면 실물 책을 샘플(소장용)로 한권 만들어 보낼 때 다른 두 종류의 표지 테스트를 함께 넣어 달라고 하면 택배비를 여러 번 내지 않아도 된다.

　책 표지를 만져보면 제목 부분이나 이미지 부분만 볼록하게 튀어나오거나 금박이나 은박을 넣은 표지들이 있다. 이런 표지 인쇄 방식을 후가공이라고 한다. 물론 무광코팅과 유광코팅도 후가공에 속한다. 책의 내구성을 높일 수 있는 방법이다. 이런 코팅 외에도 에폭시, 박, 형압 방법이 있는데 에폭시는 시각적 입체감과 도톰한 촉감을 느낄 수 있도록 가공하는 방법이다. 박은 금박이나 은박, 홀로그램박처럼 열과 압력을 가해 종이 위에 박지를 입히는 방법이다. 형압은 박지를 사용하는 것이 아니라 글자나 이미지를 눌러 도톰하게 튀어나오고 하는 방법이다. 박이나 형압 방식은 모두 압력을 가하지만 에폭시는 압력을 가하는 것이 아니라 투명 잉크를 한번 더 입혀 튀어나오게 만드는 방식이다.

아쉽게도 부크크에서는 표지 후가공을 제공하지 않는다. 후가공은 당연히 비용이 추가되는 방법이며, 최대한 책 가격을 낮추기 위해 이런 후가공은 표지에 적용하지 않는다.

3.2.1.4 날개 선택

책 날개는 표지와 내지를 보호하는 역할을 한다. 날개 유무를 선택할 수 있는데 책 표지에 날개를 포함할 경우 책 가격은 올라간다. 그럼에도 날개를 가진 책 표지는 그렇지 않은 표지보다 책으로서의 가치를 더욱 발한다. 내용만 충실하면 되지 않나 싶지만 독자들이 책을 고르는 기준 중에 책 표지는 아주 중요한 요인이다.

책 표지는 부크크에서 제공하는 무료표지를 사용할 수도 있는데 무료표지를 사용하면

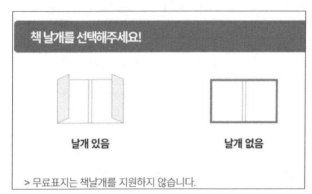

책 날개를 달 수 없다. 애초에 책 표지 디자인 이미지가 날개 없이 만들었기 때문이다. 표지를 하드커버로 만들고 싶다면 고객센터로 따로 문의하면 된다. 하드커버는 최소 500부 이상 제작할 때 가능하다. 그리고 책 규격이 A4 사이즈인 경우 책 날개를 달지 않는다. 이는 부크크에서만 이렇게 하는 것이 아니라 대부분의 A4 사이즈 책은 책 날개가 없다.

3.2.1.5 페이지수와 책등 두께

도서 규격 내용을 모두 선택하면 오른쪽 메뉴에 선택한 내용이 등록된다. 제본방식(수정불가), 표지와 내지 색상, 규격, 표지 재질, 내지 재질, 장수, 날개 유무, 두께, 면지(수정불가)가 확정된다. 이 메뉴 중 중요한 부분이 있는데 바로 장수(정확하게는 페이지 수)

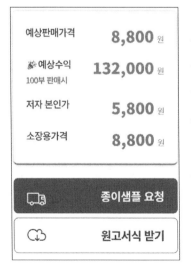

제본	무선 제본
색상	**표지** 컬러 **내지** 흑백
규격	**A5** 148 * 210 mm
표지	**아르떼(감성적인)** 아르떼 210g, 무광코팅
내지	**이라이트 80g**
장수 면수	**100** P
날개	있음
두께	**7.8** mm
면지	● 백회색 앞뒤 1장

와 두께다. 책 페이지 수를 입력해야 책 가격이 결정되고, 책등 두께가 결정되기 때문에 정확한 페이지 수를 입력해야 한다. 장수를 입력할 때마다 두께가 변경된다. 종이가 추가되거나 줄어들수록 책등 두께가 바뀌는 건 당연하다. 이 두께가 확정되어야 책 표지를 디자인할 때 책등 두께를 정확하게 계산할 수 있다. 이 두께를 캔바에서 책등 사이즈로 입력한다. 책등 두께가 잘못되면 책을 만들었을 때 표지 이미지 전체가 밀리는 엄청난 일이 벌어진다.

면지는 책 표지와 표제지 사이에 들어가는 색이 있는 두꺼운 종이로 책의 앞뒤에 1~2장 정도 들어간다. 부크크에서 만드는 책은 백회색 면지가 앞 뒤로 한 장씩 들어간다. 책표지 색상이 어떠하든 무난한 색으로 이 색상은 정해져 있다.

3.2.1.6 예상판매 가격과 수익

예상판매가격	**8,800** 원
🌿 예상수익 100부 판매시	**132,000** 원
저자 본인가	**5,800** 원
소장용가격	**8,800** 원
🚚	**종이샘플 요청**
☁	**원고서식 받기**

도서 규격과 페이지수까지 모두 입력완료 되면 부크크에서 예상 판매가격을 계산해 준다. 예상 판매가격은 저자 인세, 부크크 인쇄료와 수수료를 포함한 최소금액으로 책정한다. 이 금액보다 적게 받거나 많이 받을 수 있다. 어디까지나 저자가 결정할 문제다. 예상 판매 가격보다 적게 받으면 저자가 받을 인세가 줄어들 것이다. 참고로 인터넷 서점에서는 15,000원 기준으로 고객들에게 택배비를 부담시킨다. 『진로도 나답게』 책도 14,600원으로 책정한 후 인터넷 서점의 택배비 부담 정책으로 인해 졸지에 독자들은 이전에 없

던 택배비를 부담하게 되었다. 400원 높혀 15,000원으로 정가를 정했더라면 이런 일은 없었을테다. 책을 만들어 ISBN 번호를 부여받아 판매가 시작되었다면 책 가격을 낮추기 어렵다. 다시 ISBN 번호를 부여 받아야 하며, 표지 내 ISBN 코드 변경, 국립중앙도서관 납본, 기존 도서 판매 중지, 새 도서 서점 입점과 같은 여러 과정을 다시 거쳐야 한다. 신중하게 결정해야 한다.

예상 판매 가격 아래에는 100부를 판매했을 때 예상 수익과 저자 본인가, 소장용 가격을 확인할 수 있도록 제공한다. 저자 본인가는 저자가 부크크를 통해 직접 주문할 때, 저자가 받을 인세(수익금)를 제하고 구입할 수 있는 금액이다. 굳이 인세가 들어올텐데 그 비용을 부크크에 주고 다시 받을 필요가 없기 때문이다. 소장용 가격은 설명이 좀 필요한데, 부크크는 정책상 판매 도서를 최종적으로 만들기 전에 저자가 총 세 번에 걸쳐 소장용 도서를 만들 수 있도록 한다. 즉 최종적으로 판매하기 전에 미리 샘플북을 만들어 점검해 볼 수 있게 하는데 세 번 가능하다. 이 책을 만들 때 들어가는 비용이 소장용 가격이다. 예에서는 판매가격과 소장용 가격이 동일하지만 내지가 컬러일 경우 판형에 따라 소장용 가격이 판매가격보다 훨씬 높을 때가 있다. 판매할 책이 아니라 한 권만 만들기 때문에 부크크 입장에서는 단가가 더 높은 컬러 내지 제작 비용을 회수하기 어렵기 때문에 더 높은 금액을 책정한다.

3.2.1.7 종이샘플 요청과 원고서식 받기

소장용 가격 아래 [종이샘플 요청]이라는 메뉴가 있는데 이 메뉴는 부크크에서 책을 제작할 때 사용하는 모든 종류의 종이를 우편으로 보내주는 서비스다. 내지와 표지 종이 재질을 명함 크기만큼 잘라서 샘플로 보내준다. 한번만 가능하나 굳이 이 서비스가 큰 의미 없는 것은 책은 직접 실물로 표지와 내지를 확인해야 한다. 책으로 만들어지지 않은 표지와 내지 샘플은 정확한 느낌을 확인하기 어렵다. 오히려 앞서 이야기했듯 표지 이미지가 인쇄된 표지와 내용이 인쇄된 내지 일부를 비용을 주고 받아서 확인하는게 제일 확실하다. 부크크에서는 표지뿐만 아니라 책 내용 일부 페이지를 인쇄해 샘플로 보내준다.(표지

테스트, 내지 테스트라고 부름) 글꼴 크기와 분위기, 여백과 같은 내지를 확인하려면 내용 일부를 표지와 함께 받아보는 것이 제일 좋다. 내용이 포함된 내지 몇 페이지 인쇄를 요청하는 메뉴는 따로 있는게 아니라 고객센터에 연락하거나 게시판에 문의해 진행하면 된다.

[원고서식 받기]는 책 규격에 따라 내지 크기가 다른데, 그 사이즈에 맞게 여백과 판권지, 글꼴을 샘플로 제공하는 서식이다. 처음 책을 만드는 이들이라면 이 서식을 그대로 활용하면 좋다. 서식의 다른 부분은 수정하더라도 여백은 그대로 사용하길 권한다. 서식에서 제공하는 여백은 읽기에 적절한 구성이다.

이로써 도서 형태 선택은 끝났다. 하단의 **[원고 등록]** 메뉴를 클릭하면 다음 단계로 넘어간다. 1단계 **[도서 형태 선택]**은 자동 저장되는데 기존에 저장된 책 만들기 내용을 확인하려면 하단의 **[임시서재]**를 클릭한다.

3.2.2 원고 등록

1단계 **[도서 형태 선택]** 후 2단계 **[원고 등록]**으로 넘어왔다. 화면 상단에서 1단계에 선택한 표지와 내지, 책 규격, 표지 재질, 날개 유무를 확인할 수 있다.

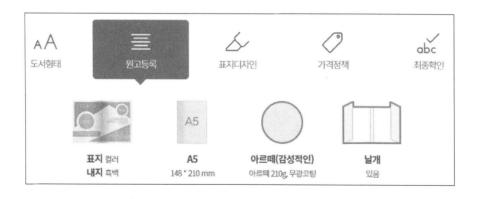

3.2.2.1 표제와 부제

첫 입력내용은 책의 제목과 부제목이다. 대부분의 책은 제목과 부제목을 활용하지만, 부제목을 사용하지 않겠다면 굳이 입력할 필요 없다. 표제만 필수입력 사항이다. 그러나 부제목은 꼭 만들기를 권한다. 인터넷 서점 검색창이나 도서관 목록에서 조금이라도 더 검색되기를 원한다면 제목에서 사용하지 않은 키워드들로 부제목 만들기를 추천한다. 부크크에서는 부제목을 기호와 띄어쓰기 포함 최대 30자까지만 입력하도록 하는데 긴 부제목은 입력 자체가 불가능해 아쉬운 부분이다.

3.2.2.2 카테고리와 연령층

두 번째 입력내용은 책의 카테고리와 연령층이다. 카테고리는 이 책이 어떤 주제와 장르에 속하는지 선택한다. 성인도서 여부는 책의 독자가 전연령층인지 성인독자만 읽을 수 있는지 선택하는 부분이다. 두 항목 모두 필수 선택 사항이다. '성인독자'는 말 그대로 미성년자들이 읽으면 안 되는 책이라는 의미니 그게 아니면 전연령층을 선택한다.

3.2.2.3 저자명과 페이지 수

다음으로 저자명과 페이지수를 입력한다. 저자가 여러 명일 경우 쉼표로 구분한다. 1단계 도서형태에서 페이지수를 입력했지만 한번 더 입력한다. 페이지 수는 책등 두께를 결정하는 아주 중요한 요소로 틀리지 않도록 확인해야 한다.

3.2.2.4 도서제작 목적과 ISBN 입력

도서 제작 목적은 세 가지 종류로 ISBN 출판 판매용, 일반 판매용, 소장용으로 구분된다. ISBN 출판 판매용은 서점을 통해서 유통시킬 목적의 책으로 ISBN을 부여 받아 출판하는 책이다. 부크크에서 제공하는 무료 표지를 사용할 경우 부크크 서점에서 10부 이상 판매되어야 외부 서점에 입점 가능하다. 저자가 10부를 구매하든 독자에게 판매되든 10부 판매 후 부크크가 외부 서점으로 유통해 주겠다는 의미다. 일반 판매용은 ISBN 없이 부크크 서점에서만 판매되는 책이다. 굳이 시중 서점으로 유통시켜 판매할 생각이 아닌 부크크 서점 내에서만 판매하겠다면 일반 판매용을 선택한다. 마지막 소장용은 판매가 목적이 아닌 소장을 위해 도서를 제작할 때 선택한다. 같은 제목의 책은 소장용으로 세 번까지 책을 만들 수 있다. ISBN 출판 판매용으로 바로 책을 만들기 전에 샘플용으로 책을 만들어 직접 눈으로 보고 결정하고 싶다면 소장용으로 진행한다.

책 표지나 내지 일부를 인쇄해 샘플을 볼 수 있는 서비스도 있지만 실제 책으로 만들어 보는 것과 다를 수 있다. 소장용으로 책 만들기를 충분히 활용한 다음 ISBN 출판 판매용으로 다시 책을 만들면 된다. 소장용은 세 번까지 책을 만드는데 추가 수수료가 들지 않지만 ISBN 출판 판매용이나 일반 판매용의 경우 한번 책을 만들고 나면 수정 시 수수료인 파일교체비 5,000원을 지불해야 한다.

한번은 팔순기념회고록을 요청받아 진행한 적이 있다. 소장본을 만들어 직접 확인한 후 수정이 필요하면 다시 소장본을 만들 예정이었으나 잘못해 도서 제작 목적을 일반 판매용으로 선택해 진행했다. 책을 인쇄하기 전이었으나 이미 표지와 내지디자인이 최종 확정되었기 때문에 수정하고 싶어도 파일교체비를 추가로 지불했다. 기억하자. 바로 ISBN 출판 판매용이나 일반 판매용을 선택하지 말고, 소장용으로 선택해 최대 3권까지 책을 만들어 보고 ISBN 출판 판매용으로 다시 책 만들기를 진행하면 좋다.

[ISBN 입력]은 [도서 제작 목적]에서 ISBN 출판 판매용을 선택했을 때만 활성화된다. 일반 판매용과 소장용은 굳이 ISBN을 받을 필요가 없기 때문이다. 그런데 ISBN은 무엇인가? ISBN의 정식 명칭은 International Standard Book Number로 우리말로 국제표준자료번호로 부른다. ISBN은 국제적으로 표준화된 방법으로 전 세계에서 생산되는 각종 도서에 부여하는 고유한 식별번호다. 도서를 출판하기 전 출판사에서 미리 도서정보를 입력해 도서 주문과 배포에 시간과 노력을 줄일 수 있도록 한다. 서점에서도 ISBN으로 판매와 재고 관리가 이루어진다. ISBN은 책 한권마다 고유한 번호로 출판사, 유통사, 서점, 도서관에 이르기까지 도서를 식별할 수 있는 아주 중요한 번호다. 같은 도서라 하더라도 종이책과 전자책은 다른 ISBN을 가진다.

ISBN은 바코드와 함께 숫자로 표시되는데 5번째 숫자까지는 우리나라에 부여된 번호며, 6번째부터 11번째 숫자까지 출판사에 부여되는 고유한 번호('발행자번호'로 불림)다. 이후 번호는 책마다 ISBN 등록 사이트에서 제공하는 번호를 선택해 입력한다. ISBN 바코드와 함께 책의 정가도 표시해야 한다.

ISBN은 개인일 경우 부크크에서 무료로 등록해 준다. 부크크 출판사 이름으로 책이 출판되기 때문이다. 그러나 출판사 사업자등록을 해 자신만의 출판사 이름으로 책을 만들고 싶다면 자신이 직접 ISBN을 부여받아야 한다. 이 부분은 마지막 장에서 다루며, 출판사 사업자등록을 한 경우 부크크 출판사 로고와 이름으로 책을 출판하는 것이 아니기 때문에 표지에 부크크 로고가 아닌 자신의 출판사 로고를 붙여야 한다. 그리고 자신이 만든 출판사 이름으로 책을 출판할 것이기 때문에 부크크가 ISBN 신청을 대행할 수 없고, 직접 ISBN을 부여 받아야 한다. 부크크 출판사 이름을 그대로 사용해 출판할 경우 '부크크에서 무료 등록'을 선택하고, 자신이 직접 ISBN을 부여받으려면 '이미 보유한 ISBN 입력'을 선택한다. 즉, 자신이 직접 ISBN을 부여받아야 한다면 부크크 사이트에서 출판 과정을 진행하기 전에 미리 ISBN을 신청해 번호를 알고 있어야 한다.

3.2.2.5 원고 업로드

이제 [원고 등록] 메뉴의 마지막 작업인 원고 업로드가 남았다. 업로드 가능한 원고 파일은 최대 100MB까지 가능하다. 100MB를 넘어가는 큰 파일이라면 빈 파일을 업로드하고 메일로 원고를 보낸다. 파일형식은 한글, MS워드, PDF 형식만 가능하다. 그러나 가능하면 PDF로 직접 변환해 넘겨주는 게 가장 좋다. 한글이나 MS워드로 보낼 경우 부크크에서 PDF로 변환하는데 이 경우 글꼴의 두께나 분위기가 다를 수 있다. 그리고 부크크에서는 KoPub(코펍)체의 World와 Pro 버전 글꼴은 사용을 금지하고 있다. 코펍체도 여러 버전이 있는데 코펍 월드나 코펍 프로 버전은 PDF 변환 시 자주 깨지기 때문에 사용을 금한다. 다른 글꼴도 이런 경우가 있는데 사전에 확인하려면 직접 PDF 파일로 변환해 확인해보고 업로드 하는 것이 제일 좋다.

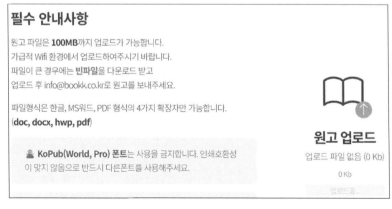

[원고 업로드] 메뉴를 눌러 원고 파일을 첨부한다. 원고 업로드가 완료되면 [책 만들기] - [심사, 신청] 메뉴를 통해 진

행사항을 확인할 수 있다. 부크크에서 심사가 완료되면 '시안확인용'이라는 워터마크 처리가 된 PDF 형태의 원고 파일을 확인할 수 있다. 이는 최종적으로 원고를 확인하는 절차며, 최초 첨부한 한글, MS워드, PDF 파일과 어떤 부분에 차이가 있는지 잘 살펴봐야한다. 이 단계에서 걸러내지 못한 오타나 오류는 전적으로 저자 본인의 책임이다. 2단계인 [원고 등록]까지 마쳤으면 3단계 [표지 등록]으로 넘어간다.

3.2.3 표지 등록
3.2.3.1 직접 올리기

표지 등록 단계로 넘어오면 표지를 등록하는 3가지 방법을 제시한다. 무료표지, 직접 올리기, 구매한 템플릿으로 나뉜다.

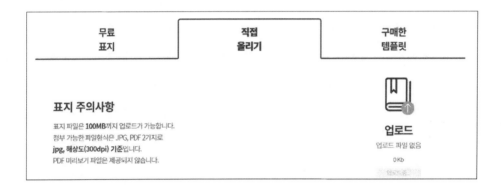

[직접 올리기]는 저자가 직접 만든 책 표지를 업로드하는 메뉴다. 표지 파일은 내지와 마찬가지로 100MB까지 업로드 가능하다. 파일형식은 JPG, PDF 파일 형식 중 하나를 택해야 한다. JPG 파일일 경우 해상도는 최소 300dpi 이상이어야 한다. 표지 파일을 직접 올리면 책 표지 이미지 미리보기가 가능한데 PDF는 미리보기 기능이 제공되지 않는다. 캔바에서 작업한 표지는 PDF로 다운로드 받아 업로드하는게 좋다. [업로드] 메뉴를 클릭하면 파일을 첨부할 수 있는 창이 열린다.

하단에 로고선택 메뉴와 판형정보 안내가 있다. 이 부분은 개인이 부크크 출판사 이름으로 책을 출판할 때 확인해야 할 내용이다. 책표지에 부크크 출판사 로고를 넣어야 하는데 4종류의 로고 중에서 고른다. 책 표지 색상과 잘 어울릴만한 로고를 선택하고, 로고는 책 표지 하단에 위치한다. 부크크 로고가 선택되어 있어도 표지에 다른 출판사 로고가 있으면 부크크에서 알아서 부크크 로고를 넣지 않는다. 판형정보는 날개를 제외한 앞 표지와 뒷표지, 책등 전체 길이를 계산해 보여준다.

로고선택		판형정보	
BOOKK✎	BOOKK✎	규격	303.1 * 210mm
			(페이지*2)+책등
BOOKK✎	BOOKK✎	두께	7.1 mm
			접힘선 포함
		예시	일러스트 다운로드
		색상	흑백
		날개	없음
		장수	100 Page

3.2.3.2 무료 표지

[무료 표지]는 부크크에서 표지를 만들어 무료로 배포하는 표지다. 잘 활용하면 무난한 표지로 책을 만들 수 있다. 다만 무료 표지는 책 날개를 제공하지 않는다. 즉 무료 표지로 만든 책은 책 날개가 없다. 무료 표지는 사진형, 패턴형, 아이콘형과 같이 다양한 유형마다 샘플 표지를 확인할 수 있다. 표지 뒷면 문구는 뒷 표지에 들어갈 책 소개 문구를 입력한다. 무료 표지기 때문에 많은 글을 싣기 어려우며, 문구 위치를 마음대로 변경할 수 없다. 무료 표지를 사용하려면 가능하면 단순하게 디자인하는 방법이 제일 좋다. 다음은 표지 뒷면 문구를 넣은 사진형 무료 표지 이미지다.

표지 뒷면 문구

5가지 키워드로 접근하는 <u>나답게</u> 진로 선택하기!

<u>나답게</u> 진로를 선택하기 위해서는 '진로', '자신', '직업'에 대한 총체적인 이해가 필요하다. 이러한 세 영역에 대한 이해를 토대로 '관계' 안에서 '시도'할 때 가장 <u>자기다운</u> 진로선택이 가능하다.

판형정보

규격	**303.1 * 210mm**
	(페이지*2)+책등
두께	**7.1 mm**
	접힘선 포함
색상	**흑백**
날개	**없음**
장수	**100** Page

3.2.3.3 구매한 템플릿

[구매한 템플릿]은 **[작가서비스]** 메뉴에서 표지를 구입했을 때 적용되는 메뉴다. 입금 후 구매확정까지 되어야 책 표지 디자인이 보인다. 이 메뉴에서는 책 표지를 수정할 수 없기 때문에 디자이너와 협의를 통해 최종 표지를 등록해야 한다.

3.2.4 가격 정책

[가격 정책] 메뉴에서는 책의 정가를 결정하고, 외부 서점에 입점 여부를 선택한다. 부크크에서는 도서 형태, 페이지 수에 따라 자동으로 기본 정가를 책정한다. 아래 정가설정 예를 보면 7,400원이 기본 설정되어 있고, 최대 3배까지 정가를 설정할 수 있다. 부크크 서점에서 책 한권이 팔릴 때 저자가 받는 인세는 35%다. 외부 서점에서 책 한권이 팔릴 때 저자 인세는 15%다. 이 금액은 정가를 높게 설정해도 35%와 15%로 고정되어있다. 정가가 높다고 그 차액이 무조건 저자에게 오는 것이 아니라 부크크 수수료도 따라 올라가니 명심하자.

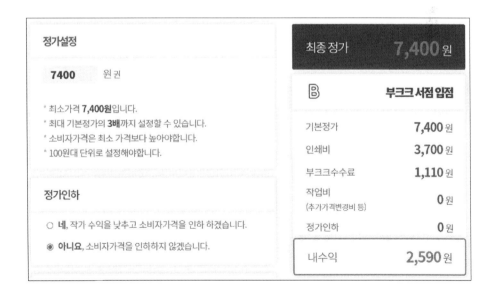

최소 가격보다 정가를 더 인하하고 싶다면 **[정가인하]** 메뉴에서 **[작가 수익을 낮추고 소비자가격을 인하하겠습니다]**라는 메뉴를 클릭한다. 그러면 자동으로 최저 인하금액이 계산된다. 이 최저 금액은 외부 서점에 팔았을 때 저자가 가져가는 인세가 없다고 가정하여 책정된 가격이다. 즉 이 금액보다 낮으면 외부 서점에 책을 팔 수 없다. 부크크가 손해를 보

기 때문이다. 정가 인하 최소 금액보다 더 받고 싶다면 **[정가인하]** 메뉴의 금액 부분 화살표를 조작해 금액을 인상할 수 있다. 정가를 기본 금액보다 인하할 경우 흑백 도서는 가격 변경비 5,000원을 수수료로 더 결제해야 한다. 책을 팔아 인세를 받기보다 자신의 책을 더 많은 이들이 읽기를 원해 정가인하를 선택하는 저자들도 있다. 그러나 독자들이 책 가격만 보고 책을 선택하는 것이 아님을 알자.

부크크 서점 입점 바로 아래 외부 서점 입점이라는 항목이 있다. 예스 24, 알라딘, 교보문고, 북센과 같은 외부서점에서 판매될 경우 인세 15%로 책정되어 자동 계산된다. 외부서점 입점을 원하지 않을 경우, 부크크에서만 판매한다고 체크하고, 외부 서점에 입점을 원한다면 입점을 원한다고 체크한다.

🏪	외부 서점 입점
기본정가	7,400 원
인쇄비	3,700 원
부크크수수료	1,110 원
외부서점수수료	1,480 원
작업비 (추가가격변경비 등)	0 원
정가인하	0 원
내수익	1,110 원

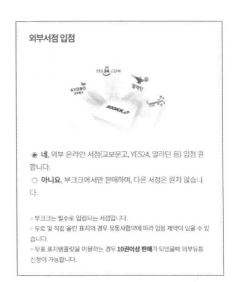

3.2.5 최종확인

이제 책 만들기의 마지막 단계인 [최종 확인] 단계다. 상단에 등록한 표지 이미지가 앞, 뒷 표지 펼침면으로 제공된다. 책 표지 파일 형식을 PDF가 아니라 JPG로 등록했을 때만 보인다. 책 표지 이미지 아래에는 인터넷 서점에서 판매될 때 책을 소개할 정보를 입력하는 박스가 있다. [도서소개], [도서목차], [저자경력, 소개] 순서로 이 공간에 기록한 내용이 모든 인터넷 서점에 그대로 적용된다. 저자 경력은 주로 책 날개에 적기 때문에 그대로 복사해 오고, 도서 소개도 책의 뒷 표지에 있는 내용을 기본으로 하고, 조금 더 추가한다.

오른쪽 박스에는 지금까지 진행한 4단계 선택 정보를 한 눈에 볼 수 있도록 정리해서 제공한다. 표제, 부제, 저자명, 내지 컬러 유무, 카테고리, 페이지 수, 책의 규격과 책등 두께, 날개 유무, 표지와 내지 재질, 외부 유통사 사용 유무, 판매가를 꼼꼼하게 확인하고 [도서제출]을 클릭하면 책 만들기가 완료된다. 이후 진행사항은 [책 만들기] - [심사, 신청] 메뉴를 확인한다. 문의사항이 있으면 고객센터로 전화하거나 게시판에 문의한다. [커뮤니티] - [자주 묻는 질문] 메뉴나 [자유게시판]을 확인해도 많은 정보를 얻을 수 있다.

책 만들기 완료 후 당일이나 다음날 바로 승인여부 알림이 온다. 업로드한 모든 파일을 부크크에서 최종 확인하여 표지는 제본을 위한 재단선을 그어 제공한다. 재단선 안쪽으로 책이 만들어지고, 날개와 표지 사이에 접히는 부분도 표시된다. 날개, 책 등, 앞표지와 뒷 표지가 제자리를 잡고 있는지, 잘려나가는 여백 부분은 정확한지 재단선에 자를 대고 꼼 꼼히 확인한다. 특히 책등 부분 글자가 정확히 가운데 위치하는지 확인하고, 책등과 표지 가 서로 다른 이미지라면 책등 이미지가 표지로 넘어가지 않는지 꼭 확인해야 한다. 표지 와 내지 모두 확인하고, 수정해야 할 부분이 있다면 수정된 파일을 다시 업로드한다. 1회 에 한해 수정할 수 있으며, 24시간 이내 수정 파일을 보내지 않으면 원래 파일로 확정된 다.

3.3 전자책 만들기

부크크 플랫폼에서도 전자책을 만들 수 있다. [책 만들기] 메뉴의 [새전자책] 메뉴를 클 릭하거나 화면 우측에 [전자책 만들기]를 클릭하여 진행한다. 종이책을 만들던 과정과 크 게 다를 바 없다. 차이점이라면 전자책의 표지는 종이책처럼 펼침면 전체크기로 만들 필 요없이 내지 크기와 동일한 앞 표지만 제작한다. 그러나 부크크 플랫폼에서는 외부 인터넷 서점으로 전자책을 유통해 주지 않는다. 부크크 서점 내에서만 전자책을 판매할 수 있다. 이런 이유 때문에 굳이 부크크를 통해서 전자책을 만들어 유통할 이유가 없다. 인지도 낮은 부크크 서점을 통해 전자책을 구매하려는 독자가 잘 없기 때문이다. 본 장에서는 전자책 파일 종류에 대한 이해와 대표적인 전자책 유통업체인 유페이퍼를 활용해 전자책을 유통 - 판매하는 방법을 알아볼 것이다.

3.3.1 전자책 파일 종류

전자책 파일형식이 한 종류만 있지 않다. 유통되는 대부분의 전자책은 PDF 파일형식과 EPUB 파일형식 중 하나다. 서로 장단점이 있는 방법으로 두 파일형식의 특징을 알아보자. 부크크에서는 PDF 파일형식만 가능하며 유페이퍼에서는 PDF와 EPUB 모두 유통가능하다.

3.3.1.1 PDF

PDF 파일형식의 전자책은 종이책의 각 페이지를 그대로 전자책으로 옮겨온다고 이해하면 된다. 실제 부크크에 원고를 등록할 때 PDF 파일로 변환해 등록하는 것처럼 종이책 제본을 위한 여백 부분만 다르지 종이책과 동일하다. 이 때문에 PDF 방식은 아주 큰 장점이 있는데 어떤 전자책 리더기를 이용하더라도 페이지 수가 동일하다. 스마트폰에서 보든, 태블릿에서 보든, 컴퓨터 화면으로 보든 지면에 적힌 페이지 기준은 동일하다. 기기에 따라 페이지 수가 변경되지 않기 때문에 함께 전자책을 읽거나 읽은 내용을 다시 찾을 경우 기기가 달라도 언제든지 페이지를 쉽게 찾을 수 있다.

PDF 형식은 종이책 내용을 그대로 이미지화한 것이기 때문에 다양하고 복잡한 이미지들을 그대로 살릴 수 있다. 또한 PDF 형식은 오래 전부터 사용해왔기 때문에 거의 모든 기기에서 볼 수 있도록 지원한다. 원고를 한글프로그램으로 편집했든 인디자인으로 편집했든 PDF 파일로 변환해 만들기가 쉽다.

모든 파일 형식이 완벽할 수 없듯이 PDF 파일 형식은 단점도 있는데, 화면 크기의 제약을 받는다. 가장 큰 장점이 단점으로 작용하는데 한 페이지가 동일하기 때문에 어느 기기에서 보든 페이지 기준이 변경되지 않는 장점이 단점도 된다. 아주 큰 화면에서 보면 문제없으나 스마트폰과 같이 작은 화면에서 보면 PDF 한 페이지가 화면 크기만큼 작아져, 글자가 잘 보이지 않는다. 이를 해결하기 위해 화면을 확대해서 보아야 하는데 손가락으로 화면을 이리 저리 움직여가며 책을 읽어야 한다. 한눈에 한 페이지가 들어오지 않고 손가락으로 화면을 움직이며 읽어야 해 작은 화면으로 전자책을 볼 땐 PDF 형식은 상당히 불편하다.

3.3.1.2 EPUB

EPUB은 이펍 혹은 이퍼브라고 부르며 정식 명칭은 Electronic Publication 으로 첫 단어의 첫 글자와 두 번째 단어의 세 글자를 따서 만든 용어다. 국제적인 전자 출판물 표준으로 단말기 차이에서 오는 호환성 문제를 해결하기 위해 제정되었다. 가장 큰 특징으로 자동공간조정(reflowable)이 가능한데 PDF 형식에서는 구현되지 않는 EPUB 형식만의 특징이다. 자동공간조정이란 전자책 단말기의 화면 크기에 맞추어 글자크기와 줄 간격이 자동으로 최적화된다. 따라서 화면이 작은 단말기에서 PDF 형식과 같이 이미지 전체를 확대해 이리 저리 손가락으로 움직여 가며 볼 필요없이 자신에게 맞는 글자 크기로 조정해 읽을 수 있다. 그러나 이런 장점이 단점으로 작용하기도 하는데 페이지 기준이 전자책 단말기에 따라 모두 달라진다. 같은 책인데 글자 크기 설정에 따라, 단말기 화면 크기에 따라 페이지 기준이 달라진다. 태블릿에서는 100쪽에 있던 내용이 스마트폰으로 보니 130쪽에 있을 수 있다. 이미지가 많은 원고일수록 저자의 의도와 달리 엉뚱한 위치에 글자가 재조정되어 보일 수 있다. 독서모임할 때 이 부분은 명확하게 드러나는데 모임 중 종이책 쪽수를 이야기해도 전자책 단말기로는 동일한 위치에서 문장을 찾을 수 없는 일이 벌어진다.

EPUB은 PDF와 달리 다양한 형태의 전자책을 만들 수 있는데 오디오나 동영상 같은 멀티미디어를 담을 수도 있고, 플래시 같은 애니메이션 구현도 가능하다. 그러나 이 또한 단점으로 작용되기도 하는데 PDF 형태보다 EPUB은 제작이 어렵다. PDF는 한글프로그램이나 워드로 작성한 원고도 여백만 조정해 전자책용 PDF 파일로 변환가능하지만 EPUB은 별도 프로그램을 통해 만들어야 한다.

대부분의 인터넷 서점에서는 PDF 형식과 EPUB 형식 모두 제공한다. 이 책은 EPUB 프로그램으로 전자책을 만드는 방법까지 설명하지 않는다. EPUB으로 전자책 만들기를 원한다면 따로 관련 책을 보아야 한다. 기존 한글프로그램으로 만든 원고를 전자책용 PDF 파일로 변환하는 방법은 앞서 소개했던 PDF 변환 부분을 참고하길 바란다. 종이책과 다른 점은 제본을 위해 여백을 조금 더 둔 부분을 조정해 좌우 여백을 동일하게 주어 PDF 변환한다.

3.3.2 전자책 유통과 판매

부크크는 자체 서점에서만 전자책을 판매한다. 종이책처럼 시중 인터넷 서점으로 전자책을 유통하지 않는다. 그렇기 때문에 굳이 전자책을 부크크를 통해 만들어 판매할 이유가 없다. 전자책을 유통, 판매하는 대표적인 업체인 유페이퍼를 통해 전자책을 유통, 판매하는 방법을 소개하도록 하겠다. 이미 원고와 표지를 PDF 파일로 변환하는 방법은 앞서 이야기했기 때문에 이 장에서는 내지와 표지를 전자책용 PDF 파일로 변환하는 방법은 생략하도록 한다.

3.3.2.1 유페이퍼 회원가입

유페이퍼(https://upaper.kr) 메인 화면 우측 상단에 사람 아이콘을 클릭하면 회원가입 메뉴창이 나타난다. 회원가입 메뉴 창에 보이는 세 개의 메뉴 중 회원가입부터 먼저

해야 하기 때문에 가운데 메뉴인 가입 메뉴를 클릭한다. 회원가입이 끝나면 로그인 메뉴를 클릭해 로그인한다. 아이디나 패스워드를 모르면 가입 메뉴 옆에 있는 열쇠 모양의 찾기 메뉴를 클릭해 아이디와 패스워드를 확인한다. 로그인하면 새로운 화면이 열리고 상단 오른쪽에 로그인하기 전과 다른 새로운 메뉴들이 나타난다.

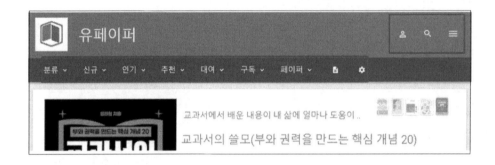

3.3.2.2 유페이퍼 상단 우측 메뉴

 유페이퍼 회원가입 후 로그인하면 로그인 전과 달리 우측 상단에 5가지 메뉴가 나타난다.

❶ 로그아웃 : 로그아웃 버튼이다. 대부분의 사이트에선 설정에 많이 있는 메뉴가 유페이퍼에선 가장 먼저 등장한다.

❷ 메시지 : 유페이퍼에서 알림 내용이 있을 때 메시지함으로 메시지를 보낸다. 유페이퍼에 처음 회원가입한 사람들에겐 "유페이퍼 회원가입을 축하드립니다. 내페이퍼 도메인은 https://(가입 아이디).upaper.kr 입니다. 구독, 구매, 대여하는 모든 컨텐츠는 모두 내페이퍼에 보관됩니다." 라는 동일한 메시지가 발송된다. 유페이퍼는 독특한 방식으로 운영되는데 회원 가입과 함께 자신의 페이퍼 도메인이 하나 더 만들어진다. 자신만의 공간(웹 페이지)을 하나 만들어준다고 보면 된다. 이 도메인을 통해 책 만들기가 가능하다.

이 부분은 다른 메뉴에서 자세히 살펴보겠다.

❸ 검색 : 유페이퍼에서 판매되는 도서를 검색할 수 있는 기능이다.

❹ 내 페이퍼 : 자신만의 공간인 **[내 페이퍼]** 도메인으로 들어가는 기능이다. 유페이퍼에서 내가 만든 책과 구매한 책 모두 이 공간에서 확인가능하다. 유페이퍼 첫 화면은 유페이퍼에서 판매되고 있는 책들을 제공하는 공간이고, 자신이 만든 책과 구입한 책 관리는 모두 자신의 페이퍼에서 확인가능하다.

❺ 메뉴 재구성 : 유페이퍼의 모든 메뉴를 좌측 창으로 띄워주는 기능이다. 굳이 이 기능을 사용하지 않더라도 이 메뉴 바로 아래 주 메뉴 바가 항상 있기 때문에 사용할 일이 별로 없는 기능이다.

❷ **[메시지]** 메뉴나 ❹ **[내 페이퍼]** 메뉴를 클릭하면 자신만의 페이퍼 공간으로 들어간다. 내 페이퍼 공간으로 들어가면 유페이퍼 메인 화면에서 보이던 책들이 사라지고 자신의 페이퍼 내용만 보인다. 다시 처음의 유페이퍼 메인 화면으로 나오고 싶다면 상단 우측의 U자 모양의 **[유페이퍼]** 메뉴를 클릭하면 된다. 이 메뉴는 자신의 페이퍼 도메인에 들어가야만 생성되는 메뉴다.

3.3.2.3 유페이퍼 주 메뉴

분류 ⌄　신규 ⌄　인기 ⌄　추천 ⌄　대여 ⌄　구독 ⌄　페이퍼 ⌄　▤　⚙

❶ 전자책 안내 메뉴 : 유페이퍼 로그인 후 상단에 검은색 띠로 구성된 메뉴가 주 메뉴다. 이 메뉴도 내 페이퍼 도메인으로 들어가면 약간 바뀌지만 전체적인 내용은 비슷하니 이 주 메뉴를 기준으로 설명하겠다. 붉은색 네모칸의 메뉴들은 유페이퍼에서 판매하고 있는 전자책을 안내하는 메뉴다. 분류는 로맨스, 판타지, 소설, 인문, 여행과 같은 주제와 장르별로 책을 찾아볼 수 있도록 제공한다. 신규는 새롭게 출판된 책을, 인기는 많이 팔리는 베스트셀러를, 추천은 말 그대로 유페이퍼에서 추천하는 책들을 확인할 수 있는 메뉴다. 대여 메뉴는 유페이퍼를 통해 전자책을 대여해 읽을 수 있는 책들을 제공한다. 구독은 월 단위로 여러 작가들이 제공하는 콘텐츠를 대여할 수 있는 메뉴다.

❷ 페이퍼 : 페이퍼는 판매자 페이퍼들을 소개하는 메뉴다. 유페이퍼에 회원가입을 하면 회원가입 때 만든 아이디가 내 페이퍼의 이름이 된다.(수정가능) 예로 nadaum이 유페이퍼 아이디라면 nadaum 페이퍼 도메인이 생성되고, 이 페이퍼 안에서 개인적인 구매, 책 만들기, 판매 내역 확인과 같은 정보를 확인할 수 있다. [페이퍼] 메뉴는 다른 페이퍼들을 소개하는 메뉴다. 즉, 책을 검색해 접근하는 방식이 아니라 책의 저자가 만든 페이퍼를 추천해 동일 저자의 여러 책들을 확인할 수 있다.

❸ 공지사항 : 공지사항, 문의사항, 도움말 게시판으로 연결되는 메뉴다.

❹ 내페이퍼 관리 : 유페이퍼 메뉴에서 가장 핵심적인 메뉴다. 이 메뉴를 통해 전자책을 등록하고, 판매내역을 확인할 수 있다. 판매자 정보 수정, 페이퍼 정보 수정, 구매내역을 확인할 수 있다.

3.3.2.4 판매자 등록하기

전자책 등록은 바로 위에서 설명한 ❹ **[내페이퍼 관리]** 메뉴를 통해서 가능하다. 아이콘을 클릭하면 다음과 같은 메뉴가 나오는데 제일 먼저 해야 할 작업이 판매자 등록이다.

개인으로 책을 판매할지, 사업자(출판사)로 판매할지 결정해야 한다. 개인으로 책을 판매하고 싶다면 정산받을 은행명과 계좌번호를 입력한다. 판매금액의 30%를 유페이퍼가 가져가고, 2년 동안 이 계약은 유효하다. 2년이 지나도 만기일에 취소하지 않으면 자동연장된다. 주민등록번호와 주소, 휴대폰 번호를 입력하면 개인 판매자 등록은 완료된다.

사업자로 판매자 등록을 하고 싶다면, 개인과 동일한 정보 외에도 사업자명, 사업자등록번호, 대표자명, 주소, 연락처를 입력한다. 사업자로 등록하면 책이 판매된 후 수익금을 정산할 때 부크크와 마찬가지로 계산서를 보내야 수익금이 입금된다. 정산할 시기가 되면 유페이퍼에서 상세하게 계산서 작성문구를 적어서 메일로 보내준다. 참고해서 국세청 홈택스를 통해 계산서를 만들어 보내면 된다. 이 방법이 어렵다면 개인으로 판매자 등록을 하면 된다. 출판사 등록을 하지 않고 개인적으로 전자책을 만들어 유통하고 싶다면, 유페이퍼 이름을 출판사로 사용해 출판할 수 있다.

유페이퍼에서 전자책이 판매될 때 저자에게 수익금 70%가 입금(개인일 경우 원천세 제외)되지만 외부 인터넷 서점에서 판매되면 수익금은 60%다. 외부 인터넷 서점도 수수료를 가져가기 때문이다.

판매자 등록을 마치면 ❹ [내페이퍼 관리] 메뉴가 변경되는데, [판매자 등록] 메뉴가 사라지고, [콘텐츠 등록], [어드민 관리], [판매자 정보]가 생성된다. 다른 메뉴들은 동일하다.

3.3.2.5 전자책 등록하기

❹ [내페이퍼 관리] – [콘텐츠 등록] 메뉴를 클릭하면 다음과 같이 새 창이 열린다. 미리 준비하고 있던 전자책 파일을 등록하려면, 가장 왼쪽의 [작업중인 전자책] 메뉴의 오른쪽 하단 [전자책 등록] 버튼을 누른다. 그러나 바로 등록하지 말고 [전자책 등록] 버튼 왼쪽의 [검수기준 보기]를 꼼꼼하게 확인하면 좋다. 검수기준을 확인하지 않고 등록했다가 전자책 등록이 보류되고, 다시 수정해야 하는 일이 벌어질 수 있다.

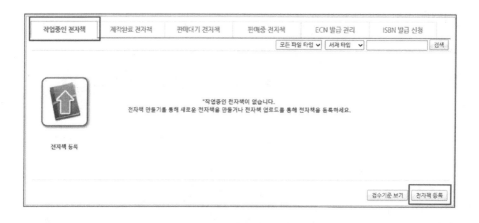

전자책 등록 버튼을 누르면 전자책 기본정보를 입력하는 창이 나타난다. 책 제목, 부제목, 저자명, 출판사명(개인일 경우 '유페이퍼' 입력), 출간일자, 카테고리, 책 소개, 저자소개 내용을 입력한다. 출판사 등록을 한 상태여서 미리 ISBN을 받아둔 게 아니라면 유페이퍼에서 ISBN 신청을 하고 번호를 받는 시간이 걸리기 때문에 출간일자는 7~10일 정도 더 여유있게 설정한다. 모두 입력하면 하단의 [다음 단계로] 버튼을 누른다.

[다음 단계로] 버튼을 누르면 **[전자책 파일등록]** 메뉴가 나타난다. EPUB이 아닌 PDF로 등록할 것이기 때문에 **[PDF 등록]** 버튼을 클릭하면 아래 창이 나타난다.

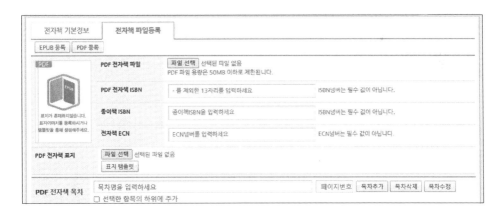

먼저 전자책 원고를 첨부한다. 이때 주의사항이 있는데 유페이퍼 **[검수기준]**을 보면, PDF 파일 첫 장은 표지가 들어가야 한다. 보통 표지 파일 따로, 내지 파일 따로 만들기 때문에 두 PDF 파일을 합쳐야 한다. PDF 파일 합치기는 어도비 아크로뱃 리더, 알PDF 프로그램 모두 가능하다. 그러나 아크로뱃 리더는 비용을 지불하는 유료 서비스기 때문에 알PDF로 PDF 파일 합치기를 살펴보도록 하겠다. 알PDF 아이콘을 클릭하거나 알PDF로 PDF 파일을 연 후 **[홈]** 메뉴를 클릭한다. (기본 PDF 뷰어 프로그램을 알PDF가 아닌 다른 프로그램으로 설정했다면 수정 방법은 **제2부. 3.10 PDF 변환**을 참고)

아래와 같은 메뉴가 열리는데 이 중 **[PDF 병합]** 메뉴를 클릭한다.

왼쪽 이미지와 같이 병합할 파일을 선택하는 메뉴에 파일을 끌어다 놓거나 선택하면 아래 **[PDF 병합]** 창이 나타난다. 다른 파일을 더 추가하고 싶다면 상단의 **[+ 파일 추가]**를 선택해

추가한다. 주의해야 할 부분이 있는데 **[책갈피에서 새 목록 생성]** 메뉴에 체크되어 있으면 합친 PDF 파일 첫 장에 병합한 파일명이 목차로 생성되기 때문에 해제한 후에 **[적용]** 버

튼을 클릭한다. 내가 원하는 폴더에 저장하고 싶으면 [⋯] 메뉴를 클릭해 폴더를 지정한 후 저장한다. 앞서 **제2부. 3.10 PDF 변환** 부분에서도 중요하게 언급했듯이 두 PDF 파일을 병합하기 전 두 PDF 파일의 사이즈(가로 세로 크기)가 동일한지 꼭 확인해야 한다.

전자책 원고 파일 업로드가 끝나면 ISBN을 입력(유페이퍼를 통해 발급받아야 한다면 비워두고 진행)하고, 종이책을 이미 출판해 판매 중이라면 종이책 ISBN도 입력한다. 원고 등록을 마치면 표지 파일을 등록한다. 여기까지 진행하면 기본적인 파일은 모두 등록 완료했다.

아직 등록하지 않은 내용이 있는데 바로 목차 정보다. 목차정보는 하단에 하나씩 목차를 입력해야 하는 란이 따로 있다. 목차명과 페이지 번호를 하나씩 입력해야 한다.

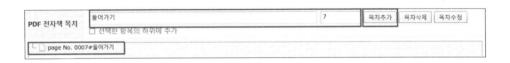

목차명과 페이지 번호를 입력한 후 **[목차추가]**를 누르면 하단에 목차가 하나 생성된다. 이런 방식으로 하나씩 입력하며, 하위 목차면 **[선택한 항목의 하위에 추가]**라는 항목에 체크 표시를 하고 목차 추가를 하면 기존 목차에 들여쓰기 된 목차가 생성된다.

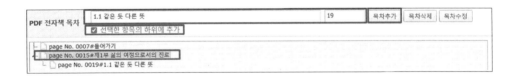

하위 목차를 생성할 때는 상위 목차를 클릭한 다음 목차 추가를 해야 그 아래 생성된다. 목차를 삭제하거나 수정하고 싶다면 목차 추가 버튼 옆에 있는 목차 삭제와 목차 수정 버튼을 눌러 삭제나 수정을 진행한다. 이런 방식으로 모든 목차를 입력했다면 하단 오른쪽에 있는 전자책 등록 버튼을 누르면 완료된다.

출판사 등록을 하지 않은 개인이라면, 아직 한 단계가 더 남았은데 유페이퍼를 통해 ISBN을 발급받아야 한다. ❹ **[내페이퍼 관리] – [콘텐츠 등록]** 메뉴를 다시 클릭해 **[ISBN 발급신청]** 메뉴에서 등록한 전자책을 선택해 ISBN 발급을 신청한다.

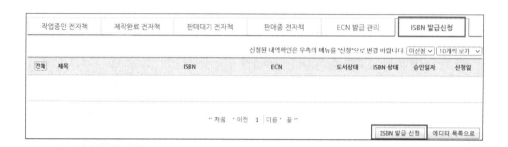

 이후 인터넷 서점 판매내역, 대여여부 결정, 할인여부, 정산관리는 ❹ **[내페이퍼 관리] – [어드민 관리]** 메뉴를 통해 자세히 확인할 수 있다.

4. 출판사 사업자 번호가 있다면

출판사 신고와 사업자 등록이 되어 있지 않더라도 부크크와 유페이퍼에서 개인도 출판 가능하다. 그러나 출판사명이 부크크와 유페이퍼 이름으로 등록되고, 판매된다. 책 판매 후 수익금(인세)도 부크크와 유페이퍼에서 원천세를 떼고 계좌로 입금한다. 이 장에서 출판사 신고와 사업자 등록(둘 다 해야 한다. 출판사 신고만 하고 사업자 등록을 하지 않으면 안된다.)까지 한 경우 개인 이름으로 출판할 때와 어떤 차이가 있는지 살펴보자. 출판사 신고방법과 사업자 등록방법은 이 책에서 설명하지는 않겠다. 출판사 신고를 하기 전 동일한 명칭의 출판사가 있는지 확인은 필수다. 현재 시스템은 출판사가 중복되어도 등록에 어려움이 없다. 이 말은 출판사명 확인을 하지 않고 출판사 등록을 하게 되면, 앞서 만들어진 출판사와 동일한 출판사명을 중복해 사용할 수 있다는 말이다. 앞서 등록한 출판

사에서 이미 책을 출판해 유통하고 있다면 책을 구입하는 독자들은 두 출판사를 같은 출판사로 인식한다. 때문에 출판사 신고를 하기 전 어떤 출판사가 등록되어 있는지 확인해야 한다. 문화체육관광부에서는 전국의 출판사와 인쇄사를 검색할 수 있는 시스템(https://book.mcst.go.kr)을 제공한다.

출판사명을 독점적으로 사용하고 싶다면 상표권 등록을 하면 가능하다. 내가 사용하고 싶은 출판사명을 상표권 등록 하고 독점적으로 사용하고 있을 수 있으니 출판사명 등록 전에 상표권 등록도 확인해야 한다. 상표권 등록 확인은 특허정보검색서비스 키프리스 (http://www.kipris.or.kr)를 통해 가능하다. 검색 시 **[전체]**검색으로 설정되어 있으니 **[상표]**로 변경 후 검색한다.

4.1 내가 만든 출판사명으로 부크크에서 출판하기

4.1.1. 표지에 출판사명 추가하기

내가 만든 출판사명으로 부크크에서 책을 출판하고 싶다면, 앞서 설명했던 부크크를 활용해 책 만드는 방법과 크게 다른 부분은 없다. 그대로 진행하되 표지 디자인에 출판사명이 들어가야 한다. 출판사 신고 확인증과 사업자 등록증이 없는 개인이 부크크에서 표지를 업로드할 때 출판사명을 비워두어도 부크크 시스템에서 부크크 출판사명을 넣어준다. 그러나 자신이 만든 출판사명을 넣고 싶다면 표지 디자인할 때 자신의 출판사명을 직접 넣어야 한다. 표지디자인 할 때 출판사명을 책등 하단과 앞 표지 하단 중앙이나 우측에 많이 넣는다. 출판사명을 표지에 넣는 건 필수다. 표지와 책등에 출판사명 없는 책은 없다. 대부분의 표지엔 출판사 로고를 뺀 출판사 이름만 기입하니 참고해도 좋다. 개인적으로 출판사 로고도 넣어보고, 다양한 색깔로 출판사명을 표지에 넣어보았지만 대부분의 출판사들이 표지에 검정색 출판사명만 사용하는 이유가 있다. 로고도 표지에 잘 넣지 않는데 복잡해 보이지 않고, 아주 단순하지만 독자들이 가장 빨리 출판사명을 확인할 수 있기 때문이다. 출판사명과 로고에 기교와 색상을 잔뜩 넣어 표지에 실을수록 독자들의 눈에 잘 들어오지 않는다. 확인하고 싶다면 도서관이나 서점에 꽂혀있는 책의 책등과 표지를 유심히 살펴보라.

4.1.2. ISBN 직접 신청하기

출판사신고와 사업자등록을 하지 않은 개인이 부크크를 통해 출판을 진행하면 부크크에서 ISBN을 신청해 발급받는다. 만약 개인이 진행하더라도 표지 디자인을 개별적으로 만들어 올리고 싶다면 이 ISBN을 부크크로 받아 뒷 표지에 넣어야 한다. ISBN 없이는 책을 유통할 수 없다. 책 출판 진행 시 부크크를 통해 ISBN 번호를 신청하겠다고 선택하고, 부크크에서 ISBN을 받아 내가 만든 뒷 표지에 추가해야 한다. 이 장에서는 부크크를 통해 ISBN 신청을 대행하지 않고, 출판사명을 가지고 있는(출판사 신고와 사업자등록을 마친) 개인이 직접 ISBN을 신청하고, ISBN을 뒷 표지에 추가하는 방법을 살펴보겠다.

우리나라에서 ISBN을 관리하고 번호를 부여하는 곳은 국립중앙도서관이다. 국립중앙도서관에서는 ISBN을 부여하기 위해 ISBN·ISSN·납본 시스템(https://www.nl.go.kr/seoji/)을 운영 중이다. 시스템에 들어가 먼저 계정등록(회원가입) 한다. 계정 등록 후

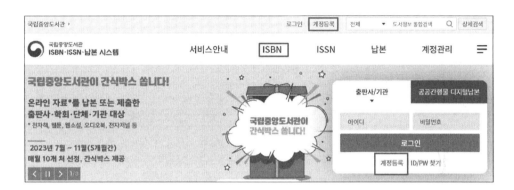

로그인까지 하고 나면 ISBN 신청을 위한 절차를 시작하는데, 가장 먼저 발행자번호를 신청해야 한다. 발행자 번호란 ISBN을 발급하는 한국서지센터에서 출판사(발행자)에게 부여하는 고유한 번호를 의미한다. 이 발행자번호는 출판사 신고 확인증에 있는 번호와 전혀 다른 번호로 ISBN에 기록되는 출판사만의 고유번호다. 이 발행자 번호 앞에 국제 ISBN관리기구에서 한국에 부여한 번호가 있고, 이 번호 뒤에는 출판사가 출판하는 책마다 고유한 식별번호가 붙는다. ISBN은 이렇게 만들어지기 때문에 동일한 번호가 없다.

로그인 후 발행자 번호를 신청하려면 상단의 [ISBN] 메뉴를 클릭해 **[발행자번호 신청]**

버튼을 클릭한다. 하단의 **[신규 발행자번호 배정 신청]**을 클릭하고 발행처 정보, 발간 도서 정보, 연간출판(예정) 목록, 발행자번호 신청 담당자 정보를 입력한다. 발행자 번호는 신청 후 최

대 3일 정도 후 부여되며, 발행자 번호가 부여되면 ISBN 신청을 진행한다. 발행자 번호와 달리 ISBN은 책을 출판할 때마다 발급받아야 하며, 동일한 책이라도 종이책과 전자책은 서로 다른 ISBN을 신청해서 발급받아야 한다.

[ISBN 신청] 버튼을 클릭하면 다음과 같은 페이지가 나타난다. 세트로 묶어 판매할 책이 아니기 때문에 [개별도서 ISBN]의 [종이책 ISBN]이나 [전자책 ISBN]을 선택한다. [전자책 ISBN]은 [종이책 ISBN]과 크게 다르지 않아 [종이책 ISBN] 위주로 설명하겠다.

[종이책 ISBN] 신청하기 버튼을 누르면 나타나는 새 페이지 가장 상단에 [도서번호 생성]이라는 항목이 있다. 이 항목에서 도서번호(ISBN)가 모두 만들어진다. 먼저 [선택] 메뉴를 클릭하면 979-11-981476 번호 뒤에 붙일 수 있는 서명식별번호를 보여 준다.

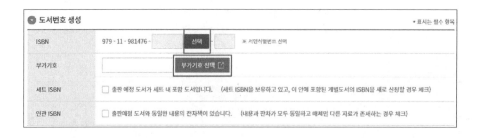

여러 개의 식별번호 중에 하나를 선택하면 그 번호가 빈 칸에 생성된다. 그 번호가 그 책의 ISBN이다. 그리고 바로 아래 **[부가기호]**라는 항목이 있는데, 책 뒷면의 바코드는 두 개로 이루어져 있다. 앞 바코드는 ISBN이며, 뒷 바코드는 부가기호다. 부가기호는 총 5자리로 첫 한자리는 독자대상기호로 출판할 책의 대상독자를 출판사에서 선택한다.(교양 0, 실용 1, 청소년 4, 학습참고서(중고교용) 5, 학습참고서(초교용) 6, 아동 7, 학술전문서적 9) 그 다음으로 발행형태 기호 한자리로, 사전은 1, 도감은 6, 그림책/만화는 7, 점자자료/마이크로자료/혼합자료는 8, 문고본(세로 15cm 이하)은 0, 신서판(세로 18cm 이하)은 2, 일반 단행본(세로 18cm 이상)은 3, 전집/총서/시리즈는 4번을 선택한다. 마지막 부가기호는 분류기호로 책의 주제를 번호로 만든 것이다. 총 세 자리로 구성되어 있으며, 0~9번까지 대주제를 선택하고 선택한 주제의 하위 주제를 하나씩 더 선택해서 만든다. 이렇게 만든 ISBN의 예는 아래와 같다.

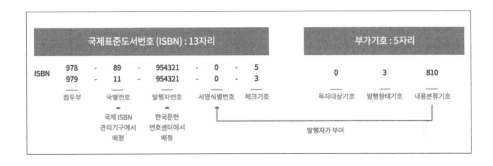

도서번호 생성이 끝나면 **[출판예정도서 정보]**를 입력하는데, 앞서 부크크와 유페이퍼에 도서정보를 입력했던 정보와 비슷하다. 다만 책의 크기와 판 유형(초판, 개정판 등)과 같이 더 세부적으로 입력해야 되는 항목도 있다. 모든 항목을 다 입력할 필요는 없고, 필수 입력 항목이 아니라면 선택해서 입력한다. 모든 입력이 끝나고 신청이 완료되면 심사 후 ISBN이 발급된다. 만약 ISBN을 발급받은 후 필수 입력 항목(별표 항목) 중 변경해야 할 사항이 있다면 다시 ISBN을 발급받아야 한다. 예로 책 가격, 페이지수, 판사항(개정판, 3판)이 달라지면 기존 ISBN은 사용하지 못한다.

4.1.3 뒷 표지에 ISBN 바코드 추가하기

내가 표지를 만들고 부크크를 통해서든 직접 신청했든 ISBN을 받았다면 바코드와 번호를 뒷 표지에 가격과 함께 붙여야 한다. 기존에 만들어둔 표지에 ISBN 이미지를 추가해야 한다는 의미다. ISBN이 발급되면 앞서 보았던 시스템에서 바코드를 다운로드 받을 수 있다. **[ISBN] – [ISBN 완료 조회 / 바코드 다운로드]** 메뉴를 클릭하면 다음과 같이 발급된 도서번호를 확인할 수 있다.

바코드 버튼을 클릭하면 바코드를 다운로드 받을 수 있는 창이 나타난다. 다운로드 받을 수 있는 파일은 EPS 형식과 PDF 형식이 있는데 EPS 형식은 포토샵과 같은 전용 프로그램이 있어야 한다. Canva(캔바)에서 PDF 파일 형식을 불러와 이미지로 사용할 수 있기 때문에 PDF 에 체크하고 다운로드한다.

출판사 등록을 하지 않아 부크크를 통해 ISBN을 발급받았지만 자신이 만든 책표지에 직접 추가하고 싶다면, 부크크에 ISBN 파일을 PDF 형태 요청한 후 받아 다음과 동일하게 작업하면 된다.

바코드 파일을 다운로드 받아 이제 만들어 둔 표지 뒷면에 바코드 이미지를 추가해야 한다. Canva에 로그인 한 후 메인 화면 상단 우측의 **[업로드]**를 클릭한다.

업로드하고 나면 메인화면 **[최근 디자인]** 메뉴에 아래 좌측과 같은 디자인이 하나 생성된다. 이 파일을 클릭해 열고 ISNB 바코드를 전체 복사(Ctrl + a, Ctrl + c)한 후 이미 만들어 두었던 표지 디자인을 열어 붙여넣기(Ctrl + v)를 한다.

ISBN은 크기를 조절해 뒷 표지 하단에 위치하도록 하고, 바코드 이미지를 제외한 가격과 ISBN 번호는 수정가능하니 글꼴이나 크기, 위치를 적절하게 편집한다. 모든 편집이 끝나면 다음과 같은 최종 책 표지 디자인이 완성된다.

4.2 내가 만든 출판사명으로 유페이퍼에서 전자책 출판하기

부크크에서는 전자책을 외부 서점으로 유통해 주지 않기에 유페이퍼를 통해 전자책을 유통해야 한다고 했다. 출판사 신고 확인증과 사업자등록증이 없는 개인이라면 유페이퍼 출판사 이름으로 출판이 가능하고 ISBN 발급도 대행해 준다. 출판사 신고와 사업자등록증이 있는 사업자라면 종이책 만들기와 동일하게 ISBN 발급을 진행하면 된다. 전자책의 경우 앞 표지에 ISBN 바코드를 붙일 필요가 없기 때문에 ISBN을 발급받았다면 그 번호만 유페이퍼 입력란에 입력하면 끝난다. 유페이퍼에서 전자책 유통을 위해 더 추가해야 할 부분은 없다.

4.3 전자 계산서 발급하기

부크크와 유페이퍼에서 사업자로 책을 출판하고 판매하기로 했다면 회원 등록할 때 사업자 정보를 입력해야 한다. 이 사업자 정보는 이후 책 판매 수익금(인세)을 받기 위해 필요하기 때문이다. 개인으로 부크크와 유페이퍼에서 책 판매 수익금을 받으려면 계좌번호만 등록하면 된다. 부크크와 유페이퍼에서 수익금 중 원천세를 떼고 입금한다. 그러나 사업자는 계산서를 발급해 주어야 부크크와 유페이퍼에서 수익금을 입금해 줄 수 있다. 출판사 입장에서는 매출이 발생하는 것이고, 부크크와 유페이퍼 입장에서는 지출이 발생하기 때문이다. 이를 세무적인 서류로 남겨야 하는데 이게 바로 계산서다.

출판업은 면세업(부가세가 없다.)이기 때문에 세금계산서가 아닌 계산서를 발급한다. 대부분 국세청 홈택스를 통해 전자계산서를 발급하는데 이를 위해서는 계산서 발급용 공동(공인)인증서가 필요하다. 개인이 은행거래를 위해 발급받는 공동(공인)인증서와 달리 계산서 발급용 공동(공인)인증서를 따로 발급받아야 한다. 이용하는 은행 창구를 직접 방문하거나 인터넷으로 (세금)계산서 발급용 공동(공인)인증서를 만들 수 있다. 사업자등록번호로 발급받은 공동(공인)인증서만 가능하기 때문에 유의해서 발급받아야 한다. 사업자등록번호로 발급받을 수 있는 공동(공인)인증서가 단순 은행거래용 인증서도 있기 때문에 혼동할 수 있다. 사업자등록번호로 발급받을 수 있는 인증서는 은행거래용 인증서와 계산서 발급용 인증서가 있고, 이 둘은 다르다. 단순 은행거래용 인증서는 국세청 홈택스에서 계산서 발급이 불가능하다.

인증서를 만들었다면, 국세청 홈택스에서 인증서 등록 후 로그인한다. 개인 인증서나 사업자용 단순 은행거래 인증서가 아니라 계산서 발급용 인증서로 로그인해야만 계산서

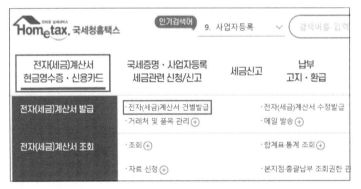

발급이 가능함을 잊지 말자. 국세청 홈택스 메인 화면이 뜨면 상단 **[전자(세금)계산서]** 메뉴에 마우스 커서를 올리면 새로운 메뉴가 펼쳐지는데 그 중 **[전자(세금)계산서 발급]** - **[전자(세금)계산서 건별발급]**을 클릭한다.

클릭하면 새로운 페이지가 나타나며, 출판업은 면세업이기 때문에 전자세금계산서가 아닌 전자계산서 페이지를 띄우겠다는 홈택스 팝업창이 나타난다. 확인을 누르면 다음과 같은 계산서 발급 창이 나타난다.

　홈택스에서는 이미 등록된 정보를 불러오기 때문에 비어 있는 부분에 공급자 추가 정보를 입력한다. 그리고 계산서를 받을 사업자(공급받는 자)의 정보를 입력해야 한다. 부크크와 유페이퍼가 계산서를 받을 사업자이기 때문에 부크크와 유페이퍼의 사업자등록번호, 대표자 이름, 메일 주소를 입력한다. 이때 주의해야 할 부분은 메일 주소가 틀릴 경우 계산서를 받지 못하기 때문에 한번 더 계산서 받을 메일 주소가 올바른지 확인해야 한다. 상대방이 계산서 확인을 못하면 아무리 계산서를 보냈더라도 돈을 입금받을 수 줄 수 없다.

　하단에 계산서 발급 날짜와 품목(부크크의 경우 '수익금', 유페이퍼의 경우 '전자책 정산'으로 입력), 공급가액을 입력한다. 계산서 발급 날짜를 기억하고 있을 필요는 없는데, 부크크와 유페이퍼에서 언제까지 얼마의 금액으로 계산서를 발급해 달라는 메일을 정기적으로 발송한다. 매달 정산하는게 아니라 어느 정도 금액이 모인 후 정산하기 때문에 부크크와 유페이퍼에서 계산서 요청 메일이 도착하면 그때 계산서를 발급한다. 유페이퍼에서는 친절하게 메일로 계산서 발급 샘플까지 만들어 보내주기 때문에 그대로 따라 적으면 된다. 규격, 수량, 단가 항목은 굳이 입력하지 않고, 공급가액만 입력해도 된다. 일정 기간 후 등록된 계좌로 수익금(인세)이 입금된다. 유페이퍼는 정산할 금액이 발생하면 메일 발송뿐만 아니라 플랫폼 내에 전자계산서 샘플을 제공한다. 샘플에서 제공하는 내용 그대로 국세청 홈택스에 입력하면 된다. 전자계산서 샘플은 유페이퍼 플랫폼에서 **[어드민 관리]** – **[정산 관리]** – **[당월 정산 집계]** 메뉴를 통해 확인할 수 있다. **[당월 정산 집계]** 메뉴를 클릭하면 아래와 같이 정산받을 금액과 **[전자계산서 상세 내역]** 메뉴가 나타난

다. **[전자계산서 상세 내역]**을 클릭하면 국세청 홈택스에 입력해야 할 내용을 그대로 제공한다.

서비스명	판매총액	수수료	정산액
밀리의서재	10,000	30.00%	7,000
예스24	10,000	40.00%	6,000
북큐브B2BC	10,000	60.00%	4,000
합계	30,000		17,000

지급 예정액	비고
17,000	
전자계산서 상세내역 보기	

부크크에서도 정산 안내 메일을 보내주지만 유페이퍼와 같이 자세한 전자계산서 작성 내역에 대해 설명해 주지 않는다. 왼쪽 유페이퍼 전자계산서를 참고해 동일하게 작성하면 된다. 부크크의 경우 품목에 **[수익금]**이라고만 적어도 상관없다.

4.4 국립중앙도서관 납본하기

  납본이라는 단어를 처음 들어본 사람도 있을 것이다. 출판이나 도서관계에서 일해 본 사람이 아니라면 접할 일이 별로 없는 단어다. 납본(納本, deposit copy)은 한자어로 '들일 납'이라는 뜻처럼 펴낸 책을 어떤 기관에 들인다는 뜻이다. 우리나라는 도서관법과 국회도서관법에 의해 누구든지 도서관자료를 발행 또는 제작한 경우 발행일 또는 제작일로부터 30일 이내에 그 자료를 국립중앙도서관과 국회도서관에 각 2부씩 납본해야 한다. 이 납본제도는 한국뿐만 아니라 세계 여러 나라에서도 동일하게 시행하고 있다. 국가의 재정으로 운영되는 국가 대표도서관(국립중앙도서관)은 후대를 위해 국가 내의 도서를 수집하고 보존해야하는 책임이 있는데 납본제도를 통해 이를 수행한다. 국립중앙도서관에서 국내 출판사들이 출판한 책을 일일이 확인해 보내달라고 하기는 쉽지 않다. 따라서 납본제도를 법에 명시해 출판사나 발행자가 도서관자료를 발행 또는 제작했을 때 국립중앙도서관과 국회도서관으로 2부(보존용 1부, 열람용 1부)씩 보내도록 한다. 법에는 납본 받은 자료에 대한 정당한 보상을 하여야 한다고 명시되어 있으며, 2부 중 1부(열람용 1부)에 대한 금액을 보상해 준다. 이 책에서는 국립중앙도서관 납본을 중심으로 설명하도록 하겠다.

  국립중앙도서관 납본을 신청하는 사이트는 앞서 ISBN 발급을 위해 설명했던 국립중앙도서관 ISBN · ISSN · 납본 시스템(https://www.nl.go.kr/seoji/)이다. 상단 메뉴 중 **[납본]** 메뉴를 클릭해 도서관자료 납본서 · 보상청구서 파일을 다운로드 받아 작성해 출력하거나 웹상에서 작성해 출력가능한 **[납본신청 바로가기]**를 클릭한다.

  이 서식에 출판사 정보, 도서정보를 입력한다. 이때 보상받을 수 있는 책은 한 권으로 보상가도 한 권 금액을 적는다. 모두 기록하고 나면 하단에 서명하거나 도장을 찍어 도서관으로 보낼 책과 함께 발송하거나 메일이나 팩스로 발송한다. 서명이나 도장이 없는 서류는 무효처리되어 다시 제출해야 하니 꼭 서명이나 날인을 해서 발송한다.

서류를 발송했다고 끝이 아니다. 보상받을 1부에 대한 계산서를 보내야 한다. 기관 대 기관으로 거래하는 것이기 때문에 매출이 생기면 무조건 계산서를 보내야 입금받을 수 있다. 앞서 전자계산서를 작성했던 방식과 동일하게 계산서를 작성해 보내야 하는데 이때 계산서를 받는 기관이 국립중앙도서관이 아니다. 국립중앙도서관의 위탁을 받아 (사)대한 출판문화협회가 납본 대행을 하고 있는데 이 기관으로 계산서를 발급해야 한다. 계산서 발급을 위해 필요한 사업자등록번호와 메일주소, 발급 방법은 사이트에서 제공하고 있기 때문에 그대로 발급하면 된다.

서류와 계산서를 보냈으면 이제 도서 2권을 포장해 우편이나 택배로 국립중앙도서관 국가자료 납본센터(사이트내 주소 참조)로 보내면 모든 과정은 끝난다. 아쉽게도 우편비나 택배비는 지원해주지 않는다. 납본 후 국립중앙도서관에 열람용으로도 비치되기 때문에 검색 가능하며, 납본보상비는 많은 책들이 대기하고 있기 때문에 인내심을 가지고 제법 기다려야 한다.

1 강원국, 『강원국의 글쓰기: 남과 다른 글은 어떻게 쓰는가』, 메디치, 2018, 135~136쪽.

2 강원국, 앞의 책, 138~140쪽.

3 정희모, 이재성, 『글쓰기의 전략』, 들녘, 2005, 195쪽.

4 유시민, 『유시민의 글쓰기 특강』, 생각의 길, 2015, 199쪽.

5 강준만, 『글쓰기가 뭐라고』, 인물과 사상사, 2018, 102쪽.

6 이남훈, 『필력: 나의 가치를 드러내는 글쓰기의 힘』, 지음, 2017, 33~39쪽.

7 강원국, 앞의 책, 163쪽.

8 유시민, 앞의 책, 202쪽.

9 이운우, 『진로도 나답게』, 공간 나다움, 2022.

10 강원국, 앞의 책, 254쪽.

11 강원국, 앞의 책, 258~259쪽.

12 이오덕, 『우리글 바로쓰기 1, 2』, 한길사, 1992.

13 김정선, 『내 문장이 그렇게 이상한가요?』, 유유, 2016.

14 김정선, 앞의 책, 18쪽 소제목을 그대로 따왔다.

15 김정선, 앞의 책, 19쪽.

16 이오덕, 『우리글 바로쓰기 2』, 한길사, 1992, 32~34쪽.

17 이오덕, 『우리글 바로쓰기 1』, 한길사, 1992, 129쪽.

18 이오덕, 앞의 책, 130쪽.

19 이오덕, 앞의 책, 130쪽.

20 이오덕, 앞의 책, 130쪽.

21 이오덕, 앞의 책, 133~136쪽.

22 김정선, 앞의 책, 22~23쪽.

23 김정선, 앞의 책, 37~41쪽.

24 김정선, 앞의 책, 28쪽.

25 이오덕, 『우리글 바로쓰기 2』, 한길사, 1992, 84~85쪽, 106~107쪽.

26 정희모, 이재성, 앞의 책, 312~313쪽.

27 정희모, 이재성, 앞의 책, 316~317쪽.

28 네이버 지식백과, https://terms.naver.com/entry.naver?docId=3559688&cid=58583&categoryId=58729

29 김정선, 앞의 책, 128~129쪽.

30 이운우, 앞의 책, 9쪽, 144쪽.

31 https://www.hancom.com/board/noticeView.do?artcl_seq=6117

32 https://learn.microsoft.com/ko-kr/office/troubleshoot/powerpoint/change-export-slide-resolution

33 https://blog.naver.com/designselpa/222661014547, https://www.doyacart.com/v/board/board_blog/394

34 그림, 사진, 인쇄물 따위에서 밝은 부분부터 어두운 부분까지 변화해 가는 농도의 단계

35 강민영, 『세상에서 가장 쉬운 SNS 콘텐츠 디자인 with 캔바』, 비제이퍼블릭, 2022.

36 김효선, 『책 제작과 출판종합』, 아로새글북스, 2019.

37 본 장은 정경희, 이호신의 『도서관 사서를 위한 저작권법』, 한울아카데미, 2023, 하병현, 윤용근의 『출판과저작권』, 북스데이, 2017의 내용을 참고하여 필자가 다시 작성했다.